Andreas Eschbach
BLACK*OUT

Weitere Bücher von Andreas Eschbach im Arena-Taschenbuch:
Perfect Copy (Band 50316)
Die seltene Gabe (Band 50353)

Weitere Titel der Black*Out-Trilogie:
*Hide*Out*
*Time*Out*

Das gleichnamige Hörbuch ist bei Arena audio erschienen.

Andreas Eschbach,
geboren in Ulm, studierte in Stuttgart Luft- und Raumfahrttechnik
und wurde vor allem durch den Thriller »Das Jesus-Video« (1998) bekannt,
der auch verfilmt wurde. Mit »Eine Billion Dollar«, »Der Nobelpreis«,
»Ausgebrannt« und zuletzt »Ein König für Deutschland« stieg Eschbach
endgültig in die Riege der deutschen Top-Autoren auf. Seine Bücher für
junge Leser erscheinen im Arena Verlag. Andreas Eschbach lebt als freier
Schriftsteller mit seiner Familie in der Bretagne.

Andreas Eschbach

BLACK*OUT

Arena

1. Auflage als Sonderausgabe 2013
© 2010 Arena Verlag GmbH, Würzburg
Alle Rechte vorbehalten
Dieses Werk wurde vermittelt durch die
Literarische Agentur Thomas Schlück GmbH, 30827 Garbsen
Umschlaggestaltung: Frauke Schneider
Umschlagtypografie: knaus. büro für konzeptionelle und visuelle
identitäten, Würzburg
Gesamtherstellung: Westermann Druck Zwickau GmbH
ISSN 0518-4002
ISBN 978-3-401-50505-3

www.arena-verlag.de
Mitreden unter forum.arena-verlag.de

www.eschbach-lesen.de

Abfangmanöver

1 | Alles sah tot und verlassen aus, so weit das Auge reichte, und auch die Tankstelle, an der sie angehalten hatten, wirkte, als hätte man sie vor langer Zeit aufgegeben.

Christopher beobachtete ein Insekt, das sich durch den Sand schleppte. Es sah aus wie ein Skorpion, und es war unterwegs in die Wüste.

»Ist hier überhaupt jemand?«, fragte er.

Kyle war damit beschäftigt, sein Bargeld durchzuzählen. Er steckte seiner Schwester zwei Scheine zu; Christopher konnte nicht erkennen, was für welche. Diese Dollarscheine sahen in seinen Augen alle gleich aus. »Bringt auch eine Zeitung mit«, sagte Kyle. »Den *Nevada Herald,* wenn sie den haben. Sonst eine andere.«

Christopher ließ sich tiefer in den Rücksitz sinken, der so weich war, dass einem irgendwann alles wehtat. »Es ist wahrscheinlich besser, ich bleibe im Wagen«, meinte er.

Jetzt drehte sich Kyle zu ihm um. Eine wulstige Narbe zierte seine Stirn, verlief von der Mitte seiner rechten Augenbraue fast senkrecht nach oben. Wenn er sich ärgerte, färbte sie sich an den Rändern rötlich. So wie jetzt.

»Blödsinn«, sagte er. »Ihr geht jetzt da beide rein, solange ich tanke, und du suchst dir was zum Essen und Trinken aus. Du wirst es brauchen, glaub mir. Es dauert noch verdammt lange, bis wir da sind.«

Christopher wollte etwas sagen, aber Kyle unterbrach ihn mit einer unwirschen Handbewegung. »Entspann dich, Chris, okay? Hier kennt dich niemand. Und selbst wenn, würde dich niemand verraten. Nicht hier.«

»Ich hab nicht Angst, dass mich jemand verrät«, sagte Christopher.

»Umso besser«, erwiderte Kyle und stieg aus, genauso wie Serenity. Zögernd öffnete Christopher die Tür auf seiner Seite und folgte ihr.

Es tat gut, sich ein bisschen zu bewegen. Das auf jeden Fall.

Der Boden bestand nur aus trockener, festgestampfter Erde. An den beiden Zapfsäulen war die meiste Farbe bereits abgeplatzt, von der Hitze und der Sonne vermutlich, aber das Metall darunter zeigte keine Spur von Rost: Dazu war es hier, mitten in der Wüste von Nevada, schlicht zu trocken.

In einiger Entfernung stand der Mast einer Mobilfunkantenne. Aber Überwachungskameras waren keine zu sehen.

Serenity stieß die Tür zum Drugstore auf, mit einer heftigeren Bewegung, als nötig gewesen wäre. Und sie wartete nicht auf ihn, ließ die Tür hinter sich einfach wieder zufallen, ohne sich darum zu kümmern, ob Christopher nachkam oder nicht.

Drinnen war alles eng, vollgestopft und staubig. Jedes Mal wenn man die Tür öffnete, drang etwas von dem feinen Wüstensand herein, und offenbar machte sich niemand die Mühe,

6

ihn wieder hinauszubefördern. Auch aufzuräumen, hielt niemand für nötig; die Regale reichten in dem winzigen Raum bis zur Decke, und in ihnen stapelten sich Chips, Süßigkeiten und Autozubehörteile aller Art. Christopher griff nach einer Tüte bunter Kaubonbons in Form von Dinosauriern. Aus der Nähe betrachtet wirkten die Saurier seltsam klebrig. Er drehte die Tüte um. *Haltbar bis September 2008. Abgelaufen* war da gar kein Ausdruck mehr.

Angewidert legte er die Tüte zurück. Die Frau, die hinter der Kassentheke saß, würdigte sie keines Blickes. Sie verfolgte eine von ständigem, aufdringlich wirkendem Gelächter durchsetzte Show auf einem uralten kleinen Fernseher, und so lasch, wie sie dasaß, hätte Christopher jede Wette gehalten, dass sie bis eben einfach nur gedöst hatte. Es war fast Mittag, und die klapprige Klimaanlage kam gegen die Hitze kaum noch an. Er trat neben Serenity, die vor dem Kühlregal mit den Getränken und den Sandwiches stand, in einigermaßen angenehmer Kühle.

»Man kann sich auch zu wichtig nehmen, weißt du?«, sagte sie, ohne ihn anzusehen.

»Meinst du mich?«, fragte Christopher.

Sie machte eine knappe, ärgerlich wirkende Handbewegung. »Ja, ich geb's zu. Ich fand das zuerst ziemlich cool, dieses ›*Die ganze Welt ist hinter mir her*‹-Ding. Aber ehrlich gesagt, auf die Dauer nervt es.«

Christopher blickte sich um. Vielleicht hatte sie ja recht. Das sah alles wirklich ziemlich aus wie der Arsch der Welt; man musste sich regelrecht wundern, dass es hier überhaupt elektrischen Strom gab. Was auch immer gerade an weltbewegenden Dingen geschehen mochte, an diesem Ort waren sie wahrscheinlich so weit davon entfernt wie nur irgend möglich.

»Tut mir leid«, sagte er.

Sie warf ihm einen versöhnlichen Blick aus ihren bernsteinfarbenen Augen zu. »Relax einfach. Wir sind bald da. Du machst dir entschieden zu viele Sorgen.«

Relaxen? Das war leichter gesagt als getan. Die Zeit, als er sich keine Sorgen gemacht hatte – seine Kindheit, sozusagen –, lag so lange zurück, dass er sich kaum noch daran erinnerte, wie sich das angefühlt hatte. Dagegen erinnerte er sich noch gut daran, wie sich der Tastendruck angefühlt hatte, mit dem er diese Zeit beendet hatte, schnell und unwiederbringlich. Wie sein Zeigefinger noch einen Moment über der Entertaste geschwebt war und er sich gefragt hatte, ob er das wirklich tun sollte, und wie es dann trocken *Klick* gemacht hatte, als er die Taste gedrückt und den Computervirus, der ihn berühmt machen sollte, auf die Reise geschickt hatte.

Oder besser gesagt: berüchtigt. Seither nannte man ihn Computer Kid, und diesen bescheuerten Namen würde er wohl nie wieder loswerden.

Und die, die ihn für den besten Hacker der Welt hielten, ahnten nicht, wie recht sie damit hatten.

Und was alles davon abhing.

»Ich hoffe, dass wenigstens die Sandwiches einigermaßen frisch sind«, raunte ihm Serenity zu, zwei in furchtbar viel Frischhaltefolie gewickelte belegte Brote in der Hand.

Das Etikett versprach es, aber was bewies ein Etikett schon?

Christopher wählte ein Brot mit Salami. Nicht, weil ihm Salami besonders schmeckte, sondern, weil man damit wahrscheinlich am wenigsten falsch machen konnte. Außerdem zog er eine große Flasche Limonade mit Cranberry-Geschmack aus dem Kühlfach.

»Ich hab Kekse gefunden, die erst ein Jahr abgelaufen sind«, sagte Serenity. »Bei Keksen wird das nicht so schlimm sein, oder? Die können höchstens weich werden.«

Christopher nickte. »Denk ich auch.«

Sie gingen zur Kasse. In die Frau kam Bewegung, aber eher unwillig, so, als wäre es ihr lieber gewesen, sie wären, ohne etwas zu kaufen, wieder gegangen. Das Piepen des Kassenscanners klang erkältet, und die Beträge, die auf dem kleinen Bildschirm erschienen, schienen schief zu stehen.

»Die Zeitung!«, fiel Serenity ein.

Christopher ging die Zeitungen durch, die direkt vor der Kasse aufgefächert auslagen. Eine Ausgabe des *Nevada Herald* war dabei: die Ausgabe vom Vortag.

»Das ist okay«, meinte Serenity, als Christopher auf das Datum zeigte. »Aktueller sind die hier nicht.«

Christopher hob die anderen Zeitungen ein Stück hoch, zog den *Nevada Herald* heraus. Darunter kam ein kleines Kästchen zum Vorschein, das einen hellen Ton wie von einer Glocke von sich gab, als Christophers Finger über die kleine gläserne Scheibe auf der Oberseite glitt, die im nächsten Moment rot aufleuchtete.

Ein heißer Schreck durchzuckte ihn. Ein Fingerabdruckscanner!

Er sah die Frau hinter der Kasse an, die ihn mit gefurchter Stirn musterte. »Ist der angeschlossen?«, rief er.

Sie schien nicht zu verstehen, was er meinte. »Angeschlossen?«

Er hob das Kästchen hoch. Die Signallampe leuchtete immer noch rot, was alles Mögliche bedeuten konnte. »Das hier. Ist das angeschlossen?«

»Chris!«, sagte Serenity. »Mach keinen Stress.«

Die Frau machte eine wegwerfende Handbewegung. »Hier hat noch nie jemand mit Fingerabdruck bezahlt. Das Ding ist bloß da, weil's Vorschrift ist.«

Christopher spürte auf einmal einen dicken Kloß in seinem Magen. Seine Gedanken rasten, seine Hände folgten dem Anschlusskabel. Vielleicht war es nicht eingesteckt. Vielleicht hieß das rote Licht, dass es keine Verbindung ins Netz fand . . .

In diesem Moment wurde das Signallicht grün, der Betrag, den die Kasse anzeigte, sprang auf $ 0,00, und darunter erschien die Anzeige »Bezahlt«.

»Raus hier!«, schrie Chris und packte Serenity am Arm. »Weg!«

2 | Kyle tankte noch. Der Zapfhahn steckte im Tankstutzen, die Benzinpumpe jammerte, und Kyle fuhrwerkte gemächlich mit einem nassen Lappen über die staubigen Scheiben.

»Sag mal, bist du völlig übergeschnappt?«, schrie Serenity Chris an. Er zerrte sie über die Tankstelle. »Wir haben noch nicht einmal die Sachen mitgenommen!« Sie versuchte, sich loszureißen, aber er hielt sie eisern fest.

Kyle stutzte, als er sie kommen sah, warf den Lappen zurück in den grauen Plastikeimer und wartete dann, die Hände in die Hüften gestemmt, bis sie da waren.

»Wir müssen los!«, erklärte Christopher. »So schnell wie möglich. Da drin war ein Fingerabdruckscanner, den ich nicht gesehen habe; der hat mich erkannt!«

»So«, sagte Kyle gedehnt. »Hat er das?«

Christopher nickte, ließ Serenity los. »Sie haben mich. Tut mir leid. Am besten, wir fahren erst mal in eine andere Richtung und versuchen, sie abzuhängen.«

»Hier gibt's keine andere Richtung«, sagte Kyle.

Christopher stutzte, sah sich um. Kyle hatte recht. Es gab nur diese eine Straße, die vom einen Horizont zum anderen führte.

Der Tank war voll, die Pumpe stoppte mit einem fetten Klacken.

»Dann müssen wir zurück«, sagte Christopher. »Auf jeden Fall dürfen wir nicht weiter in Richtung eurer Siedlung fahren.«

»Jetzt zerbrich dir mal nicht meinen Kopf, okay?«, sagte Kyle. Er setzte sich in Bewegung, hängte den Tankstutzen zurück, schloss den Tankdeckel und ging dann zahlen, mit langsamen, wiegenden Schritten, wie um ihnen zu zeigen, dass er alle Zeit der Welt hatte.

»Du spinnst«, erklärte Serenity wütend und rieb sich die Stelle am Arm, an der er sie gepackt hatte. »Du hast echt einen an der Waffel, wenn du's genau wissen willst.«

Christopher wies auf den Drugstore, in dem Kyle gerade an der Kasse stand und mit der Frau ein Schwätzchen hielt. »Das Ding hat meinen Fingerabdruck erkannt! Es hat sogar diese lausigen Sandwiches damit *bezahlt!*«

»Aha. Und von welchem Konto bitte schön?«

Christopher sah sie an und hatte das Gefühl, dass seine Augen Funken sprühten. »Willst du einen Vortrag über die weltweite Vernetzung der verschiedenen Bezahlsysteme hören?«

Serenity funkelte zurück. »Nein, danke, Mister Superhacker.«

Kyle kam aus dem Laden. Er hatte ihre Sandwiches und Limoflaschen dabei und bewegte sich immer noch betont gemütlich. »Du kommst mir ein bisschen nervös vor, Chris«, sagte er grinsend und legte die Tüte mit den Einkäufen auf den Beifahrersitz.

»Bin ich nicht«, erwiderte Christopher. »Ich bin *extrem* nervös.«

»Dann eben *extrem* nervös«, meinte Kyle und verdrehte die Augen. »Also, los. Steigt ein, wir fahren.«

Das ließ sich Christopher nicht zweimal sagen. Serenity wollte eine Diskussion mit ihrem Bruder anfangen, ob sie nicht vorne sitzen könnte, was dieser strikt abbügelte; also stieg sie wieder hinten ein, blieb aber betont auf Abstand zu Christopher.

Kyle ließ den Wagen an, bog auf die Straße hinaus – und fuhr in ihrer ursprünglichen Richtung weiter.

Sofort hatte er Christopher im Nacken. »Was machst du da?«

»Na, wie sieht das denn aus, was ich mache?«

»Du glaubst mir nicht, oder? Dass sie uns jetzt verfolgen?«

Kyle seufzte abgrundtief. »Also, Kleiner, pass auf: Erst mal – ›die‹. Wer soll das sein? Hier lebt im Umkreis von fünfzig Meilen keine Menschenseele. Selbst wenn irgendjemandem irgendwo auffallen sollte, dass dein Fingerabdruck hier registriert worden ist, dann ist der frühestens morgen hier. Und weiter als bis zu der Tankstelle kommt er auch nicht. Soweit ich nämlich gesehen habe, hast du den Fingerabdruckscanner dortgelassen, oder?«

»Ja, aber –«

»Aber«, unterbrach ihn Kyle unnachgiebig, »in Wirklichkeit denke ich, dass du die amerikanische Polizei maßlos überschätzt. Glaub mir, ich kenn die Burschen besser als du.«

Christopher ließ sich zurück auf den Sitz sinken. »Ich rede doch nicht von der *Polizei*.«

Niemand ging darauf ein. Serenity angelte ihre Cola vom Beifahrersitz, öffnete sie zischend, trank einen tiefen Schluck und hielt sie ihm dann nach kurzem Zögern hin.

Christopher schüttelte automatisch den Kopf.

Was hatte Kyle noch über die Besiedelungsdichte dieses Teils von Nevada gesagt? Es stimmte, es gab nur diese eine Straße, und die nächste Stadt lag wenigstens zwei Stunden Fahrt entfernt. Die nächste *richtige* Stadt eine Tagesreise.

Er sank in sich zusammen. Er hatte sich alles so sorgfältig

zurechtgelegt, und am Anfang schien es auch nach Plan zu laufen, aber jetzt gerade kam ihm das ganze Unternehmen völlig aussichtslos vor, ja, geradezu lächerlich angesichts der Übermacht, gegen die er antrat. Selbst wenn der Fehler, der ihm an der Tankstelle passiert war, ohne Folgen blieb und sie noch einmal davonkamen, war es doch nur eine Frage der Zeit, bis . . .

Ein dumpfes, wummerndes Geräusch, das ganz allmählich immer lauter wurde, ließ Christopher aufschrecken.

»Kyle!«, rief Serenity. »Ich glaube, der Motor spinnt wieder.«

»Das ist nicht der Motor«, rief Kyle zurück. »Das kommt von woanders. Von draußen.«

Christopher hatte sich schon umgedreht und blickte in die Richtung, aus der sie gekommen waren. Da, noch ganz weit weg, am Horizont: dunkle Punkte, zwei, drei, vier. Dunkle Punkte am Himmel, die rasch näher kamen und die die Quelle des Geräuschs waren.

»Hubschrauber«, sagte er.

3 | Jeden Tag in den letzten Wochen hatte er mit einem Moment wie diesem gerechnet, hatte sich davor gefürchtet, hatte alles getan, um ihn zu vermeiden. Er hatte erwartet, dass ihn die Angst in dem Augenblick, in dem es geschah, überwältigen würde, aber zu seiner Verblüffung war genau das Gegenteil der Fall: Auf einmal, endlich, erfüllte ihn eine geradezu unwirkliche Ruhe. Als hätte es keinen Zweck mehr, noch länger Angst zu haben.

Und außerdem hatte er recht behalten! Auf eine seltsame Weise beruhigte ihn das, trotz der Gefahr, die auf sie zukam. Weil es hieß, dass er doch noch verstand, wie das alles funktionierte. Dass er besser wusste als die anderen, was sich hinter den Kulissen abspielte.

»Chris?«, rief Kyle nach hinten. »Ich weiß, was du jetzt denkst. Du denkst, die kommen wegen dir, hab ich recht?«

»Klar«, sagte Christopher.

»Yeah!« Kyle versetzte seinem Lenkrad einen Schlag. »Die Luftwaffe der Vereinigten Staaten von Amerika zieht in den Krieg gegen Christopher Kidd, den Milliardenhacker. *Das* hätte ich mir doch gleich denken können.«

Christopher musterte die flachen Erhebungen, die allmählich rechts und links der Straße auftauchten, noch keine richtigen Berge, eher Hügel. »Falls du hier irgendwo eine Stelle kennen solltest, wo man sich verstecken kann, eine Höhle oder so was ...«

»Spinn dich aus, Mann. Bei Reno ist ein Stützpunkt der Nationalgarde; die machen hier regelmäßig ihre Übungen. Das ist ganz normal.«

15

»Über der einzigen Straße weit und breit?«, fragte Christopher zurück. »Ist das auch ganz normal?«

Darauf sagte Kyle nichts, sondern verdrehte den Kopf, um die Hubschrauber im Rückspiegel sehen zu können. Zum ersten Mal wirkte er irritiert.

Das Dröhnen wurde immer lauter. Die schwarzen, unheimlichen Flugmaschinen kamen schnell näher.

»Kyle!«, rief Serenity angstvoll. »Ich glaub nicht, dass das eine Übung ist.«

Sie waren gerade an einer Stelle, an der eine – kaum erkennbare – Schotterpiste quer zur asphaltierten Straße in das hügelige Wüstenland abging. Kyle riss das Steuer herum und gab Gas, jagte den Wagen mit voller Kraft über Geröll und Schlaglöcher quer zu ihrer bisherigen Richtung davon, auf die Hügel zu.

Keine Sekunde zu früh. Auf der Straße, an der Stelle, an der sie im nächsten Moment gewesen wären, spritzte Asphalt auf, und einen Sekundenbruchteil später hörten sie die Schüsse.

4 | Die Hubschrauber donnerten hinter ihnen vorbei, große schwarze Maschinen, die aussahen wie riesige Insekten aus Stahl, wie Dinge aus einem schrecklichen Albtraum. Alles erzitterte von dem Lärm ihrer Triebwerke und Rotoren, dann waren sie vorüber und ließen nur eine Wolke aus Staub zurück, die das Auto einhüllte und ihnen gnädig die Sicht nahm.

»Fuck!«, stieß Kyle hervor, das wild bockende Lenkrad umklammernd. »Was zum Teufel war denn das?«

»Kyle!« Serenitys Stimme klang ungewohnt hell und hoch. »Tu doch was!«

»Ah, ja, und was?« Ihr Bruder betrachtete Christopher im Rückspiegel. »Wenn ich geahnt hätte, was für einen gefährlichen Passagier ich da befördere . . .«

»Ich hab's euch die ganze Zeit gesagt«, erwiderte Christopher.

Wobei das jetzt auch keine Rolle mehr spielte. Er sah hektisch umher, suchte die Einöde ringsum ab, all das Geröll und Gestein und das karge, vertrocknete Gestrüpp hier und da, und das, so weit das Auge reichte. Doch es gab kein Entkommen. Nicht einmal eine Höhle würde ihnen jetzt noch Schutz bieten. Nun, da die Hubschrauber wussten, wo sie waren, würden sie darin nur zum Ziel von Raketen werden.

Die Maschinen flogen eine weite Kurve, formierten sich zum nächsten Angriff.

»Das gibt's doch gar nicht«, stieß Kyle zwischen zusammengepressten Zähnen hervor.

Und schon waren die Hubschrauber wieder hinter ihnen.

Wieder war dieses eklige Gewehrfeuer zu hören, dieses maschinenhafte Klack-Klack-Klack. Auf der Piste verfolgten sie Linien kleiner Explosionen, schneller als sie.

»Kyle!«, schrie Serenity.

Kyle riss das Steuer herum, doch diesmal konnte er nicht verhindern, dass sie getroffen wurden: Das Auto erzitterte unter mehreren Einschlägen, die eine Reihe grauer Krater hinterließen, die schräg über dem Kofferraum liefen.

Dann donnerten die Hubschrauber direkt über sie hinweg, so dicht und laut, dass man das Gefühl hatte, der Lärm zerbrösele einem die Zähne im Schädel.

»Verfluchte Scheiße!«, schrie Kyle. Jetzt hörte man, dass auch er Angst hatte. »Die wollen uns umbringen, verdammt noch mal!«

Christopher ließ sich tiefer in den Sitz sinken.

»Nein«, sagte er. »Mich. Nur mich.« Er hatte nicht den Eindruck, dass die beiden ihn hörten. Kyle fluchte noch immer vor sich hin, und seine Schwester wimmerte leise. Sie schienen beide völlig vergessen zu haben, dass er überhaupt da war.

Christopher hatte auch Angst. Er wusste nur nicht, wovor er mehr Angst hatte: Davor, dass die Hubschrauber erreichten, was sie sich unmissverständlich vorgenommen hatten, oder vor dem, was er dagegen tun konnte. Vor dem, was immer unausweichlicher wurde.

Die vier Maschinen flogen wieder einen großen Kreis, setzten sich erneut auf ihre Fährte für die nächste Runde dieses Katz-und-Maus-Spiels.

Kyle stieg auf die Bremse, riss das Steuer herum, wendete den Wagen in die Richtung, aus der sie gekommen waren. »Es hat keinen Zweck, denen davonfahren zu wollen«, rief er. »Die sind ja doch schneller. Vielleicht bringt es sie aus dem Konzept, wenn ich ihnen entgegenfahre.«

Damit gab er Gas, und der Wagen schoss ungestüm schaukelnd über die Piste, über Schlaglöcher und Felsbrocken, direkt auf die anfliegenden Hubschrauber zu.

Wieder Schüsse. Diesmal konnten sie das Mündungsfeuer sehen.

Wieder zwei Linien einschlagender Kugeln, die rasch näher kamen wie aufgereihte, winzige Vulkane, die einer nach dem anderen ausbrachen, Steinchen und Staub nach allen Richtungen spritzend . . .

Kyle riss das Steuer herum, im letzten Moment und wieder einen Augenblick zu spät: Ein paar Kugeln trafen mit einem ausgesprochen hässlichen Geräusch die Motorhaube, ließen den Wagen erbeben.

Und erneut brausten die Fluggeräte über sie hinweg, noch tiefer und lauter als das letzte Mal.

Schaukelnd kam der Wagen zum Stehen. Christopher begriff, dass die plötzliche Stille nicht bedeutete, dass er von dem Lärm taub geworden war: Der Motor lief nicht mehr.

»Das darf jetzt nicht wahr sein«, hörte er Kyle murmeln, der die Hand am Zündschlüssel hatte, den Anlasser betätigte, wieder und wieder und ohne dass der Motor auch nur den kleinsten Mucks tat. »Das darf jetzt einfach nicht wahr sein . . .«

Die Hubschrauber trennten sich, flogen jeder für sich große Kreise. Es sah aus, als beabsichtigten sie, das Auto nun aus allen vier Himmelsrichtungen in die Zange zu nehmen.

»Komm schon«, beschwor Kyle den Motor, doch man hörte nur, wie sich der Anlasser drehte und drehte, ein jammerndes, aussichtslos klingendes Geräusch.

Christopher nahm seine Armbanduhr ab, beugte sich zu Serenity hinüber und hielt sie ihr hin. »Ich will etwas versuchen«, sagte er. »Ich muss dazu die Augen zumachen, und du musst . . .«

»Was?«, versetzte sie, als habe er sie aus einem seltsamen Traum aufgeschreckt. Sie bebte am ganzen Leib und versuchte, es sich nicht anmerken zu lassen. »*Was* hast du vor?«

»Ich hab keine Zeit, dir das zu erklären«, sagte Christopher und drückte ihr seine Uhr in die Hand. »Schau auf den Sekundenzeiger, und weck mich in genau dreißig Sekunden wieder. Egal, was geschieht: *Dreißig Sekunden!* Keinen Augenblick später. Hast du das verstanden?«

Die Hubschrauber gingen auf Angriffskurs.

»Dreißig Sekunden«, wiederholte Serenity mit hohler Stimme.

»Genau«, sagte Christopher, ließ sich zurücksinken und schloss die Augen.

5 | Es wurde dunkel und doch nicht dunkel. Licht, das kein Licht war, durchwogte die Dunkelheit, die keine Dunkelheit war. Blitze aus Informationen zuckten aus dem Irgendwo ins Anderswo, Wetterleuchten aus Daten erhellte den Raum jenseits aller Sinne.

Das Feld war da, genau, wie er es erwartet hatte. Er hatte nur nicht erwartet, dass es so stark sein würde. Es wuchs noch schneller, als er gedacht hatte.

Das Feld war da, und es bemerkte ihn. Er spürte Erschrecken, das sich ausbreitete wie eine Welle, bemerkte Identifikation – und kaum war er identifiziert, begann die Jagd.

Imaginäre Mauern wuchsen, um ihn zu umschließen; virtuelle Fallen stellten sich ihm in den virtuellen Weg; Abwehreinheiten kamen von allen Seiten wie Immunzellen eines Körpers, um sich auf ihn zu stürzen und ihn als feindlich zu vernichten.

Doch er bewegte sich so schnell wie ein Gedanke, übersprang die Mauern, wich den Fallen aus, entschlüpfte der Abwehr, umging alle Hindernisse, glitt an Kontrollposten vorbei, unbemerkt, unaufhaltsam, raste weiter und weiter.

Ein Kommunikationsknotenpunkt. Im Nu war er in den Steuereinheiten der Hubschrauber, legte sie lahm, schaltete sie aus, gab verheerende Kommandos. Ein peripherer Teil seiner Aufmerksamkeit registrierte, dass es sich bei einigen dieser Steuereinheiten um Menschen handelte, doch das spielte in diesem Moment keine Rolle: Die Maschinen stürzten vom Himmel. Zerstörung. Tod.

Und Stille.

Nun, da das Vorhaben verwirklicht war, hatte die Jagd auf ihn aufgehört, galt er nicht länger als Feind. Warum? Er wusste es nicht. Er hätte zurückkehren können, doch er begann zu vergessen, wohin eigentlich. Das, was sein Bewusstsein war, seine Identität, veränderte sich . . .

. . . franste an den Rändern aus . . .

. . . *vergaß.*

Zurückkehren? Wozu? Um wieder allein zu sein? Einsam? In einem sinnlosen, hoffnungslosen Leben gefangen?

Es gab keine Feindseligkeiten mehr gegen ihn. Eigentlich hatte es sie nie gegeben, er hatte das nur falsch verstanden. Da war nur Akzeptanz. Er gehörte zu ihnen, war willkommen. Er musste nicht länger flüchten. Alles war ihm verziehen. Er würde nicht mehr länger allein sein und unter seiner Einsamkeit leiden müssen. Es gab hunderttausend Arme, in die er sich werfen durfte, die ihn willkommen hießen, in denen er sich auflösen konnte . . .

Jemand schüttelte ihn, riss ihn roh von der Schwelle zum Paradies zum Nirvana zurück. So dicht vor der Erlösung war er gewesen, doch vergebens, vergebens, vergebens . . .!

Das Feld schrie, als er gezwungen war, es zu verlassen.

6 | Ein Gesicht nahm vor seinen Augen Gestalt an, das sommersprossige Gesicht eines Mädchens mit einer löwenartigen sandfarbenen Lockenmähne. Der Name fiel ihm wieder ein. Serenity Jones.

Christopher hustete, sein Hals war trocken. »Das waren mehr als dreißig Sekunden«, stieß er hervor, immer noch erfüllt von bleischwerer Trauer und schmerzender Sehnsucht, die sich einerseits wie Gift in seinen Adern, in jeder Zelle seines Körpers anfühlten – andererseits auch wieder nicht . . .

»Was . . . was war das?«, flüsterte sie, die Augen vor Entsetzen weit geöffnet.

Er konnte einfach zurückkehren. Er musste nur die Augen schließen, sie einfach zumachen . . .

Christopher stemmte sich hoch, riss ihr die Armbanduhr aus der Hand. Natürlich. Er war mehr als eine volle Minute weg gewesen, vielleicht sogar noch länger! Hinter seiner Stirn pochte es, ein Schmerz, als renne eine Armee mit einem Rammbock gegen ein Burgtor an.

»Hat es wenigstens funktioniert?«, fragte er.

»Funktioniert?« Sie klang wie ein Echo.

Er hob den Kopf und spähte aus den Fenstern. In jeder Himmelsrichtung lag ein rauchender Trümmerhaufen zwischen Felsen und Geröll.

»Warst du das?«, wollte Kyle wissen.

Christopher nickte. »In gewisser Weise.«

»Sie sind von allen Seiten gekommen«, brach es aus Serenity heraus. »Ich dachte wirklich, jetzt ist es aus, jetzt bringen sie uns um . . . Und dann haben sie auf einmal alle abgedreht, angefangen zu taumeln und sind abgestürzt! Wie ist das möglich? Was hast du gemacht?«

Christopher sah die Angst in ihrem Blick und fragte sich auf einmal, ob die Hubschrauberpiloten wirklich vorgehabt hatten, sie zu töten. Ob das alles nicht vielmehr ein Manöver gewesen war, das ihn dazu hatte verleiten sollen, das Feld zu betreten. Es hätte ja beinahe geklappt: Noch ein wenig länger, und er wäre nicht mehr zurückgekommen, wäre der Verlockung erlegen.

»Das ist eine lange Geschichte«, sagte Christopher.

Kyle musterte ihn skeptisch. »Die Frage ist, was uns das nützt. Wahrscheinlich dauert es nicht lange, bis die Nächsten auftauchen, oder? Und dann? Wie oft kannst du das machen, was immer du gemacht hast?«

Christopher dachte an den Weg, den er durch das Feld zurückgelegt hatte, an die ungeheure Fülle an Informationen, die er dabei durchquert hatte. Er erinnerte sich vage an etwas...

»Erst mal kommen keine mehr«, sagte er. »Heute jedenfalls nicht.«

»Bist du sicher?«

Eine vage, verblassende Erinnerung an Diagramme, Landkarten, Punkte, die sich bewegten. »Ziemlich.«

Kyle drehte sich herum, stieß die Wagentür auf. »Okay. Das nützt uns aber auch nichts, wenn das Auto nicht mehr fährt.«

Er stieg aus, öffnete die Motorhaube und machte sich darunter zu schaffen. Das Auto stand in Richtung der Sonne, sodass die Motorhaube einen Schatten warf. Die Einschusslöcher darin leuchteten wie dicke Sterne. Ein heißer Wind kam durch die offen stehende Tür. Ohne Klimaanlage fühlte sich das Innere des Wagens wie ein Backofen an.

Kyle kehrte zurück. Seine Schritte knirschten im Sand. »Mit viel Glück ist es nur ein Leck in der Benzinleitung«, sagte er, beugte sich zum Handschuhfach hinüber, holte eine Rolle Klebeband und ein Messer heraus und verschwand wieder hinter der Motorhaube.

»Du hast uns nicht alles erzählt«, sagte Serenity nach einer Weile.

»Nein«, sagte Christopher. »Ich hab euch nicht alles erzählt.«

»Dann solltest du das vielleicht allmählich nachholen.«

Kyle ließ die Motorhaube zuknallen, warf die Klebebandrolle und das Messer achtlos auf den Beifahrersitz und schwang sich wieder hinters Steuer.

»Wie gesagt«, meinte Christopher, »das ist eine sehr lange Geschichte.«

»Wir haben Zeit«, sagte Kyle. Er betätigte den Anlasser. Seine Reparatur schien erfolgreich gewesen zu sein, der Motor sprang an, spuckend und unrund, aber er lief. Das Auto setzte sich in Bewegung, rollte langsam und bedächtig in Richtung der Asphaltstraße, und es fühlte sich an, als würden sie auch so langsam und bedächtig weiterfahren müssen. »Viel Zeit, wie es aussieht«, setzte Kyle hinzu.

Christopher seufzte. »Also gut. Ich erzähl's euch.«

7 | »Mein Großvater – der Vater meiner Mutter – war Prothesenmacher«, begann Christopher zu erzählen.

Er spürte Traurigkeit in sich aufsteigen bei diesen Worten, nein, eigentlich eher bei den Erinnerungen, die sie in ihm auslösten. Es war erst ein Jahr her, dass seine Großeltern gestorben waren, und er hatte sich immer noch nicht daran gewöhnt, dass sie nicht mehr da waren.

Ihm kam es immer noch so vor, als könne er jederzeit wieder zu seinem Großvater in die Werkstatt gehen. Dort würden dann all die künstlichen Gliedmaßen in den verschiedensten Stadien der Herstellung hängen oder liegen – Arme, Beine, Hände, Teile von Gesichtern mit Glasaugen oder Ohren oder beidem.

Die Prothesen begannen ihre Existenz als Gerüste aus Metallröhren, Scharnieren und Anschlüssen, die nach und nach um weitere mechanische Elemente, um Hydraulikzylinder und Motoren ergänzt wurden, als ginge es darum, ein Teil eines Roboters zu bauen. Irgendwann wurde die Technik unter immer mehr Schichten verschiedener Kunststoffe verborgen, bis sie die genau richtige Form hatten, abgestimmt auf denjenigen, der die Prothese benötigte, und schließlich wurde sie mit dem letzten, dem teuersten und aufwendigsten Überzug versehen, der künstlichen Haut, die so gefärbt und mit Haaren aus Plastik versehen wurde, dass die Prothese aussah wie ein richtiger, bloß eben abnehmbarer Körperteil.

Erst dann, wenn die Prothesen fertig waren, fand Christopher ihren Anblick gruselig. Wie sie in großen, mit Stoff ausgelegten Schachteln lagen und aussahen, als könnten sie jeden Augenblick anfangen, sich zu bewegen. Als Kind hatte Christopher manchmal einfach dagestanden, reglos, mucksmäuschenstill, und gewartet: Vielleicht, so hatte er gedacht, würden sie seine Anwesenheit irgendwann vergessen und aufhören, sich tot zu stellen. Dann würden die Finger sich bewegen, die Zehenspitzen wippen, die Glasaugen umherblicken und die Münder – ja, sogar Münder hatte sein Großvater machen müssen, ganze Unterkiefer manchmal – anfangen, zu reden und ihr Leid zu klagen.

Auch wenn das nie geschehen war, hatte Christopher nie wirklich aufgehört, darauf gefasst zu sein.

An einer großen Pinnwand neben der Tür der Werkstatt hatten Fotos der Patienten gehangen, für die die Prothesen bestimmt waren – Menschen, denen ein Arm fehlte oder ein Bein, entweder das ganze Bein oder der Unterschenkel vom Knie abwärts, Menschen, deren Gesichter verstümmelt waren von schrecklichen Wunden.

Sein Großvater hatte Christopher nie die Schicksale dieser Leute verschwiegen. Manchmal waren Krankheiten schuld daran, dass Menschen Gliedmaßen oder andere Teile ihres Körpers einbüßten, meistens aber waren Unfälle die Ursache, und durchaus nicht irgendwelche. Es gab ein Wort dafür, das sich Christopher schon als kleines Kind tief eingeprägt hatte: Landminen.

»Wir Menschen«, hatte sein Großvater immer gesagt, und sein buschiger Oberlippenbart hatte dabei voller Empörung gewippt, »haben viele schreckliche Dinge erfunden, aber Landminen gehören bestimmt zu den allerschrecklichsten.«

Und dann hatte er von Splitterminen und Tellerminen erzählt, von Ländern wie Kambodscha und Afghanistan, in denen Millionen dieser Selbstschussanlagen irgendwo versteckt in der Erde lagen und nicht zwischen Krieg und Frieden, zwischen Freund und Feind unterschieden; zwischen spielendem Kind und bewaffnetem Soldat. Er berichtete von Millionen unschuldiger Opfer und den vergeblichen Bemühungen der UNO und zahlreicher Hilfsorganisationen, der Lage Herr zu werden.

Christophers Großvater war oft für die Bundeswehr in diesen Ländern unterwegs gewesen, es kam aber auch vor, dass Landminenopfer, die in Deutschland Asyl beantragt hatten, zu ihm in die Werkstatt gebracht wurden, um genau vermessen zu werden, und später noch einmal, damit er ihnen das neue, künstliche Körperteil anpasste. Das waren Menschen gewesen, die fremdartig ausgesehen und fremde Sprachen gesprochen hatten, so fremd, dass sie oft von einem Übersetzer begleitet werden mussten, obwohl Großvater viele Sprachen verstand.

Wenn Kinder kamen, die englisch sprachen, bat sein Großvater Christopher oft in die Werkstatt, um ihnen die Angst zu nehmen. Christopher war zweisprachig aufgewachsen, sein Vater war Engländer und hatte mit ihm zeit seines Lebens nur englisch gesprochen. Als Christopher noch sehr klein gewesen war, hatte er gemeint, jeder Mensch habe seine eigene Sprache; es war ihm lange seltsam vorgekommen, dass noch andere Leute die Sprache seiner Mutter verwendeten.

Nicht alle der Kinder, die von seinem Großvater ein neues Bein oder eine neue Hand angepasst bekamen, waren darüber unglücklich. Christopher erinnerte sich an einen Jungen aus

Somalia namens Pali, der ungeheuer stolz auf seine künstliche linke Hand gewesen war. Er meinte, sie sei viel besser als eine normale. Er lud Christopher ein, ihn in dem Heim zu besuchen, in dem er zusammen mit anderen Kindern aus aller Welt wohnte, und dort übten sie gemeinsam, Bälle zu werfen, kleine und große.

Großvater ärgerte sich über Palis Begeisterung. »Eine künstliche Hand wird niemals auch nur genauso gut sein wie die echte, ganz zu schweigen davon, dass sie besser sein könnte«, erklärte er. Er war zwar stolz auf seine Arbeit und durchaus davon überzeugt, die besten Prothesen der Welt zu machen, aber zufrieden – zufrieden war er niemals. Er versuchte unentwegt, immer noch bessere künstliche Gliedmaßen herzustellen, experimentierte und bastelte an der Mechanik, erprobte neue Hydraulikzylinder, andere Motoren, flexiblere Gelenke und feilte unablässig an elektronischen Steuerungen, die in seinen Augen nie genug konnten und das, was sie konnten, nicht genau genug taten.

Geld verdiente Christophers Großvater mit seinem Beruf wenig, zumal er seine Experimente oft aus eigener Tasche finanzierte, immer in einem schier aussichtslosen Kampf gegen Krankenkassen und Behörden, die die notwendigen Mittel nicht aufbringen wollten, schon gar nicht für mittellose Flüchtlinge, deren Asyl noch nicht einmal genehmigt war. Nur zu oft vertraten sie den Standpunkt, dass einem Menschen, sobald er sich nur irgendwie wieder ohne Krücken fortbewegen konnte, bereits geholfen war.

Und so hatten Christophers Großeltern nie viel Geld. Ihr einziger wertvoller Besitz war das große Haus in einem der besten Viertel Frankfurts, doch dort fiel es dadurch unangenehm auf, dass es nach und nach verfiel, weil es am Geld für nötige Reparaturen mangelte.

Christophers Großmutter war Malerin. Oder besser gesagt: Sie malte, verkaufte aber so gut wie nie etwas, und wenn, dann nicht für nennenswert viel. Sie hatte ein weitläufiges, lichterfülltes Studio im Erdgeschoss gegenüber der Werkstatt, von dem aus es in den Garten ging. Sie malte ausschließlich Blumen und Vögel, und von beidem hatte der verwilderte Garten mehr als genug zu bieten.

Christopher hatte auch viel Zeit bei ihr und ihren riesigen, nach Farbe duftenden Leinwänden verbracht und ihr dabei zugesehen, wie sie mit sachten, hingebungsvollen Pinselstrichen malte. In diesen Momenten war sie ihm immer, trotz ihres farbverschmierten Kittels, wie eine feine Dame vorgekommen, und dass es sich nicht gehört hätte, sie zu stören oder auch nur mit einer Frage zu unterbrechen, war die selbstverständlichste Sache der Welt gewesen.

Einige Male hatte sie ihre Werke in Ausstellungen gezeigt, sich aber oft einfach nicht von Bildern trennen können. Es war ihr immer nur ums Malen gegangen, nicht darum, Geld zu verdienen.

Christophers Mutter war ganz anders als ihre Eltern. Vielleicht lag es an dem Umfeld, in dem sie aufgewachsen war, aber für sie war Geld so wichtig, dass sie es zu ihrem Beruf machte. Sie absolvierte eine Banklehre, studierte später Finanzwirtschaft und war, als sie den Mann kennenlernte, der

Christophers Vater werden sollte, eine der wenigen Frauen im Devisenhandel des großen Frankfurter Bankhauses, in dessen Computerabteilung er zu der Zeit arbeitete.

Deswegen blieb, sobald Christopher auf der Welt war, sein Vater zu Hause, um sich um ihn zu kümmern. Als Christopher etwas größer war, gründete sein Vater eine eigene kleine Softwarefirma, die er von zu Hause aus betreiben konnte, und wenn er einmal zu Kunden musste – was nicht allzu oft vorkam, denn so richtig gut lief seine Firma nie –, waren die Großeltern immer verfügbar, um auf ihn aufzupassen. Und ab und zu ließen sie sich auch das nötige Geld aufdrängen, um das Dach der alten Villa abdichten und den Zaun erneuern zu lassen. Nur der Garten blieb so wild, wie er geworden war.

Christopher wuchs mit Computern auf. Dass er das Programmieren sehr früh lernen würde, war absehbar gewesen. Dass er allerdings schon mit acht Jahren besser programmierte als sein Vater, dass er die Fehler in dessen Programmen zu finden und Routinen mit Zugriff auf das Betriebssystem zu schreiben imstande sein würde – Funktionen, die so komplex waren, dass James Kidd Schwierigkeiten hatte zu verstehen, was sein Sohn da machte –, das war nicht unbedingt vorhersehbar gewesen. Aber es erwies sich bald als recht nützlich.

Und Spaß machte es auch. Großen Spaß sogar.

So hatten die ersten vierzehn Jahre von Christophers Leben ausgesehen: das reinste Paradies auf Erden.

Bis das Unglück über die Familie Raumeister-Kidd hereinbrach.

Es begann damit, dass Großmutter erblindete.

»Also, ehrlich gesagt«, meinte Kyle an dieser Stelle, »wenn mich jetzt jemand fragen würde, was das alles mit abstürzenden Hubschraubern zu tun hat, wüsste ich keine Antwort. Aber mal so richtig gar keine.«

»Das kommt gleich«, erwiderte Christopher. »Ich habe doch gesagt, es ist eine lange Geschichte.«

8 | Die Blindheit von Christophers Großmutter kam nicht schlagartig; sie begann schleichend, beinahe unauffällig, verschlimmerte sich dann aber unaufhaltsam weiter in einer Weise, dass man das Gefühl bekam, den Zeitpunkt, an dem sie endgültig nichts mehr sehen würde, auf den Tag genau vorherberechnen zu können.

Die Krankheit hatte einen komplizierten lateinischen Namen, galt als sehr selten, und über Fälle von Heilung war nichts bekannt. Es begann mit blinden Flecken, Stellen in ihrem Gesichtsfeld, die wie ausgeblendet, wie verschwunden waren – nicht Flecken von Schwärze, sondern von Nichts, so, als würde an diesen Stellen die Welt nicht existieren –, und diese Flecken wurden immer zahlreicher und größer. Man versuchte allerhand Therapien und Operationen, aber nichts half.

Das deprimierte Christophers Großmutter maßlos und erbitterte seinen Großvater ebenso sehr. »Wenn sie ihre Hand verloren hätte«, erklärte er Christopher eines Tages, »dann könnte ich ihr wenigstens eine neue machen. Ich würde ihr die beste künstliche Hand aller Zeiten machen, das kannst du mir glauben; ein Wunderwerk würde ich bauen, wie es die Welt noch nicht gesehen hat. Aber wenn sie ihr Augenlicht verliert . . . Was soll ich da machen? Mit einem Glasauge ist ihr ja nicht geholfen. Und mit einer Kamera auch nicht – wo sollte ich die anschließen? An ihre Sehnerven? Das übersteigt nicht nur meine Fähigkeiten; das kann niemand auf der Welt.«

Und weil das Unglück gern in Gesellschaft kommt, passierte bald darauf das mit Christophers Virus, der die ganze Welt für ein paar Tage in helle Aufregung versetzte. Weil Christopher dafür den Computer im Büro seiner Mutter verwendet hatte, wurde sie entlassen, und deswegen und um irgendwann wieder Ruhe vor den Journalisten zu haben, deren reißerische Artikel über »Computer Kid« kein Ende nahmen, zogen seine Eltern mit ihm nach England, in ein, wie Christopher fand, ungemütliches Haus in einer hässlichen Vorstadt von London.

So unumgänglich dieser Umzug auch gewesen sein mochte, er ließ Christophers Großmutter noch weiter in Schwermut versinken.

»Warum hast du das überhaupt gemacht?«, wollte Serenity wissen. »Das mit dem Virus, meine ich.«

Christopher sah sie an. »Das ist eine andere lange Geschichte.«

Sie winkte ab. »Okay. Erzähl weiter.«

Christophers Mutter bemühte sich erst einmal nicht um eine neue Stelle; nach allem, was passiert war, war es nötig, dass zumindest einiges Gras über die Sache wuchs, ehe sie hoffen konnte, irgendwo einigermaßen unbelastet neu anfangen zu können. Deswegen lehnten sie höflich, aber bestimmt ab, als ein gewisser Richard Bryson, ein bekannter Unternehmer und Filmproduzent, sie aufstöberte und Interesse bekundete, Christophers Geschichte zu verfilmen. Er bot auch viel Geld an, aber sie lehnten trotzdem ab.

Da Mutter nun zu Hause bleiben musste, sah Vater sich in der Pflicht, einen Job zu suchen. Als er nach einigen anfänglichen Misserfolgen auf eine obskure Anzeige antwortete, kam er mit einer ebenso obskuren kleinen Softwarefirma in Kontakt, die gerade einen Programmierer suchte, und zwar für ein Projekt, das in Zusammenarbeit mit der Medizinischen Fakultät der Londoner Universität in Angriff genommen werden sollte und das, wie der Zufall so spielt, zum Ziel hatte, den Bau besserer Prothesen zu ermöglichen.

Geleitet wurde das Projekt von Stephen Connery, einem Neurologen und Hirnchirurgen. Dr. Connery war ein sympathischer Junggeselle, der nur zwei Leidenschaften kannte: die Arbeit im Labor – und die freie Natur. Sein Büro glich einem Wald, so viele Topfpflanzen hatte er darin stehen, und er unternahm fast jedes Wochenende eine Wandertour mit Zelt und Rucksack, selbst bei Regen und Sturm.

Dr. Connery hatte im Labor gerade zum ersten Mal erfolgreich Neuronen – Gehirnzellen also – mit elektronischen Schaltkreisen gekoppelt. Diese Technik wollte er dahin gehend weiterentwickeln, dass man solche sogenannten neuroelektronischen Schnittstellen künftig in Prothesen einbauen konnte, um etwa die Motoren eines künstlichen Armes über genau diejenigen Nerven zu steuern, die vor dem Verlust des echten Armes dessen Muskeln gesteuert hatten. Auch sollte es diese Technik ermöglichen, Sensoren in dem künstlichen Arm mit den Nerven des Tastsinns zu koppeln, sodass man den neuen Arm nicht nur steuern, sondern auch fühlen konnte. Auf diese Weise, so die Überlegung, würde sich eine Prothese irgendwann beinahe wie ein echter Körperteil anfühlen und so ein nahezu normales Leben ermöglichen.

Keine Frage, dass James Kidd, der Schwiegersohn des Frankfurter Prothesenbauers Heinz Raumeister, bei diesem Angebot keine Sekunde zögerte, ungeachtet des damit verbundenen, eher niedrigen Gehalts. Keine Frage auch, dass sie Christophers Großvater davon berichteten und über alle Entwicklungen auf dem Laufenden hielten.

Und keine Frage, dass sie alle wissen wollten, ob auf diesem Wege womöglich eine Schnittstelle geschaffen werden konnte, die es ermöglichen würde, Blinde wieder sehen zu lassen.

Das, sagte Dr. Connery, sei eine faszinierende Frage und eher eine Frage der Soft- als der Hardware. Einen elektrischen Impuls in einen Nervenimpuls umzuwandeln, oder umgekehrt, sei tatsächlich gar nicht so schwierig – das Schwierige sei zu wissen, was der Impuls jeweils *bedeute*. Wolle man eine solche Schnittstelle schaffen, so gelte es zuerst zu entschlüsseln, was im Sehnerv und im Sehzentrum eigentlich vor sich ging, wenn ein Mensch etwas sah. Doch wie man das anfangen sollte, wisse er, Dr. Connery, jedenfalls nicht.

Worauf ihm James Kidd geradeheraus erklärte, das habe nichts zu besagen, schließlich sei Dr. Connery ja Neurologe, kein Computerfreak. Er hingegen sei der Vater des berüchtigten Computer Kid, des besten Hackers der Welt. Wenn jemand imstande sei, so etwas herauszufinden, dann doch wohl Christopher und er.

Das, fand Dr. Connery nicht unbeeindruckt, sei zumindest den Versuch wert.

So machten sie sich an die Arbeit. Christopher begleitete seinen Vater an freien Nachmittagen in das Labor in London, und dort brüteten sie gemeinsam an ihren Computern über den Daten, die die Versuchsaufbauten von Dr. Connery lieferten. Als klar wurde, dass sie noch jemanden brauchen würden, der über eine gewisse Fertigkeit als Programmierer in Verbindung mit einem ausgeprägten Talent als Elektronikbastler verfügte, stieß ein Kollege aus der kleinen, obskuren Firma hinzu, ein uriger Typ namens Linus Meany.

Vom Aussehen her wäre kein Mensch auf die Idee gekommen, in Linus jemanden zu vermuten, der mit Computern zu tun hatte. Er war ein stämmiger, breitschultriger Typ, der mehr Tätowierungen am Leib hatte als ein Rausschmeißer einer Nachtbar und Piercings jeder Art liebte. Entlang des linken Ohrs trug er nicht weniger als vierundzwanzig verschiedene Ringe – »einen für jede Freundin, die ich hatte«, erklärte er meistens, »aber jetzt muss ich entweder heiraten oder am rechten Ohr weitermachen« –, auf dem rechten Nasenflügel einen dicken Silberstern, einen Metallstift in der Zunge (»damit kann man so herrlich spielen, wenn man über eine knifflige Subroutine nachdenkt«) und einen eingefassten Rubin auf einem Schneidezahn.

»Und noch ein paar Stifte an Stellen, die ich dir nicht zeigen kann«, fügte er normalerweise mit diabolischem Grinsen hinzu.

Außerdem behängte er sich mit jedem elektronischen Spielzeug, das neu auf den Markt kam. Ob das neueste iPod-Modell oder der letzte Schrei unter den Mobiltelefonen, ob digitales Diktiergerät, GPS-Navigator oder Minikamera, in seinen Taschen fand sich immer alles. Seine Kollegen, die zwar auch alle ziemlich schräg drauf waren, aber nicht so *aussahen,* zogen ihn gern mit der Frage auf, ob seine vielen Piercings eigentlich nicht den Empfang seines Mobiltelefons störten?

Dieses Team also machte sich über das Rätsel des Sehens her. Es war nicht einfach wissenschaftliche Arbeit, es war ein

Hack. Nur dass sie sich nicht in irgendeine verbotene Datenbank hackten, sondern direkt ins menschliche Gehirn – zumindest in einen wichtigen Teil davon, die Kunst des Sehens.

Die Ironie an der Geschichte war die, dass zu dem Zeitpunkt, an dem sie die ersten bahnbrechenden Erkenntnisse über die in den Hirn- und Nervenzellen vorzufindenden Codes gewannen, Christophers Großmutter längst ihren Frieden mit ihrer Krankheit gemacht hatte. Sie habe ihr Leben lang malen dürfen, erklärte sie, eigentlich reiche es jetzt auch.

Kurz darauf kam aus irgendeinem Grund eine Zeitung auf die Idee, über sie zu berichten, und die Geschichte von der erblindenden Malerin führte in Verbindung mit ihren abgedruckten Bildern dazu, dass Christophers Großmutter auf ihre alten Tage noch ein wenig berühmt wurde und ihre Kunstwerke auf einmal gefragt waren. Sie war nach wie vor traurig über den Verlust ihres Augenlichts, aber sie war nicht mehr deprimiert. Eine Prothese, erklärte sie, wolle sie auf keinen Fall.

Dessen ungeachtet machten Christopher, sein Dad, Linus und Dr. Connery weiter. Denn das Fieber herauszufinden, wie ihr Problem zu lösen war, hatte sie längst gepackt und ließ sie nicht mehr los.

»Wart mal«, unterbrach ihn Kyle und nahm den Fuß vom Gas. »Da vorn stimmt was nicht.«

Christopher sah auf. »Was denn?«

»Ein Unfall, wie es aussieht.«

Knapp eine viertel Meile vor ihnen stand ein Mann mitten auf der Straße und schwenkte die Arme. Am Straßenrand waren zwei Motorräder geparkt, daneben schien jemand auf dem Boden zu liegen.

»Sieht so aus«, wiederholte Christopher leise und mit einem unbehaglichen Gefühl.

Hoffentlich sah es nicht tatsächlich nur so aus.

9 | Sie hielten. Es war kein Unfall, aber ein Notfall.

Der Mann in der Lederkluft der Motorradfahrer, der an das Fenster geeilt kam, das Kyle herunterkurbelte, war nicht mehr jung; er hatte graues, langes Haar, und seine Haut sah aus wie gegerbtes Leder. Er musste über sechzig sein, mindestens.

»Meiner Frau ist auf einmal schlecht geworden«, stieß er hervor. »Das Herz, fürchte ich. Und wie's so geht, ist natürlich der Akku meines Mobiltelefons leer. Ich hoffe, Sie können uns helfen.«

»Ein Telefon haben wir leider nicht«, erwiderte Kyle, »aber helfen kann ich Ihnen trotzdem, hoffe ich. Ich bin ausgebildeter Sanitäter.« Er wandte sich zu Christopher und Serenity um, deutete in Richtung des Kofferraums. »Gib mal die Decke von hinten her, Chris.«

Christopher drehte sich um, zog das dicke, stinkende Ungetüm hervor und reichte es Kyle.

»Rollen Sie das zusammen, und legen Sie es Ihrer Frau unter die Knie, um einem eventuellen Schockzustand vorzubeugen. Kann es einfach Wassermangel sein? Wann hat sie das letzte Mal getrunken?«

»Wasser haben wir genug dabei. Das kann es nicht sein.«

»Gut. Dann machen Sie das mit der Decke, ich komme gleich.«

Der Mann zögerte, drehte die unansehnliche Decke unschlüssig hin und her. »Also, Sie haben wirklich kein Telefon?«, fragte er ungläubig. »Meiner Frau geht es wirklich sehr schlecht.«

»Ich komme gleich und schau sie mir an«, wiederholte Kyle

mit jener Mischung aus Entschiedenheit und Zuversicht, die notwendig ist, um Notfälle jeder Art zu meistern.

Der Mann nickte, dann ging er gehorsam zu seiner Frau hinüber.

Kyle drehte sich zu Christopher herum. »Eine Frage«, sagte er und sah ihn scharf an. »Ich kann natürlich nur raten, worauf deine Geschichte hinausläuft. Aber nach dem, was du vorhin mit den Helikoptern abgezogen hast – kann es sein, dass du so eine Art Internetanschluss im Hirn hast?«

Christopher nickte. »Ungefähr, ja.«

»Okay. Und sorry, ich würde deiner Erzählung nicht vorgreifen, wenn wir diesen Notfall nicht hätten. Kannst du über dieses Ding einen Notruf absenden? Eine SMS? Eine E-Mail?«

»Theoretisch ja.«

»Und praktisch?«

Christopher holte tief Luft. »Praktisch ist gerade kein Netz verfügbar«, log er.

Kyle schluckte das anstandslos. Er musterte ihn einen Moment und sah dabei aus, als komme ihm jetzt erst zu Bewusstsein, von was für einer Monstrosität sie hier redeten. Dann seufzte er und meinte: »Ich glaube, mein Vater hat recht. Die moderne Informationstechnologie ist ein Albtraum. Und wehe, man verlässt sich drauf . . .«

Er stieß die Tür auf, umrundete den Wagen, holte den Erste-Hilfe-Kasten aus dem Kofferraum und ging damit hinüber zu der Frau. Christopher beobachtete ihn mit schlechtem Gewissen.

Dann merkte er, dass Serenity ihrerseits ihn beobachtete. Befremdet.

41

»Echt?«, fragte sie, als er sie ansah.

Er nickte. »Ja.«

»Im Kopf?«

»Es ist ein winziger Chip, der hinter der Nasenhöhle sitzt und mit dem Riechnerv verbunden ist.« Er hob den kleinen Finger, deckte mit dem Daumen die Hälfte des Nagels darauf ab. »So groß ungefähr.«

»Mit dem *Riechnerv?* Wieso das denn?«

»Das Großhirn aller höheren Lebewesen, auch das menschliche, ist aus dem Riechnerv entstanden.« Es kam ihm wie gestern vor, als Dr. Connery ihnen das erklärt hatte. »Der Vorteil ist, dass man leicht herankommt – man kann den zugehörigen Applikator, eine lange, dünne Röhre, einfach durch die Nase einführen –, und die Anbindung an den Riechnerv bedeutet, dass man es sozusagen direkt mit dem Betriebssystem des Gehirns zu tun hat.«

»Und was heißt das?«, bohrte sie weiter, unübersehbar angewidert. »*Riechst* du dann alles, was über diese . . . Schnittstelle passiert, oder wie geht das? Ich kann mir das nicht vorstellen.«

Sei froh, dachte Christopher und sagte: »Mit Riechen hat das nichts zu tun. Es ist eher . . . Hmm.« Wie immer kam es ihm aussichtslos vor, beschreiben zu wollen, wie es war, mit dem Feld verbunden zu sein. »Es ist sehen und hören und fühlen zugleich, und doch nichts davon. Je nachdem. Eigentlich ist es wie ein zusätzlicher Sinn, ein sechster Sinn gewissermaßen . . .«

Sein Blick fiel auf den Mann in der rot-grauen Motorradkluft, der sich bis jetzt mit Kyle über die Frau am Boden gebeugt hatte. Nun richtete er sich auf und entfernte sich rückwärts von den beiden, ganz langsam, einen Schritt nach dem anderen. Irgendwie sah es seltsam aus, wie er sich benahm. Irgendwie hatte Christopher ein immer schlechteres Gefühl bei der Sache.

Aber wenigstens hatte er eine Idee, was er dagegen tun konnte.

Er erklärte Serenity hastig ihren Part bei seinem Plan, dann stieg er eilig aus dem Wagen und ging zu Kyle hinüber.

Die Frau lag neben dem Motorrad am Straßenrand. Sie schien fast so alt zu sein wie ihr Mann. Sie hatte die Augen geschlossen, ihr Atem ging gleichmäßig, und ihr Gesicht sah eher rot als blass aus.

Kyle hatte ihr den Lederanzug geöffnet, hielt die Fingerspitzen an ihre Halsschlagader. Ihre Lider flatterten.

»Und?«, fragte Christopher. »Wie sieht's aus?«

Kyle hob die Schultern. »Kein Fieber, der Puls ist normal. Keine Ahnung, warum sie ohnmächtig ist.«

Christopher ging neben ihm und der Frau in die Hocke. Aus den Augenwinkeln sah er, dass Serenity inzwischen ebenfalls ausgestiegen war und langsam näher kam, und falls sie ihm zur Abwechslung mal geglaubt haben sollte, war alles gut.

»Ich vermute«, sagte Christopher, »die Frau ist gar nicht ohnmächtig. Die spielt das nur. Lass uns weiterfahren.«

Kyle sah ihn entgeistert an, aber noch ehe er auch nur irgendwas erwidern konnte, stieß die Frau einen gutturalen Schrei aus, schoss hoch, packte Christopher und umklammerte ihn mit der Kraft eines Schraubstocks.

43

Der Mann hatte auf einmal einen dicken Revolver in der Hand und richtete ihn auf Kyle.

Und mit gruseliger Gleichzeitigkeit – so, als hätten die beiden jahrelang einstudiert, derlei Dinge im Chor zu sagen, mit genau der gleichen Intonation, im gleichen Stimmfall und mit identischer Lautstärke – riefen der Mann und die Frau wie mit einer Stimme: »Keiner bewegt sich!«

Falschmeldungen

10 | Für Serenity begann die ganze Geschichte an dem Morgen, als ihre Mutter sie in der Küche mit den Worten empfing: »Glaub nichts von dem, was sie über deinen Vater sagen. Nichts. Kein einziges Wort ist wahr.«

»Was?«, fragte Serenity zurück. »Wer?« Sie schlief noch halb und wäre am liebsten gar nicht aufgewacht. Sie hatte von einem Jungen aus ihrer Klasse geträumt, Brad Wheeler, für den alle Mädchen schwärmten und der im wirklichen Leben kaum wahrnahm, dass sie überhaupt existierte. Sie war nun mal beim besten Willen nicht das *All American Girl,* auf das die Brad Wheelers dieser Welt standen.

»Alle. Im Fernsehen, in den Zeitungen, im Internet . . .«

Allmählich kam Serenity zu sich. Etwas stimmte ganz und gar nicht. Sie begriff, dass Mutter völlig außer sich war. So etwas merkte man ihr selten an; irgendwie schaffte sie es normalerweise, immer gleich zu wirken, egal, was in ihr vorging.

»Im Fernsehen?«, wiederholte Serenity. »Sie reden über Dad im *Fernsehen?*«

»Sie *lügen* über deinen Dad im Fernsehen.«

»Und was sagen sie?«

»Kein wahres Wort. Es ist alles Betrug. Miese Propaganda, weiter nichts.«

Serenity spürte den Impuls, mit den Füßen aufzustampfen und ihre Mutter zu packen und zu schütteln. Nichts davon tat sie, aber sie schrie: »Verdammt noch mal! *Was ist eigentlich los?*«

Mom erstarrte, ihr Gesicht eine ausdruckslose Maske. Dann fielen ihre Schultern herab, ein schmerzvoller Ausdruck erschien in ihren Augen. »Was soll's«, seufzte sie. »Du erfährst es ja doch.« Sie drehte sich herum und schaltete den Fernseher ein.

Es war das Topthema auf ungefähr der Hälfte aller Kanäle.

Ein Bombenanschlag auf ein Rechenzentrum in North Carolina. Zerfetzte Wände, Menschen mit rußigen Gesichtern, die durch schwelende Trümmer irrten, verletzt, die Kleidung zerrissen. Feuerwehrleute, die löschten, mit entschiedenen Handzeichen Rettungsarbeiten dirigierten, Bahren trugen.

Das Rechenzentrum habe im Auftrag der Regierung wichtige Datenbanken geführt, sagte ein Sprecher. Natürlich gebe es Backups, nichts sei verloren, der Anschlag sinnlos.

Die Bombe habe den Firmenkindergarten zum Einsturz gebracht, erklärte eine Sprecherin, die Kinder seien verletzt, viele davon schwer.

Und dann ein Bild von Dad, eine Fotografie, auf der Serenity ihn kaum erkannte, weil er darauf aussah wie ein Verrückter.

»Jeremiah Jones«, sagte ein Moderator mit sonorer Stimme, »von seinen Anhängern auch ›der Prophet‹ genannt, wurde bekannt als Autor erfolgreicher Bücher, in denen er den modernen Lebensstil anprangerte und vor den Gefahren einer überhandnehmenden Technik warnte. Weniger bekannt ist, dass er schon in jungen Jahren an teilweise gewalttätig verlaufenden Protestaktionen teilgenommen hat und dabei auch mit dem Gesetz in Konflikt gekommen ist. Seine letzte öffentliche Äußerung war die Erklärung, sich als Selbstversorger aufs Land zurückzuziehen, danach wurde es still um ihn – bis heute. Der Mann, der lange Zeit vielen als kluger Denker und Mahner galt, hat offenbar jene Linie überschritten, die zwischen Außenseitertum und Extremismus verläuft.«

Es existiere ein Bekennerschreiben, schloss der Sprecher den Bericht ab. Das FBI habe Jeremiah Jones in die Liste der zehn meistgesuchten Personen aufgenommen.

Jeremiah Jones, Terrorist.

Serenity spürte, wie ihre Knie nachgaben. Sie musste sich am Küchenbord festhalten und auf einen der Hocker davor setzen.

»Terrorist!«, stieß sie hervor, fassungslos.

»Sie lügen«, sagte Mom.

»Und das Bekennerschreiben?«

»Gefälscht.«

Serenity hatte das Gefühl, verlernt zu haben, wie man atmete. Sie legte die Hand auf ihre Brust, spürte ihr Herz schlagen wie eine Trommel. »Woher willst du das wissen? Die können doch so etwas nicht einfach behaupten!«

»Doch. Können sie. Tun sie. Die ganze Zeit. Sie –«

»Mom!«

Serenity hatte die Hand hochgerissen, und ihre Mutter war mitten im Satz verstummt.

»Was«, fragte Serenity mühsam, während sie spürte, wie ihr die Tränen kamen, Tränen schieren Entsetzens, »wenn es *stimmt?*«

11 | Die Erinnerungen rollten heran wie eine Woge, spülten sie fast weg. Das Haus, in dem sie gelebt hatten, als sie ein Kind gewesen war. Das Haus aus Holz, das nach Sägemehl, Holzasche und nach den Gewürzen gerochen hatte, die Mom in der Küche in dicken Bündeln unter die Decke gehängt hatte. In der dunklen, geheimnisvollen, immer nach gutem Essen duftenden Küche mit den zerkratzten Möbeln. Der Wald, der hinter dem Haus begonnen hatte, um nicht mehr zu enden, der See, zu dem man nur gelangte, wenn man den richtigen Pfad nahm. Die Tiere, die man beobachten konnte, wenn man lange genug still liegen blieb. Rehe. Eichhörnchen. Kragenhühner. Kaninchen. Seeadler.

»Liebes . . .«

Ihr Bruder Kyle und sie hatten oft im Wald gezeltet, an verborgenen Stellen. Dad hatte ihnen beigebracht, wie man ein Zelt aufstellte, ein altmodisches aus gewachstem Tuch, mit Zeltstangen und Heringen. Sie hatten geangelt und ihre selbst gefangenen Fische über dem Lagerfeuer gebraten. Sie waren im See schwimmen gegangen. Serenity hatte den Matsch und Schlick des Ufers zwischen ihren Zehen gespürt. Mücken hatten sie gestochen. Einmal hatte sie einen Wolf verjagt – zumindest war sie davon überzeugt, dass es ein Wolf gewesen war; niemand außer ihr hatte das Tier gesehen. Sie erinnerte sich an glutheiße Sonne und endlosen Schnee, an klirrende Kälte, geheimnisvollen Nebel und an erfrischenden Regen. Ihre Kindheit war ein einziges Abenteuer gewesen.

»Liebes . . . Man kann viel Schlechtes über deinen Vater sagen, und selbst wenn man übertreibt, würde das meiste davon stimmen – aber so etwas wie *das* würde er niemals tun. Er würde niemals jemanden töten.«

Serenity sah ihre Mutter an, die vor ihr in die Hocke gegangen war, sie an den Händen hielt und ihren Blick suchte.

Würde er nicht? Die Erinnerung kam wie ein Blitz, der für einen Sekundenbruchteil die undurchdringliche Dunkelheit zerriss: ihr Vater, wie er in einem Berg Müll stand, den irgendjemand achtlos in einen Wildbach gekippt hatte – verfaultes Zeug in Plastikverpackungen, geplatzte Batterien, rostige Dosen, Glasscherben. Wie er fluchte und schimpfte, mit bloßen Händen das Zeug aus dem Bachlauf schaufelte und sich an irgendetwas schnitt, dass er blutete. Wie er wütend sagte, *manchen Leuten würd ich's am liebsten mit dem Baseballschläger erklären.*

»Meinst du?«, fragte Serenity.

Mom lächelte wehmütig. »Ich war mit deinem Vater zusammen, seit ich fünfzehn war. Ich *kenne* ihn. Ich kenne ihn wahrscheinlich besser als sonst irgendjemand auf der Welt.«

Serenity hob den Kopf, sah umher. Die Erinnerungen flossen wieder davon, dorthin vermutlich, wo sie sich die letzten zehn Jahre versteckt gehalten hatten. Sie war wieder hier, in ihrem heutigen Leben, saß in dieser Küche voll moderner Technik, die ihre Mutter wie aus Trotz heraus gekauft hatte, aber nie benutzte. Eine Mikrowelle mit gefühlten dreihundert Programmen. Ein Dampfgarer. Ein Espressoautomat. Der Riesenkühlschrank mit eingebautem Lagercomputer. Diese Küche war nicht mehr dunkel und geheimnisvoll, sondern hell, klar, sauber und immer so aufgeräumt, als käme jeden Moment ein Fotograf, der Bilder für einen Werbeprospekt schießen sollte.

»Wenn ich danach gefragt werde, in der Schule oder so . . .«, begann Serenity leise, »muss ich dann zugeben, dass er mein Vater ist?«

Mom musterte sie, zögerte merklich. *Sag die Wahrheit,* war stets ihre Ermahnung gewesen, ihr Motto, ihr Leitspruch. *Sag immer die Wahrheit. Auch wenn es unangenehm ist, auf lange Sicht ist es das Beste.*

»Es wird niemand fragen«, erwiderte sie. »Jones – das ist ein Allerweltsname.«

»Und wenn doch?«

Sie biss sich auf die Lippen. »Dann sag Nein.«

Auf eine eigentümliche Weise entsetzte dieser Rat Serenity mehr als alles andere, mehr selbst als die ungeheuerlichen Anschuldigungen gegen ihren Vater, die das Fernsehgerät ausgespien hatte.

Sie musterte ihre Mutter, die ihr so ähnlich sah, dass es Serenity manchmal vorkam, als blicke sie in einen Spiegel, der sie dreißig Jahre älter erscheinen ließ. Okay, Moms Mähne war dunkel, fast schwarz, während sie das sandfarbene Haar ihres Vaters geerbt hatte – aber ihre eigenen Locken waren genauso wild und schier nicht zu bändigen wie Moms. Und die Augen . . . Mom hatte große, ernste Augen, schwarz wie Brunnenschächte.

In manchen Momenten glaubte Serenity zu verstehen, warum sich Dad damals in Mom verliebt hatte.

»Warum hast du ihn damals verlassen?«, fragte sie. Es war lange her, dass sie ihre Mutter das gefragt hatte. Mom hatte ihr immer geantwortet, offen und ehrlich.

Aber irgendwie ahnte sie, dass es noch mehr Antworten gab als die, die sie schon kannte.

Mom wich ihrem forschenden Blick auch diesmal nicht aus. »Jeremiah hatte die Zukunft aufgegeben. Sie einfach abgeschrieben. Und das konnte ich nicht. Ich habe zwei Kinder. Ich muss glauben, dass es weitergeht.«

»Aber du hast ihn doch geliebt.«

Etwas wie ein Schleier legte sich vor die Augen ihrer Mutter. »Ja. Es hat mir das Herz zerrissen wegzugehen.«

12 | Es war gespenstisch mitzuerleben, wie in der Schule alle über einen Mann redeten, der als Terrorist gesucht wurde, ohne zu ahnen, dass dessen Tochter direkt neben ihnen stand.

Serenity fühlte sich, als sei sie unsichtbar. Oder als sei die Schule ein riesiges Aquarium, durch das sie spazierte und zusah, wie die Wesen hinter den Glasscheiben ihre Münder auf- und zuklappten. Und sie begriff, dass einen Geheimnisse von anderen Menschen trennten: Wenn sie mit ihrer besten Freundin nicht über das, was sie bewegte, sprechen konnte – war es dann eine beste Freundin? *Hatte* sie überhaupt eine beste Freundin?

Mr Davey, ihr Englischlehrer, brachte eins von Dads alten Büchern mit, um über das Thema zu sprechen. Man könne, behauptete er, bereits aus diesem vor zehn Jahren erschienenen Text herauslesen, dass sein Verfasser auf dem Weg in den gewalttätigen Extremismus gewesen sei.

Das sorgte für großes Staunen. Die meisten im Kurs wollten kaum glauben, dass ein Terrorist, der Firmenkindergärten in die Luft sprengte, auch Bücher geschrieben haben sollte.

Mr Davey musste sein Exemplar herumgehen lassen. Die meisten fassten es nur mit spitzen Fingern an, manche schlugen es gar nicht auf, sondern reichten es so schnell wie möglich weiter, als fürchteten sie, sich zu infizieren.

Serenity duckte sich unwillkürlich. Sie hatte die Bücher ihres Vaters zu Hause im Regal stehen und kannte sie in- und auswendig.

»Ich lese euch einen Abschnitt aus einem Kapitel vor, das der

Verfasser *Die dunkle Seite der Informationstechnologie* überschrieben hat«, erklärte Mr Davey. »Das wird euch interessieren. Es geht darin um eure Mobiltelefone. Jeremiah Jones hasst sie nämlich und würde sie euch am liebsten wegnehmen.«

Jemand rief: »Terroristenschwein«, und Serenity musste an sich halten, um nicht zusammenzuzucken.

Sie kannte die Passage. Natürlich. Mobiltelefone, so führte Dad aus, hätten die Eigenart, innerhalb kürzester Zeit zum Mittelpunkt des Lebens zu werden. Für die meisten sei das Mobiltelefon das wichtigste Gerät, das sie besaßen, vergleichbar allenfalls der Armbanduhr (die es oft ersetzte) oder einer Brille. Viele Menschen trügen es ständig bei sich, schalteten es so selten wie möglich aus und litten regelrecht, wenn es ihnen weggenommen wurde. Ihr Denken und Fühlen kreise, je länger, je mehr, um ihr Telefon, um seine Funktionen und seine Bedienung.

»Hätten wir es nicht mit einem technischen Gerät, sondern mit einer chemischen Substanz zu tun, die konsumiert werden kann«, las Mr Davey vor, »würden wir dieses Verhalten als Sucht bezeichnen.«« Er grinste breit und sah in die Runde. »Er hält euch alle für Junkies. Was sagt ihr dazu?«

Die meisten kicherten oder schauten abfällig drein. Nur einer, ein magerer Junge namens Rupert Parker, fingerte sein eigenes Gerät aus der Hemdtasche, musterte es kurz und meinte dann nachdenklich: »Da hat er gar nicht so unrecht. Ich jedenfalls bin voll drauf.«

Mr Davey ignorierte diesen Einwand. Das Mobiltelefon, las

er weiter, vermittle einem das Gefühl, jederzeit erreichbar zu sein und umgekehrt jeden, der einem wichtig sei, jederzeit erreichen zu können. Es verspreche einem damit, nie wirklich allein sein zu müssen – doch paradoxerweise nehme die Angst vor dem Alleinsein dadurch, dass man sie nicht mehr erfahre, zu! Es sei außerdem für die Entwicklung der eigenen Persönlichkeit wichtig, von Zeit zu Zeit mit sich allein zu sein, denn nur so könne man ein Gespür für sich selber entwickeln. Alle Meditationstechniken seien im Grunde nichts anderes als verschiedene Wege, Alleinsein zu erfahren; das Mobiltelefon damit gewissermaßen eine »Anti-Meditations-Maschine«.

Dank permanenter Erreichbarkeit lernten gerade junge Menschen kaum noch, Verabredungen zu treffen oder einzuhalten. Jede Vereinbarung würde wie selbstverständlich unter dem Vorbehalt getroffen, sie jederzeit durch einen simplen Anruf ändern zu können. Doch auf diese Weise verlerne man mit der Zeit, sich überhaupt konkrete Ziele zu setzen. Hätte man vor der Erfindung des Mobilfunks noch damit gerungen, sich wenigstens annähernd an seine Vorsätze zu halten, so fasse man seither gar keine mehr. Das Mobiltelefon lehre, nur aus dem Moment heraus zu handeln und nur kurzfristig zu denken. Es erziehe die Menschen zu idealen Konsumenten, die impulsiv kauften, was immer ihnen verlockend genug präsentiert werde.

An dieser Stelle klappte Mr Davey das Buch zu und begann seine eigenen Ausführungen darüber, was für ein Hass aus diesen Zeilen spräche. Serenity starrte ihn mit dem deutlichen Gefühl an, dass entweder er oder sie übergeschnappt sein musste. *Hass?* Sie kannte dieses Buch besser als ihr Lehrer, und sie las darin nichts als *Sorge!*

Sie erinnerte sich, wie Dad ihnen diese Zusammenhänge das erste Mal erklärt hatte. Es war um die Frage gegangen, ob Kyle und sie auch Mobiltelefone kriegen könnten, wie es damals an der Schule gerade in Mode gekommen war.

Sie hatten eine Kanutour gemacht, waren abends am Lagerfeuer gesessen, nur sie vier in der anbrechenden Nacht und niemand sonst, keine Menschenseele im kilometerweiten Umkreis. »Spürt ihr den Zauber? Die Magie der Einsamkeit?«, hatte Dad gefragt. Sie hatten genickt, ergriffen von der Atmosphäre, die das Rauschen des Waldes und die vereinzelten Tierlaute hier und da schufen.

»Würde dieser Zauber nicht verschwinden«, hatte Dad weitergefragt, »wenn jetzt, hier, ein Telefon klingeln könnte? Es müsste nicht einmal wirklich jemand anrufen – es würde genügen, wenn jemand anrufen *könnte*. Schon wäre der Zauber verflogen. Weil wir dann nicht mehr ganz *hier* wären, sondern zu einem Teil auch noch anderswo.«

So war es gekommen, dass Serenity immer noch kein Mobiltelefon besaß, als Einzige in der gesamten Schule.

Bis jetzt hatte sie deswegen als verschroben gegolten. Kein Tag, an dem nicht jemand zu ihr sagte: »Ich ruf dich . . . ach so, du hast ja kein . . .«, daraufhin verstummte und sie pikiert ansah, vorwurfsvoll beinahe. Spielverderberin. Außenseiterin.

Immer wieder fand sie in ihrem Spind Prospekte, die ihr irgendjemand durch den Schlitz geschoben hatte und die *ganz superbillige Telefone* anboten, für einen Dollar oder gleich umsonst. Zumindest, wenn man das Kleingedruckte nicht las.

Vielleicht, überlegte Serenity, war sie von jetzt an *verdächtig*.

Denn es blieb nicht bei dem Anschlag in North Carolina. Ein paar Tage lang ging es Schlag auf Schlag. Ein weiteres Rechenzentrum in West Virginia und drei Sicherheitsfirmen in New Jersey, in deren Tresoren die Backups der Daten aufbewahrt worden waren. Ja, räumte ein Sprecher des zuständigen Ministeriums zerknirscht ein, man habe nicht schnell genug reagiert; es seien tatsächlich einige wichtige Datenbestände unwiederbringlich verloren.

Und an allem sollte Serenitys Dad schuld sein.

In den Nachrichten wurden sie allmählich richtig panisch. Alle möglichen Gerüchte kamen auf. Angeblich planten Jeremiah Jones und seine Leute, Silicon Valley zu zerstören, das Herz der amerikanischen Computerindustrie. Experten äußerten sich, welche Art von Bomben dazu imstande wären, und weil Silicon Valley keine Autostunde entfernt lag, gab es im Lokalfernsehen hitzige Diskussionen darüber, ob auch Santa Cruz von einem solchen Anschlag betroffen wäre.

Serenity durchlebte diese Wochen wie in Trance. Sie ging zur Schule mit dem Gefühl zu träumen, schrieb im Unterricht mit, ohne ein einziges Wort zu verstehen – genauso gut hätte sie Girlanden und Arabesken in ihr Heft malen können. Sie antwortete, wenn jemand sie etwas fragte, und stand dabei die ganze Zeit neben sich. Sie kam aus der Schulkantine und wusste nicht mehr, was sie gerade gegessen hatte. Es war einfach alles nur schrecklich.

Und sie schrieb Tests, ohne zu wissen, was sie tat. Das war es schließlich, was sie wieder zur Besinnung brachte, wenn auch auf unsanfte Weise.

Sie bekam ein F in Mathematik.

»Was ist los mit dir?«, fragte ihr Lehrer, als er ihr die Arbeit aushändigte.

Serenity blätterte fassungslos durch die Seiten. Sie *erinnerte* sich nicht einmal mehr daran, das geschrieben zu haben! Da stand nur totaler Unsinn!

Sie hatte das Gefühl, wochenlang geschlafwandelt und nun plötzlich aufgewacht zu sein. Was war bloß in sie gefahren? Das F brachte ihren Notenschnitt so weit nach unten, dass sie bis zum Ende des Schuljahrs kein B mehr erreichen würde. Und sie war im Seniors-Jahr; das nächste Zeugnis würde ihr Abschluss sein.

In Kombination mit ihren übrigen Noten hieß das, dass sie sich Hoffnungen auf ein Stipendium fürs College abschminken konnte.

Und wie sollte sie ohne Stipendium studieren?

Ihr ganzes Leben war dabei, den Bach runterzugehen.

13 | Serenity versuchte, ihren Bruder zu erreichen, aber Kyle – der ebenfalls ohne Mobiltelefon lebte – schien nie zu Hause zu sein. Er besaß zwar eine E-Mail-Adresse, doch er schaute so selten in sein Postfach, dass man es vergessen konnte. Schließlich bekam sie einen seiner Freunde an den Apparat, der erzählte, Kyle sei weggefahren, niemand wisse, wohin.

Was vermutlich hieß: zu Dad.

Kyle war zweiundzwanzig und zu Hause ausgezogen, als er aufs College gegangen war. Heute studierte er etwas, das mit Umweltschutz zu tun hatte und ihn nicht sonderlich zu begeistern schien; jedenfalls verbrachte er die meiste Zeit als Hilfssanitäter beim Roten Kreuz. Auch fast alle seine Freunde hatte er dort gefunden; sie waren regelmäßig bei Konzerten, Sportveranstaltungen und dergleichen im Einsatz.

Anders als Serenity hatte Kyle einige Jahre, nachdem Mom mit ihnen fortgezogen war, wieder den Kontakt zu Dad gesucht. Er hatte ihn ab und zu besucht und die Sommerferien bei ihm und seinen Leuten verbracht.

Serenity hatte es genügt, dass Dad zu Besuch gekommen war. War es nicht normal, dass nach einer Trennung die Tochter zur Mutter hielt und der Sohn zum Vater? Erst später begriff sie, dass sie Angst davor gehabt hatte, es könne zu sehr wehtun, das alte Haus wiederzusehen, den Wald, den See . . . das ganze Leben, das sie verloren hatte.

Und heute? Serenity hatte ihren Vater seit fast einem Jahr nicht mehr gesehen. Und nach dem, was geschehen war, hatte sie fast Angst, ihm zu begegnen; Angst, die guten Erinnerungen einzubüßen, die sie mit ihrem Vater verband.

So abrupt, wie sie angefangen hatte, endete die Anschlagsserie auch wieder. Der Name Jeremiah Jones verschwand von den Titelseiten. Serenity hörte auf, nachts zu träumen, ihr Vater ziehe mit schwarzer Skimaske und schweren Waffen durch ein unbekanntes Land.

»Das sieht sicher schlimmer aus, als es ist«, meinte Mom, als sie ihr von ihrer verpatzten Arbeit erzählte und was sie aus ihrem Notenschnitt machen würde. »Bestimmt findet sich eine andere Möglichkeit, an ein Stipendium zu kommen.«

Mom konnte gnadenlos optimistisch sein; meistens dann, wenn man es am wenigsten ertrug.

Eine andere Möglichkeit? Serenity brütete über ihrer Notenliste, rechnete nach und kam immer wieder auf dasselbe Ergebnis: Um den notwendigen Durchschnitt zu erreichen, musste sie jede Menge A in anderen Fächern schaffen.

In Fächern, in denen sie noch nie im Leben ein A geschafft hatte.

Vielleicht, überlegte sie, war das zu schaffen, wenn sie einfach *lernte* wie noch nie. Büffelte wie wahnsinnig. In jeder freien Minute Stoff in ihr Hirn prügelte.

War das ein verzweifelter Plan? Aber hallo. Der Springbreak stand bevor, zwei Wochen Frühlingsferien, und sie dachte allen Ernstes darüber nach, in dieser Zeit zu *lernen!*

Und draußen lockte die Sonne.

Wenn sie schon dabei war, irrwitzige Pläne zu schmieden, dann konnte sie wenigstens versuchen, beides miteinander zu kombinieren!

Also schnappte sich Serenity ihre Badetasche, warf das Physikbuch hinein und machte sich auf den Weg zum Strand.

Aber das erwies sich als blöde Idee. Wenn man mehr auszog als die Jeans, fror man in dem kühlen Nordwestwind. Wenn man das Shirt anließ, wusste man nicht, wovon man eher schläfrig werden sollte – von der Sonne, dem sanften Rauschen des Pazifiks oder dem Buch. So lag Serenity auf dem Bauch, blätterte lustlos in den Seiten und schaffte es nicht, sich auf irgendein Kapitel zu konzentrieren.

Bis ein Schatten auf sie fiel.

Sie sah auf. Ein blasser Junge hatte sich vor ihrer Matte aufgebaut. Er mochte ungefähr so alt sein wie sie selber.

»Du stehst mir in der Sonne«, sagte sie unfreundlich.

Okay, er konnte nicht wissen, dass er den denkbar ungünstigsten Zeitpunkt erwischt hatte, sie anzubaggern. Aber warum sollte nur sie Pech haben?

Er ließ sich nicht vertreiben. Er setzte sich einfach vor sie in den Sand und sagte: »Ich muss deinen Vater sprechen.«

Serenity schnappte nach Luft. »Meinen Vater? Wieso *das* denn?«

Der blasse Junge sah sie ausdruckslos an. »Weil ich ihm helfen kann. Und er mir.«

14 | Serenity setzte sich ruckartig auf. »Helfen? Wieso willst du meinem Vater *helfen?* Und wie stellst du dir das überhaupt vor?«

»Das muss ich ihm selber erklären.«

Ein Spinner. Auch das noch. Sie blickte sich um. Das hatte sie nun davon, dass sie sich einen so abgeschiedenen Platz gesucht hatte. Um diese Zeit des Jahres war dieser Teil des Strandes oft menschenleer. Nur ein kleines Mädchen mit einem Hund war zu sehen und draußen in den Wellen die obligatorischen Surfer.

Also musste sie selber zusehen, wie sie den Kerl wieder loswurde.

Sie klappte ihr Buch zu und legte es beiseite. »Ich glaube, du verwechselst mich mit jemandem.«

Der Junge nahm eine Handvoll Sand auf, und während er zusah, wie die Körner in feinem Strom zwischen den Fingern hindurchrannen, zählte er auf: »Dein Name ist Serenity Jones. Du bist siebzehn Jahre alt, gehst auf die *Santa Cruz Highschool* und lebst mit deiner Mutter Lilian Jones, geborene Taylor, in 280 Windham Street. Du hast einen Bruder namens Kyle, der Umweltwissenschaften an der Universität von San Francisco studiert. Dein Vater heißt Jeremiah Jones, wird von manchen Leuten *der Prophet* genannt und vom FBI in Zusammenhang mit Bombenanschlägen auf Rechenzentren in North Carolina, West Virginia und New Jersey gesucht.«

Trotz der prallen Sonne lief Serenity eine Gänsehaut über den Rücken. »Woher weißt du das?«

Er strich sich den restlichen Sand von der Handfläche. »Stimmt es etwa nicht?«

Wer war der Kerl? Auf jeden Fall war er fremd hier, so blass, wie er aussah. Ein Bewohner von Santa Cruz – überhaupt *jeder* Bewohner Kaliforniens – wäre um diese Jahreszeit braun gewesen. Und er hätte an einem Tag wie diesem kein dickes Sweatshirt getragen und wahrscheinlich auch keine lange Hose.

»Es gefällt mir nicht«, erklärte Serenity, »dass du so viel über mich weißt. Ich kenne nicht mal deinen Namen.«

Er blinzelte nervös. »Sorry. Ich heiße Christopher. Christopher Kidd.« Er begann, an einem Stein herumzupulen, der vor ihm im Sand steckte. »Ich komme aus Europa. Aus England, um genau zu sein. Ich könnte dir auch erzählen, wo ich zuletzt gewohnt habe und in welche Schule ich gegangen bin, aber das ist alles nicht mehr aktuell. Ich bin auf der Flucht, und ich glaube nicht, dass ich je wieder zurückkehren werde.«

Ein Ausreißer? Wohl eher ein Angeber.

»Und was hast du angestellt, dass du abgehauen bist?«

Er hatte den Stein freigelegt, schleuderte ihn in Richtung Wasserlinie. »Weißt du, was ein Hacker ist?«

Serenity verdrehte die Augen. »Gibt's jemanden, der das *nicht* weiß? Einer, der in fremde Computer eindringt.«

Er nickte. »Der Computer an eurer Schule ist gut organisiert. Ich habe nur fünf Minuten gebraucht, um rauszufinden, dass du neulich ein F in Mathematik geschrieben hast.« Er deutete auf ihr Physikbuch. »Deswegen die Strandlektüre, nehme ich an. Du willst mit Physik ausgleichen.«

Serenity hatte das Gefühl, rot anzulaufen. »Das ist nur passiert, weil mich diese blöden Nachrichten über meinen Vater völlig konfus gemacht haben. Normalerweise schreibe ich in

63

Mathe mindestens ein B, meistens sogar ein A . . .« Sie hielt inne. Wie kam sie dazu, sich zu verteidigen? Das ging diesen Kerl doch nun wahrlich nichts an.

Und ganz davon abgesehen . . .

»An meiner Schule«, sagte sie misstrauisch, »weiß niemand, wer mein Vater ist. Also kann sein Name auch nicht im Computer stehen.«

»Da steht er auch nicht«, gab Christopher zu. »Deine persönlichen Daten habe ich aus der Computerakte, die das FBI über dich führt.«

15 | Serenity musste gegen das Gefühl ankämpfen, etwas ganz und gar Unwirkliches zu erleben. Würde sie jeden Moment aufwachen? Womöglich. Andererseits war der Sand echt, auf dem sie saß, die Sonne blendete, der aufkommende Wind zerrte an ihren Haaren, in denen er reichlich Angriffsmöglichkeiten fand . . .

Sie blinzelte, versuchte, cool zu bleiben. »Das FBI führt eine Akte über mich? Wusste ich gar nicht.«

Er hob eine Augenbraue. »Na klar führen die eine Akte über dich. Du bist immerhin die Tochter eines gesuchten Terroristen.«

Seltsam. Da hatte sie sich all die Wochen innerlich gewappnet gegen den Moment, in dem irgendjemand sie auf ihren Vater ansprach, hatte sich zurechtgelegt, was sie sagen würde, wenn jemand einen dummen Witz mit ihrem Nachnamen machte oder sie direkt fragte, ob sie mit Jeremiah Jones verwandt sei . . . Und nun merkte sie, dass sie nicht gewillt war, ihren Vater zu verleugnen. Egal, was Mom ihr geraten hatte.

»Na und?« Sie bemühte sich, ihre Stimme nicht zittern zu lassen. »Es ist nicht strafbar, die Tochter eines gesuchten Terroristen zu sein.«

»Das FBI wirft dir auch nichts vor«, sagte der merkwürdige Junge. »Die hoffen, über dich an ihn ranzukommen.«

»Und das weißt du, weil du dich in deren Computer gehackt hast?«

»Yep.«

»Tja.« Serenity verschränkte die Arme. »Da werden sie Pech haben. Ich habe *keine* Ahnung, wo mein Vater ist.«

Er verzog das Gesicht, als hätte er plötzlich Zahnschmerzen. »Das wollte ich jetzt nicht hören.«

»Abgesehen davon«, fuhr Serenity entschieden fort, »glaube ich kein Wort von dem, was über ihn gesagt wird.«

»Würd ich an deiner Stelle auch nicht.«

Sie musterte ihn empört. Was sollte *das* nun wieder heißen? Das hatte ihr gerade noch gefehlt, dass der sich über sie lustig machte.

Serenity war, als habe ihr jemand einen Eimer kalten Wassers über den Kopf geschüttet. Was tat sie hier eigentlich? Wieso diskutierte sie überhaupt mit diesem merkwürdigen Menschen?

»Weißt du, was?«, meinte sie. »Ich glaube, das reicht jetzt. Lass mich in Ruhe. Erzähl das alles irgendjemand anderes. Ich hab zu tun, okay?« Sie griff nach dem Physikbuch.

Ach nee, wie unschuldig-verletzt er dreingucken konnte! Als geschähe ihm gerade das größte Unrecht.

»Was hast du denn?«, fragte er mit großen Augen.

»Was ich habe?«, gab sie zurück und holte ihre Jeans aus der Strandtasche. »Keine Lust mehr, mit dir zu reden. So einfach ist das.« Sie stand auf und schlüpfte in die Hose.

»Hab ich was Falsches gesagt?« Er rappelte sich umständlich hoch.

Strandmatte ausschütteln, zusammenrollen und einstecken, in die Sandalen schlüpfen, die Tasche umhängen, fertig; eine Angelegenheit von ein paar Sekunden, wenn man in Übung war.

»Ein schönes Leben noch«, sagte Serenity, ließ ihn stehen

und stapfte davon, den schmalen Pfad zum East Cliff Drive hinauf.

»Warte doch mal«, rief er und stolperte ihr hinterher. »Ich hab ja nicht von dir verlangt, mir zu verraten, wo dein Vater ist. Es reicht, wenn du ihm eine Nachricht von mir übermittelst. Du brauchst ihm bloß zu sagen, wo er mich erreicht . . . und dass ich ihm helfen kann . . . Jetzt bleib doch mal stehen!«

Serenity war schon oben angekommen, stieg über das metallene Geländer auf die Straße. Von hier waren es nur fünf Minuten bis zur Bushaltestelle in der Murray Street.

»Serenity!«, rief der Junge.

»Was?« Sie drehte sich um, stemmte die Hände in die Seiten. Auf den roten Sportwagen, einen Chevrolet Camaro, der langsam die First Avenue entlangkam, achtete sie nicht. »Was willst du noch?«

Christopher war hinter der Brüstung stehen geblieben, als sei das eine Grenze, die er nicht überschreiten durfte. »Ohne mich haben sie ihn in spätestens drei Wochen. Überleg doch mal.«

»Es ist alles gelogen«, erwiderte Serenity. »Er hat nichts von dem getan, was sie ihm vorwerfen.«

»Aber sie sind hinter ihm her«, sagte Christopher. »Und wenn er seine Unschuld nicht beweisen kann, wäre es besser, sie kriegen ihn erst gar nicht.«

»He, du!«, rief eine dunkle Stimme dazwischen.

Serenity drehte sich um. Der Sportwagen war neben ihr stehen geblieben. Drei junge Männer saßen darin, sonnengebräunt, mit teuren Sonnenbrillen und diesem Gesichtsausdruck, der keinen Zweifel daran ließ, dass sie sich für Gottes Geschenk an die Frauen der Welt hielten.

Serenity kannte solche Typen zur Genüge. Kalifornien wimmelte von ihnen.

»Schieß den Kerl in den Wind«, schnurrte der Mann auf dem Beifahrersitz, und seine Kumpels grinsten dazu. »Komm – wohin willst du? Wir nehmen dich mit.«

»Lass mich in Ruhe«, schnaubte Serenity, wandte sich ab und marschierte davon.

Aber es gibt einfach Tage, da folgt eine Widrigkeit der nächsten.

Der Wagen setzte sich in Bewegung, rollte neben ihr her. »He, lauf doch nicht weg«, gurrte der Typ weiter. »Wir sind unterwegs zu 'ner Party. Wie sieht's aus? Hast du nicht Lust mitzukommen?«

»Nein«, sagte Serenity mit aller Entschiedenheit, »ganz bestimmt nicht.«

Der Wagen näherte sich ihr immer mehr.

»Jetzt zier dich nicht so«, rief der Kerl auf dem Beifahrersitz. »Ich weiß genau, dass du Lust hast.«

Damit streckte er blitzartig den Arm aus und schnappte Serenity am Handgelenk.

16 | Serenity versuchte, sich loszureißen, doch der Griff des Mannes war eisern.

»Was soll das?«, schrie sie, zerrte und zog. »Lass mich sofort los!«

Sein Grinsen war unverschämt. »Nur wenn du mitkommst.«

»Ich komme nirgendwohin mit«, fauchte Serenity. »Du spinnst wohl!«

Die anderen lachten.

»Dann lass ich auch nicht los«, sagte der Kerl auf dem Beifahrersitz.

Serenity hob einen Fuß, um gegen das Auto zu treten, doch der Blödmann, der sie festhielt, schüttelte sie so, dass sie fast das Gleichgewicht verloren hätte. »Finger weg von dem Wagen!«, zischte er.

»Dann nimm du deine Finger weg von mir!«, keuchte Serenity und versuchte, wenigstens einen dieser Finger von ihrem Handgelenk zu lösen. Doch der Mann lachte nur höhnisch. Seine Hand war der reinste Schraubstock.

Das war jetzt nicht mehr witzig. Serenitys Herz klopfte ihr bis in den Hals hinauf, und allmählich bekam sie regelrecht Panik.

Hastig blickte sie sich um, sah Häuser, Fenster, andere Autos – doch in den Häusern war niemand zu sehen, die Fenster waren blind, vergittert oder zugezogen, und die Autos alle geparkt und verlassen.

Der einzige Zeuge war Christopher. Und der rührte sich nicht von der Stelle. Er stand hinter dem Geländer wie festgewachsen und tat nichts anderes, als herüberzustarren. Zuzuschauen.

Und so einer wollte ihrem Vater helfen! Das war ja wohl der Oberwitz.

»Also, Süße«, säuselte der Kerl, der ihr Handgelenk umklammert hielt, »sieh es doch ein. Du bist mir verfallen. Du kommst einfach nicht von mir los!« Die anderen grölten vor Lachen. »Weißt du, ich hab's echt verdient, dass du mir 'ne Chance gibst. Ich bin nicht so übel, ehrlich nicht. Und meine Freunde hier auch nicht. Oder?«

»Nöö«, brummten die beiden im Chor, und dabei machten sie so gierige Augen, dass Serenity ganz schlecht wurde.

In diesem Moment begann die Fensterscheibe, sich mit einem leisen Summen zu heben. Erst sah es so aus, als sei der Mann versehentlich an den Schalter gekommen, doch in dem Fall hätte er wohl kaum so irritiert dreingeschaut und auch nicht »He! Lass den Scheiß!« gebrüllt.

»Wieso? Was mach ich denn?«, rief der Fahrer und nahm erschrocken die Hände vom Lenkrad.

Es half nichts. Sämtliche Fensterscheiben des Wagens fuhren hoch, mit maschinenhafter Unerbittlichkeit.

Schließlich musste der Kerl auf dem Beifahrersitz Serenity loslassen, weil ihm die Glasscheibe andernfalls den Arm abgedrückt hätte.

Im selben Moment, in dem er sie freigab, schnappten sämtliche Verriegelungen des Autos zu, und der Motor ging aus.

Serenity war unwillkürlich einen Schritt zurückgewichen. Sie rieb sich das linke Handgelenk und merkte, dass sie keuchte. Sie hatte nicht den leisesten Schimmer, was passiert war, aber es war auf jeden Fall gerade rechtzeitig passiert.

Die drei Typen im Inneren des Wagens verstanden es offensichtlich auch nicht. Sie versuchten, die Türen zu öffnen, aber vergeblich. Sie schrien sich gegenseitig an, hieben von innen gegen die Verkleidung, der Fahrer drehte wieder und wieder den Zündschlüssel, doch es klackte nur matt unter der Motorhaube. Der Wagen stand da wie tot und abgestorben, und sie waren in seinem Inneren eingesperrt.

Ein befriedigender Anblick, fand Serenity.

Christopher regte sich noch immer nicht. Zuckte mit keiner Wimper. Starrte das Auto an wie Superman, der seinen Hitzeblick auf ein feindliches Objekt richtet.

Serenity schauderte. Obwohl sie nicht den Hauch einer Idee hatte, wie Christopher derlei hätte bewerkstelligen können, hätte sie doch geschworen, dass er das gewesen war mit dem Auto. Dass er es . . . beeinflusst hatte oder so etwas. Sie wandte sich ab, schüttelte den Kopf. Schwachsinn! Die Welt war voller Verrückter, und die hatten es heute alle auf sie abgesehen.

Der Typ auf dem Beifahrersitz hatte mittlerweile sein Mobiltelefon am Ohr und telefonierte hektisch gestikulierend. Dabei funkelte er sie wütend an, als sei sie an allem schuld.

Da war noch eine Rechnung offen, sagte sie sich.

Serenity lächelte ihn an und dachte: *Du blödes Arschloch!* Dann holte sie ihren Hausschlüssel aus der Strandtasche und hielt ihn hoch, damit die Scheißkerle auch sahen, was sie in der Hand hielt.

Sie begriffen erst, als sie damit zum Heck des Wagens schlenderte.

»Nein!«, hörte sie sie schreien.

71

»Ich bring dich um!«, brüllte der hinterm Steuer.

Der Wagen musste nagelneu sein. Der rote Lack glänzte, als wäre er noch flüssig. Serenity setzte die scharfe Kante des Schlüssels an und zog ihn mit einem grässlichen Quietschen quer über die Seite bis vorn an die Scheinwerfer.

Den Kratzer würden sie nie wieder rauskriegen.

Die Männer heulten wie die Wölfe, rasteten schier aus da drinnen. Sie ballten Fäuste, drohten, schrien durcheinander . . .

»Du solltest jetzt gehen«, sagte Christopher unvermittelt.

Es war etwas im Klang seiner Stimme, das Serenity zusammenzucken ließ. Sie fuhr herum. Er starrte immer noch das Auto an, nur das Auto, hatte kein Auge für sie. Irgendwas ging da vor, das sie nicht verstand.

Und das sie eigentlich auch nicht verstehen *wollte*.

Sie warf Christopher einen letzten Blick zu, dann machte sie, dass sie davonkam.

17 | Serenity atmete auf, als sie endlich zu Hause war. Was für ein Albtraum! Sie war gerannt, zur Bushaltestelle erst und dann, als sie gesehen hatte, dass sie auf den nächsten Bus vierzig Minuten würde warten müssen, weiter zur Haltestelle einer anderen Linie. Sie hatte Haken geschlagen, war kreuz und quer durch Wohnsiedlungen gewandert, hatte versucht, *gesehen* zu werden . . . Mit einem Gefühl unendlicher Erleichterung schloss sie die Tür hinter sich. Verschwitzt, aber in Sicherheit.

Mom war nicht da, und das war ihr im Augenblick nur recht.

Erst mal unter die Dusche. Serenity duschte lang und ausgiebig, versuchte, den Schrecken und die Panik aus ihren Poren zu spülen, und fiel anschließend, in ihren liebsten Bademantel gewickelt, völlig k. o. aufs Bett.

Sie schloss die Augen, aber das funktionierte nicht; mit geschlossenen Augen merkte sie nur umso deutlicher, wie sehr ihre Nerven immer noch flatterten. Sie hob die Arme, betrachtete ihr linkes Handgelenk. Der Griff dieses Idioten hatte blaue Flecken hinterlassen. Ein Andenken, auf das sie gerne verzichtet hätte.

Die Haustür wurde aufgeschlossen, das Rascheln von Papiertüten war zu hören. Also war Mom – sie leitete die Bücherei in Live Oaks – auf dem Heimweg noch im Supermarkt gewesen.

»Ich bin da!«, rief Serenity.

Mom streckte den Kopf herein. »Was ist denn mit dir los?«, fragte sie.

»Ich hatte einen *schrecklichen* Tag«, erklärte Serenity.

»So«, sagte Mom. »Na, ich mach uns was zu essen.«

Und damit klappte die Tür zu.

Typisch Mom. Schon immer waren Schokokekse die Therapie für aufgeschürfte Knie gewesen und Hühnersuppe das Heilmittel für Sonnenbrand oder Wespenstiche. Später hatte selbst gemachte Pizza gegen Liebeskummer helfen müssen und Apfelkuchen gegen Heimweh.

Eigentlich, überlegte Serenity, müsste ich viel dicker sein. Sie wickelte sich aus dem pinkfarbenen Frottee und prüfte ihre Hüften kritisch.

Na ja. Besser zu dünn als zu dick.

Abends meldete sich ihr Bruder endlich. Er war zurückgekommen, von wo auch immer, und hatte ihre Nachricht auf seinem Anrufbeantworter vorgefunden.

»Es ist wegen Dad«, sagte Serenity. »Hast du mitgekriegt, was über ihn gesagt wird?«

»Ich war nicht hinterm Mond unterwegs, wenn du das meinst«, erwiderte Kyle schlecht gelaunt.

»Ich hab heute –« Serenity hielt inne. Sie hatte Kyle von Christopher erzählen wollen, aber gerade war ihr wieder eingefallen, dass der behauptet hatte, sie würden vom FBI überwacht. Was ihr inzwischen nur wahrscheinlich vorkam. Wie naiv sie gewesen war! Und das hieß dann ja wohl auch, dass man ihre Telefone angezapft hatte. »Ich würde gern mit dir reden«, sagte sie stattdessen.

»Tust du doch«, sagte Kyle.

»Nicht am Telefon.«

Kyle überlegte. »Ich könnte morgen zu euch runterfahren«,

meinte er schließlich. Man spürte durchs Telefon hindurch, wie wenig Lust er dazu hatte.

»Mom würde sich auch freuen, dich mal wiederzusehen«, sagte Serenity.

»Jaja.« Man konnte förmlich hören, wie er sich wandte. »Sagen wir, so gegen fünf. Okay?«

»Okay«, sagte Serenity rasch. »Du bist mein liebster Bruder, übrigens.«

Das entlockte ihm wenigstens noch ein leises Lachen, ehe er auflegte.

In dieser Nacht schlief Serenity schlecht. In wilden Träumen war es diesmal der Junge vom Strand, Christopher, der nach ihr griff und sie zu schnappen versuchte. Verfolgt von FBI-Beamten irrte sie durch die Schule, öffnete Türen, suchte den Computerraum und fand ihn nicht, saß aber irgendwann der Direktorin gegenüber, angestrahlt von einer Verhörlampe, und Mrs Horseshoe fragte immer wieder: *»Was weißt du über Christopher Kidd? Was hat er mit den Computern gemacht?«*

Sie wachte viel zu früh auf - draußen war es noch dunkel -, lag wach und fragte sich, was dieser Traum zu bedeuten haben mochte.

Nichts, beschloss sie trotzig. Im gleichen Moment klingelte ihr Wecker.

In der Schule lief alles bestens. Die Sonne schien, die Lehrer waren zu Scherzen aufgelegt, jeder freute sich auf den bevorstehenden Springbreak. Kurzum - der perfekte Tag.

Doch gerade deswegen war Serenity unheimlich zumute. Vielleicht, weil sie zu wenig geschlafen hatte und der Schreck von gestern ihr noch in den Knochen steckte. Oder vielleicht, weil das in Filmen immer so war – je harmloser sich die Szenerie darbot, desto schlimmer das Unglück, das gleich darauf in die Idylle einbrach. Jedenfalls wuchs mit jeder Minute die Gewissheit in ihr, dass sich unter der friedlichen Oberfläche Schreckliches anbahnte.

Zur dritten Stunde hatte sie Biologie. Auf dem Weg dorthin kam sie an einem der allgemeinen Terminals vorbei. Serenity blieb stehen, von einer dumpfen Vorahnung erfüllt.

Hacker sind Leute, die in fremde Computer eindringen.

Euer Schulcomputer ist gut organisiert.

Sie schob ihren Schülerausweis in den Leseschlitz, tippte ihr Passwort ein und rief ihre Notenübersicht auf.

Das F in Mathematik war verschwunden.

18 | Serenity starrte den Schirm an und hatte das Gefühl, zur Salzsäule zu erstarren. Es kostete sie schier übermenschliche Anstrengung, ihren Ausweis wieder herauszuziehen, und es war eine Erlösung, als der Bildschirm dunkel wurde.

Sie wusste nicht, was sie denken sollte.

Natürlich sah die Notenliste ohne das F besser aus. Viel besser. Nicht genial, nicht aufsehenerregend – aber sie sah nach *ihr* aus, nach den Noten von Serenity Jones.

Keine Frage, dass Christopher das gemacht hatte.

Keine Frage auch, dass das völlig idiotisch von ihm gewesen war.

Er konnte ihre Note doch nicht einfach löschen! Wie stellte er sich das vor? Es existierte ein Prüfungsblatt, ein Stück Papier, auf dem die Fragen und ihre absolut unzureichenden Antworten darauf geschrieben standen, und schließlich, in roter, unlöschbarer Farbe, die Zensur! Und selbst wenn man dieses Beweismittel hätte beseitigen oder manipulieren können, gab es immer noch den Lehrer, der sich an ihre Arbeit erinnerte. Er würde sofort wissen, dass etwas nicht stimmte.

Diese bekloppten Computerfreaks!, dachte Serenity grimmig. *Die glauben alle, sie könnten das ganze Leben mit Mausklicks bewältigen!*

Ein Glück, dass sie vor den Ferien keine Mathematik mehr haben würde. Sie hätte nicht gewusst, was sie sagen sollte. Und ihr schlechtes Gewissen hätte man ihr auf hundert Meilen Entfernung angesehen.

Dabei war sie unschuldig! Ganz und gar!

Aber wie sollte sie das beweisen?

Mit einem Schaudern wurde Serenity bewusst, dass es ihr auf einmal genauso ging wie ihrem Vater. Bloß in kleinerem Maßstab.

Wenigstens kam Kyle, wie versprochen. Punkt fünf Uhr röhrte es draußen in der Einfahrt, und als Serenity ans Fenster sprang, manövrierte er gerade seinen alten, staubigen Geländewagen neben Moms Auto. Fuhr das Ding also immer noch! Das hieß, es geschahen noch Wunder.

Sie stürmten hinaus, beide. Mom umarmte Kyle, der mit seinem zum Pferdeschwanz gebundenen Haar – okay, eher so eine Art Wischmopp; er hatte dieselben Locken wie Serenity, bloß in einer gefügigeren, drahtigeren Version – immer mehr wie ein Neo-Hippie aussah. »Du bleibst hoffentlich über Nacht.« Mom schaute ihn bittend an.

»Nee«, sagte Kyle. »Ich fahr nach dem Abendessen zurück. Hab jede Menge zu tun.«

»Du könntest mir helfen, die Garage auszumisten. Nur ein bisschen! Immerhin stehen da auch noch Sachen von dir.«

Er warf seiner Schwester einen *Das hast du mir eingebrockt!*-Blick zu, dann meinte er: »Na, mal sehen.«

Er legte den Arm kurz um Serenitys Schultern. »Na, Schwesterlein? Was gibt es so Dringendes?«

»Schulprobleme, Liebeskummer, das Übliche halt«, sagte sie und hielt ihm gleichzeitig den Zettel hin, den sie vorbereitet hatte. Darauf stand: *Vorsicht bei Gesprächen im Haus. Kann sein, dass das FBI uns abhört, um rauszufinden, wo Dad ist.*

Kyles Augenbrauen hoben sich. »Ah«, meinte er doppeldeu-
tig. »Hätte ich mir eigentlich denken können.«

»Gehen wir erst mal rein«, sagte Mom.

Gleich darauf saßen sie um den Küchentisch herum. Kyle
hatte sich eine Coke aus dem Kühlschrank geholt und erwies
sich, wie üblich, als nicht besonders gesprächig. Wo er denn
gewesen sei? »Och, unterwegs halt«, sagte er und deutete auf
das Wort »Dad« auf Serenitys Zettel.

Sie nickte.

Mom sah von einem zum anderen. »Ich mach mich mal ans
Abendessen«, sagte sie und lächelte leicht. »Ihr beiden könnt ja
ein bisschen raus in den Garten gehen und über die Sachen reden, die mich nichts angehen.« Sie spähte aus dem Fenster
zum Himmel, an dem sich die Wolken zuzogen. »Solange es
noch nicht regnet.«

»Gute Idee«, meinte Kyle.

In dem Moment, in dem Mom das Licht über dem Herd an-
schalten wollte, fiel der Strom aus. Die Lampen blitzten nur
einmal kurz auf, und das Brummen des Kühlschranks verstummte.

Mom seufzte. »Das ist das dritte Mal diese Woche!«

»Das liegt am kalifornischen Stromnetz«, erklärte Kyle. »Das
ist völlig veraltet und eigentlich ständig überlastet. Liest man
immer wieder.«

Mom öffnete den Kühlschrank und holte ein paar Packun-
gen heraus. »Meistens kommt der Strom nach zehn Minuten
wieder. Wenn nicht, mach ich uns einen Salat und Sandwiches.«

Der Garten war nicht so groß, dass man viel Auswahl gehabt hätte. An der Hecke zum Nachbargrundstück standen ein paar Plastikstühle und ein Tisch mit einem Sonnenschirm.

»Und du meinst, hier werden wir nicht belauscht?«, fragte Kyle skeptisch, während er mit der Hand Blätter und Staub von seinem Stuhl wischte. Er musterte die Hecke. »Da könnte einer drinsitzen. Oder dahinter.«

»Du meinst Mr Simmons?«, sagte Serenity amüsiert. »Der ist inzwischen bettlägerig. Selbst wenn ihn jemand in den Garten gekarrt hätte, würden wir ihn hören; er schnauft wie ein Walross.«

»Schon gut«, meinte Kyle und setzte sich. »Ich weiß eh nicht, wo Dad ist. Also werden sie es von mir auch nicht erfahren.«

Serenity stutzte. »Ich denke, du warst bei ihm.«

»Ja. Ich weiß, wo er *war*. Aber sie ziehen jetzt ständig weiter. Die Siedlung bei unserem alten Haus haben sie gleich nach den Nachrichten über den Bombenanschlag aufgegeben, gerade noch rechtzeitig. Alle, die das FBI auf der Fahndungsliste hat, sind bei Dad geblieben, die anderen hat er fortgeschickt.« Kyle hob die Schultern. »Sie haben Zelte und Wohnwagen organisiert und ziehen jetzt herum, von einem Versteck ins nächste, alle paar Tage woandershin.«

Irgendwie beruhigte es Serenity, das zu hören. »Wie geht es Dad?«

Kyle strich sich eine dicke Strähne aus der Stirn. »Tja, wie soll ich sagen . . .? Er versucht, sich nichts anmerken zu lassen, aber tatsächlich ist er stinkwütend, dass man ihm diese Anschläge in die Schuhe schieben will. Vor allem, weil er keine Ahnung hat, *wieso* eigentlich.«

»Und was will er dagegen machen?«

»Das ist die große Preisfrage. Bis jetzt waren sie damit beschäftigt, dieses Leben im Untergrund auf die Reihe zu kriegen – sich alle möglichen Geheimhaltungsmaßnahmen auszudenken, Sicherheitsvorkehrungen und so weiter. Aber niemand weiß, wie lange das noch gut geht. Dad befürchtet, dass sie anfangen werden, per Satellit nach ihnen zu suchen. Dagegen kann man schwer etwas machen.«

»Es reicht also nicht, wenn ein Hacker sich in die Computer beim FBI einhacken und Dad aus der Fahndungsliste löschen würde, oder?«

Kyle musste lachen. »Nein, natürlich nicht. Wie kommst du auf die Idee?«

Das war endlich die Gelegenheit, ihm von Christopher zu erzählen, von ihrer Begegnung am Strand und seinem Angebot. Das mit den Kerlen im Auto ließ sie weg, dafür berichtete sie, was Christopher im Schulcomputer angerichtet hatte. »Ich hab keine Ahnung, was ich jetzt tun soll. Ich meine, das wird doch so aussehen, als hätte ich ihn dazu angestiftet, oder? Und ich kann mir nicht vorstellen, dass Mr Odgen nicht merkt, dass jemand an seinen Daten herumgepfuscht hat . . .« Sie musterte Kyle, dessen Blick glasig geworden war. »Hörst du mir überhaupt zu?«

»Sag das noch mal«, bat Kyle. »Wie hieß der Knabe?«

»Christopher«, sagte Serenity. »Christopher Kidd. Glaube ich.«

Kyle musterte sie mit einem seltsamen Gesichtsausdruck. So, als wisse er nicht, ob er seinen Ohren trauen konnte. »Sagt dir der Name nichts?«

Serenity schüttelte den Kopf. »Nein. Wieso?«

»Weil ein gewisser Christopher Kidd bei den Leuten in Silicon Valley als bester Hacker der Welt gilt, als Mozart der Bits und Bytes. Muss ein echtes Ausnahmetalent sein, denn eigentlich haben sie es in der Computerszene nicht so damit, andere zu loben.«

Serenity blinzelte. »Du meinst, er hat mir einen falschen Namen genannt? Um mich zu beeindrucken?«

»Nicht unbedingt. Er könnte es auch tatsächlich gewesen sein.«

»Nee!« Wieder schüttelte Serenity den Kopf. »Ich hab doch gesagt, der war in meinem Alter, höchstens ein Jahr älter.«

Kyle fuhr sich mit den Fingern durch das zusammengebundene Haar. »Das würde passen. Der Christopher Kidd, den ich meine, *ist* so jung.« Er musterte sie nachdenklich. »Du warst damals ungefähr dreizehn, aber du musst dich doch erinnern. Die Medien nannten ihn seinerzeit nur *Computer Kid*.«

Serenity starrte ihn an. Jetzt klingelte es endlich bei ihr. Aber nein . . . das konnte doch unmöglich sein . . .

»Computer Kid?«, wiederholte sie verdutzt. »Du meinst doch nicht *den* Computer Kid?«

Kyle nickte. »Na doch. Der, der uns mal eine Woche lang alle zu Milliardären gemacht hat.«

19 │ Sie erinnerte sich. Wer erinnerte sich nicht? Sie war dreizehn Jahre alt gewesen. Sie hatte sich Sorgen gemacht wegen ihrer bevorstehenden Mandeloperation, und Tammy, ihre bis dahin beste Freundin, hatte sie nicht zu ihrer Geburtstagsparty eingeladen. Und auf einmal war es gewesen, als seien alle Erwachsenen verrückt geworden. Den ganzen Tag lang redeten sie nur von Geld. Die einen meinten, jetzt seien alle reich und das sei großartig, und die anderen behaupteten, es sei eine Katastrophe.

Auf jeden Fall hatten sie im Einkaufszentrum vor geschlossenen Türen gestanden. Zum ersten Mal in ihrem Leben hatte Serenity hungern müssen. Das mit der Katastrophe hatte es wohl doch am ehesten getroffen.

Was damals geschehen war, hatte sie erst später verstanden. Bis heute erschienen Artikel und Bücher, die die Geschichte des dreizehnjährigen Jungen erzählten, der die Weltwirtschaft an den Rand des Zusammenbruchs gebracht hatte. Der sich im fernen Deutschland, in Frankfurt, eines Nachts in das Büro seiner Mutter geschlichen hatte, die bei einer der vielen Banken dort arbeitete, um sich mitten ins Herz des weltweiten Finanzwesens zu *hacken*. Der es fertigbrachte, das System der untereinander vernetzten Bankcomputer so auszutricksen, dass am nächsten Morgen jeder Mensch auf der ganzen Welt, der ein Bankkonto besaß, darauf eine Überweisung in Höhe von einer Milliarde Dollar vorfand – ohne dass selbst die Fachleute verstanden, wie das hatte geschehen können, und vor allem ohne dass irgendjemand die Möglichkeit gesehen hatte, es rückgängig zu machen.

Woher war das Geld gekommen? Von nirgendwoher. Der noch minderjährige Junge, dessen richtigen Namen die Medien nicht abdrucken durften und den sie sowieso lieber *Computer Kid* nannten, hatte Trillionen von Dollar aus dem Nichts erschaffen, einfach, indem er Zahlen in Speicherstellen schrieb. Er hatte dazu eine Lücke im System ausgenutzt, die niemand vor ihm entdeckt hatte, auch die hoch bezahlten Computerspezialisten der Banken nicht, und über die die Öffentlichkeit nie mehr erfuhr, als dass sie inzwischen geschlossen sei.

Aber damals . . . Eine Woche lang hatte das völlige Chaos geherrscht. Auf einmal war jeder reich gewesen – aber nur auf dem Papier. Die Banken hatten schnell gemerkt, dass etwas nicht stimmte, und schalteten die Bargeldautomaten und das Onlinebanking ab und sperrten die Karten. Ein paar ganz Schnelle schafften es noch, etwas von dem Geld abzuheben, aber ziemlich bald ging nichts mehr. Gar nichts. Geschäfte akzeptierten weder Kreditkarten noch Schecks – und schlossen schließlich ganz. Niemand konnte mehr irgendetwas bezahlen, weil alle Banken die Schotten dicht machten und nur noch damit beschäftigt waren herauszufinden, was passiert war und woher all die Milliarden gekommen waren. Die Börsen brachen zusammen. Der Handel kam zum Erliegen. Es war eine Krise, wie es sie noch nie gegeben hatte.

Staatschefs jetteten um die Welt, trafen sich zu hektischen Konferenzen, die ganze Nächte dauerten, und schließlich beschloss man, die Uhr zurückzudrehen. Die Datensicherungen des Tages *vor* dem Auftauchen der Trillionen wurden wieder eingespielt, und damit wurde alles, was danach passiert war, sozusagen ungeschehen gemacht. Das, so hieß es, sei technisch die einzige Möglichkeit, die Situation zu bereinigen – mit ein paar Verlusten, klar, aber wenigstens konnte das Leben wieder weitergehen. Und das war höchste Zeit, denn die Leute saßen längst vor leeren Kühlschränken.

Alle waren Milliardäre gewesen, aber am Schluss hatten sie nichts mehr zu essen gehabt: Diesen Aspekt der Geschichte hatten sie in der Schule oft genug zu hören bekommen.

Und irgendwie war das logisch: Wenn jeder glaubte, so reich zu sein, dass er nicht arbeiten musste – dann arbeitete *niemand*. Und wenn niemand arbeitete, blieben die Regale im Supermarkt leer. Egal, wie viel Geld da war.

Aber das Beste an der Geschichte war, dass *Computer Kid* erst dreizehn Jahre alt und damit nicht strafmündig gewesen war. Das heißt, man hatte ihn überhaupt nicht dafür belangen können. Nur seine Mutter war entlassen worden – weil sie nicht gut genug auf ihren Büroschlüssel aufgepasst hatte. Aber ihm selber war nichts geschehen.

Und das sollte der Junge vom Strand gewesen sein? Irgendwie wollte Serenity das nicht in den Kopf.

Andererseits, wenn sie an die Sache mit dem Auto dachte – das war höchst rätselhaft gewesen. Geradezu Furcht einflößend.

Ein Windstoß ließ die Hecke hinter ihnen rascheln. Die Wolkendecke wurde immer dunkler. Mom hatte recht behalten, es würde jeden Moment anfangen zu regnen.

»Der Punkt ist«, sagte Kyle, »wenn der Junge, den du getroffen hast, tatsächlich Christopher Kidd ist, dann kann er Dad vielleicht wirklich helfen.«

»Wie denn?«, fragte Serenity.

»Dad hat mich gefragt, ob ich an der Uni einen guten Hacker kenne.« Die ersten Tropfen fielen. Kyle streckte die Hand aus, wie um sie aufzufangen. »Ich hab ihm gesagt, ich kenne nur Leute, die sich für gute Hacker *halten*. Ich wollte natürlich auch wissen, was so einer für ihn tun soll, aber . . .« Er seufzte. »Er hat's mir erklärt, ich hab bloß kein Wort verstanden. Dad nutzt die moderne Technik zwar nicht, aber er versteht sie besser als jeder andere, den ich kenne.« Er ließ die Hand wieder sinken. »Vielleicht lässt er deshalb die Finger davon.«

Im Haus ging das Licht wieder an. Der Stromausfall war also vorüber.

»Dann war es ziemlich blöd, dass ich einfach weggegangen bin«, meinte Serenity geknickt.

»Das konntest du ja nicht ahnen.«

»Wieso nicht? Er hat es mir schließlich *gesagt*.«

»Nicht alles, was jemand behauptet, stimmt auch.« Die vereinzelten Tropfen gingen in einen Nieselregen über, und es sah nicht aus, als würde es gleich wieder aufhören. Kyle stand auf. »Lass uns reingehen.«

»Und was machen wir mit . . . *ihm?*«

»Wir gehen ihn morgen früh suchen«, erklärte Kyle auf dem Weg zur Terrassentür.

Serenity folgte ihm, erfüllt von einem Gefühl der Hilflosigkeit. Santa Cruz hatte sechzigtausend Einwohner. Wie wollten sie da einen einzelnen Jungen aufspüren? Abgesehen davon, dass Christopher behauptet hatte, verfolgt zu werden, und vermutlich nicht viel Wert darauf legte, sich finden zu *lassen*.

Mom rührte gerade einen großen Salat um. »Wenn der Strom nicht wieder ausfällt, mache ich uns Hamburger dazu, was haltet ihr davon?«, fragte sie.

»Super Idee«, sagte Kyle. »Wir müssen eh noch was im Internet nachsehen.«

Serenity verstand nicht gleich, was er meinte, aber da Kyle den Zeigefinger warnend vor die Lippen hielt, verzichtete sie auf eine Nachfrage. Sie holte ihren Laptop und schaltete ihn ein.

Kyle rief eine Bildersuchmaschine auf und gab den Namen »Computer Kid« ein. Die erste Seite voller Fotos erschien, und ungefähr die Hälfte davon zeigten den Jungen, den sie am Strand getroffen hatte – so, wie er vor einigen Jahren ausgesehen haben mochte.

Sie nickte. »Das ist er.«

»Okay«, sagte Kyle und schaltete das Gerät wieder ab. »Morgen. Jetzt kümmern wir uns erst mal um die Hamburger.«

Am nächsten Morgen war Mom alles andere als begeistert, dass sie gleich nach dem Frühstück aufbrechen wollten. »Wir müssen was erledigen«, erklärte Kyle und umarmte sie. »Geschwisterzeugs, das Eltern nichts angeht.«

»Und was ist mit der Garage?«

»Muss warten.«

Mom schüttelte den Kopf. »So wird das nie was. Am besten, ich werf einfach alles weg.«

»Ja, vielleicht ist das am besten«, stimmte ihr Kyle friedfertig zu. »Wenn ich meine Sachen all die Jahre nicht gebraucht habe, können sie wohl kaum wirklich wichtig sein.«

Sie machten sich auf den Weg. Sobald sie die Haustür hinter sich geschlossen hatten, raunte Serenity ihrem Bruder nervös zu: »Ich hab aber keine Ahnung, wie wir ihn finden sollen. Vielleicht ist er nicht mal mehr in der Stadt!«

»Ja, aber vielleicht geht es auch einfacher, als wir denken«, sagte Kyle und betätigte die Fernbedienung seines Autoschlüssels. Die Türen des Geländewagens klackten vernehmlich. »Ich habe mir überlegt, dass das ja kein Zufall gewesen sein kann am Strand. Er muss dir gefolgt sein. Das heißt, er *will* von uns gefunden werden.«

Er öffnete die Fahrertür – und zuckte alarmiert zurück.

Auf dem Rücksitz bewegte sich etwas.

Eine Decke. Jemand kam darunter zum Vorschein, schaute sich hohlwangig und verschlafen um.

Es war der Junge vom Strand.

20 | »Ist er das?«, fragte Kyle, an Serenity gewandt.

Sie nickte matt. Schlief sie noch? Träumte sie das alles?

»Wie bist du hier reingekommen?«, fragte Kyle den Jungen.

Der blinzelte träge, bewegte die Hand zur rechten Seite. »Durch die Tür«, sagte er.

»Der Wagen war abgeschlossen.«

»Ich weiß.«

Kyle stieß einen unwilligen Knurrlaut aus. »Steig ein«, sagte er zu Serenity. Er schwang sich hinters Steuer, schloss die Tür und ließ den Motor an. Serenity war noch dabei, die Tür zuzuziehen, als Kyle schon rückwärts auf die Straße stieß.

»Du weißt, wer wir sind?« Er behielt den blinden Passagier per Rückspiegel im Auge.

»Ja«, sagte der Junge. »Dein Name ist Kyle Forrester Jones, du bist geboren am –«

»Kyle genügt.«

Serenity musterte ihren Bruder amüsiert. Seinen zweiten Vornamen hatte er noch nie leiden können.

»Und du bist Christopher Kidd?«

»Ja.«

»*Computer Kid?*«

Der Junge seufzte. »Wenn's unbedingt sein muss . . . Ja.«

Kyle hob die Augenbrauen. »Ein Freund von mir verkauft T-Shirts in Silicon Valley, und sein größter Renner ist eines, auf dem steht *Wer zum Teufel ist Computer Kid?*. Das reißen sie ihm schneller aus den Händen, als er Nachschub kriegen kann.« Er warf einen prüfenden Blick in den Rückspiegel. »Ich würde sagen, die verehren dich dort.«

89

Der Junge auf dem Rücksitz nickte müde. »Von mir aus.«

Serenity drehte sich seitlich, sodass sie ihn betrachten konnte. Er wirkte schmuddeliger, als sie ihn in Erinnerung hatte – so, als hätte er die letzten zwei Nächte in seinen Kleidern geschlafen. Und er roch auch nicht gerade frisch gewaschen.

Am erschreckendsten war allerdings der gänzlich andere Ausdruck in seinen Augen. Vor zwei Tagen hatte er gelassen gewirkt, selbstsicher, so, als könne ihm niemand etwas anhaben.

Jetzt dagegen erinnerte er sie an ein gehetztes Tier.

»Ich musste mich verstecken«, erklärte Christopher zögerlich. »Da, wo ich untergekommen war, war es nicht mehr sicher. Sie hatten mich aufgespürt. Ich hab Glück gehabt, dass ich ihnen entkommen bin.«

Kyle fuhr aufs Geratewohl die Straße entlang, einfach nur, um zu fahren und dabei zu reden. Auf diese Weise, begriff Serenity, konnte Christopher ihnen bei einer unangenehmen Frage nicht ohne Weiteres aus dem Wagen flüchten.

»*Sie?*«, wiederholte Kyle skeptisch. »Von wem redest du?«

Worauf Christopher eine Antwort gab, die sie in den folgenden Tagen noch oft zu hören bekommen sollten: »Das ist eine lange Geschichte.«

»Du erzählst ungern was über dich, oder?«, hakte Kyle nach.

»Ich hab es deiner Schwester schon zu erklären versucht«, gab Christopher zurück. »Ich muss dringend euren Vater sprechen, weil ich ihm helfen kann und er mir –«

»Ja, schon klar«, unterbrach ihn Kyle.

»Das könnte eine Falle sein«, sagte Serenity. »Vielleicht hat das FBI ihn erwischt, wie er in ihren Computern herumgeschnüffelt hat, und sie haben ihm einen Deal angeboten?«

Christopher gab einen abfälligen Grunzlaut von sich. »Die müssen erst mal lernen, wie man richtig mit Passwörtern umgeht.«

Ihr Bruder hob nur kurz die Schultern. »Dad kann das rausfinden«, sagte er.

Und wie? Danach fragte Serenity nicht. Das Ganze war vermutlich ein Trick; Kyle sagte das, um den Hacker zu verunsichern, für den Fall, dass an ihrer Theorie was dran war.

Kyle sah in den Rückspiegel. »Diese Hilfe für unseren Vater – wie soll die aussehen?«

»Das muss ich ihm schon selber erklären.«

»Nein«, sagte Kyle. »Ich fürchte, das musst du erst mir erklären. Denn wenn es mir nicht einleuchtet, dann wirst du keine Gelegenheit bekommen, mit unserem Vater zu reden.«

Darauf herrschte erst einmal Schweigen. Serenity drehte den Kopf. Christopher starrte grübelnd aus dem Fenster.

»Dieser Bombenanschlag von Taylorsville, North Carolina«, begann er schließlich. »Erinnerst du dich an die Nachrichten dazu?«

»Gehört sozusagen zu meinen unvergesslichen Erinnerungen«, erwiderte Kyle.

»In den Fernsehberichten hieß es, die Bombe habe den Firmenkindergarten zerstört, die Kinder seien verletzt, viele schwer. Sie haben gezeigt, wie Rettungskräfte Bahren ins Gebäude getragen haben und so weiter.«

»Ja«, sagte Kyle knapp.

Christopher seufzte. »Das *Taylorsville Data Center* hat seinen Firmenkindergarten letztes Jahr geschlossen, weil er seit drei Jahren nicht mehr in Anspruch genommen wurde. Die momentan dort beschäftigten Angestellten haben alle entweder noch keine oder schon mindestens schulpflichtige Kinder. Der Raum ist seither als Aktenlager verwendet worden. Hast du das auch irgendwo gehört?«

»Nein«, erwiderte Kyle. »Höre ich nicht ungern, aber zum ersten Mal.«

»Es steht in einem Teil des Untersuchungsberichts, der als vertraulich klassifiziert worden ist«, erklärte Christopher. »Offiziell aus ermittlungstaktischen Gründen.« Er lehnte sich zurück, der Sitz quietschte. »Prüf es nach, wenn du kannst, stopp dabei die Zeit, und frag dich dann, wie nützlich jemand für euren Vater wäre, der so etwas schneller herausfindet. Ich habe siebeneinhalb Minuten gebraucht.«

Serenity sah, wie ihr Bruder kampflustig die Augen zusammenkniff. »Werd ich machen, stell dir vor.«

Er bog ab, fuhr um ein paar Kurven und hielt vor einer Telefonzelle. Ehe er ausstieg, schaute er auf die Uhr. »Acht Uhr vierzig. Die Wette gilt.«

Es dauerte länger als siebeneinhalb Minuten. Wesentlich länger. Kyle machte einen Anruf, musste warten, notierte etwas, eine Telefonnummer vermutlich, tätigte den nächsten Anruf, redete, gestikulierte, kam offenbar richtig ins Schwitzen.

»Stimmt das wirklich, was du erzählt hast?«, fragte Serenity irgendwann.

»Klar.« Das war alles, was Christopher dazu sagte.

Nach etwas mehr als einer halben Stunde kam Kyle zurück. »Okay. Eine Mauer des Schweigens, wenn man bei der Firma selbst anruft. Aber im Hospital hab ich jemanden an die Leitung bekommen, der bestätigt hat, dass bei dem Bombenanschlag keine Kinder verletzt wurden. Dann hat er Schiss gekriegt, irgendwas gebrummt von wegen, er hätte nichts gesagt, und aufgelegt.« Er hieb auf das Lenkrad.

Dann steckte er den Schlüssel ins Schloss. »Gebongt. Ich bring dich zu meinem Vater.«

»*Wir*«, korrigierte Serenity entschlossen. »*Wir* bringen dich zu ihm.« Sie sah ihren Bruder an. »Ich fahre mit.«

Kyle verzog keine Miene. »Wenn du dir das antun willst . . .«

»Will ich.«

Hinten bewegte sich Christopher. Die altersschwachen Federn des Sitzes knarrten.

»Könnten wir dann bitte so schnell wie möglich aufbrechen?«, sagte er. »Ich weiß nämlich nicht, wie lange ich hier in der Stadt noch sicher bin.«

»Kein Problem«, erwiderte Kyle und gab Vollgas. Bremsen quietschten und andere Autofahrer gestikulierten empört, als er rücksichtslos zurück auf die Straße bretterte. »Schnell genug?«, fragte er grimmig.

»Ja, nicht schlecht«, meinte Christopher und sah sich skeptisch um. »Bloß ist das, glaube ich, die Richtung, aus der wir gekommen sind.«

»Gut beobachtet«, sagte Kyle. »In die Richtung fahren wir nur, weil die junge Dame hier noch ein paar Sachen einpacken muss.«

Serenity starrte auf die Straße. »Das wird Mom nicht gefallen«, sagte sie leise.

Kyle nickte knapp. »Das glaube ich auch.«

21 | Es wurde der hastigste Reisebeginn, den Serenity je erlebt hatte: parken, ins Haus stürmen, ein paar Kleidungsstücke und Waschsachen in ihren Rucksack werfen und los. Als sie auf dem Highway 9 stadtauswärts fuhren, war seit Kyles Beschluss gerade mal eine halbe Stunde vergangen.

Eine halbe Stunde, die dann doch nicht das große Drama wurde.

Es gefiel Mom tatsächlich nicht. Einerseits. Auf der anderen Seite war Mom ziemlich cool.

Serenity hatte einen Moment lang erwogen, eine Ausrede anzubringen. Irgendwas in der Art, dass sie mit Kyle ein paar Tage nach San Francisco fahren würde. Aber zu den Eigenschaften, die sie an ihrer Mutter am meisten schätzte, gehörte, dass diese ihr immer die Wahrheit gesagt hatte. Das hatte sie halbwegs glimpflich durch die Pubertät gebracht und davor durch die kaum weniger schreckliche Zeit nach der Trennung ihrer Eltern. Es war nur fair, Mom einzuweihen.

Na ja, sie zumindest *teilweise* einzuweihen.

Als Serenity sie umarmte und ihr ins Ohr flüsterte: »Wir fahren zu Dad!«, konnte sie förmlich spüren, wie Mom von Angst überwältigt wurde. Aber dann schien sie sich einen Ruck zu geben. Sie hielt Serenity ein Stück von sich weg und fragte mit ernster Miene: »Hast du dir das auch gut überlegt?«

Hatte sie sich das gut überlegt? Nein. Genau genommen hatte sie sich überhaupt nichts überlegt. Sie wusste einfach, dass sie mitfahren musste.

»Mom, ich *muss* das machen. Gerade jetzt.« Ihre Mutter hatte für einen Moment geschwiegen, dann hatte sie wortlos ge-

95

nickt und sich auf die Suche nach Serenitys Rucksack gemacht, während Serenity selbst einen Moment lang wie verloren in ihrem Zimmer stand und insgeheim Abbitte für all die kleinen Scharmützel tat, die sie sich mit Mom in der Vergangenheit geliefert hatte.

Als ihre Mutter mit dem Rucksack zurückkam, pfefferte Serenity eine Handvoll Unterwäsche hinein, ein Handtuch, ein paar T-Shirts, noch eine Hose.

»Hast du meinen Kamm gesehen?« Sie konnte unmöglich ohne ihren grobzinkigen Kamm aufbrechen, das einzige Produkt auf dem Markt, das es mit ihren Haaren aufnahm.

»Hier«, sagte Mom, zauberte das Ding von irgendwoher herbei. Serenity fragte sich, ob sie auch so cool gewesen wäre, wenn sie gewusst hätte, dass sich auf dem Rücksitz von Kyles Wagen, in den Fußraum gekauert, ein magerer Junge unter einer Decke verborgen hielt.

Christopher blieb noch eine ganze Weile unter der Decke, in der Stadt und auch, als sie längst draußen waren und den Highway 9 hochfuhren, eine schmale Straße durch dichten Wald.

»Komm bitte raus«, sagte Kyle irgendwann. »Ich kann mich nicht aufs Fahren konzentrieren, wenn ich drüber nachdenken muss, ob du dahinten unter meiner stinkenden alten Decke erstickst oder nicht.«

Christopher schlug sie beiseite, musterte das Hell-Dunkel der vorbeiziehenden Bäume und stemmte sich schließlich auf den Sitz empor. »Das war nur wegen der Verkehrsüberwachungskameras«, erklärte er.

Serenity sah, wie Kyle die Augen verdrehte, aber so, dass

Christopher nichts davon mitbekam. »Hier gibt es keine Kameras«, sagte er. »Hier gibt es nur Wald.«

»Welche Strecke fahren wir genau?«

»Den Highway 9 hoch, bis wir auf die 35 kommen, und dann Richtung Redwood und San Francisco –«

»Wir kommen also nicht durch Silicon Valley?«, unterbrach Christopher ihn.

»Nein«, sagte Kyle. »Das wäre ein Umweg.«

»Gut«, sagte Christopher und ließ sich nach hinten zurücksinken. »Gut.« Es klang richtiggehend, als entspanne er sich.

Die Straße war nicht stark befahren, nur einmal mussten sie eine Weile hinter einem Truck herzotteln, der sich die steile, kurvige Steigung emporquälte. Nach einer Stunde erreichten sie eine Tankstelle mit einem kleinen Diner. Kyle lenkte den Wagen vor eine der Zapfsäulen.

»Ich nehme mal an, du hast noch nicht gefrühstückt?«, fragte er und drehte sich nach ihrem Passagier um. Doch der versank schon wieder im Fußraum.

»Tankstellen sind mit Überwachungskameras ausgestattet«, flüsterte Christopher. »Ich will nichts riskieren.«

Kyle und Serenity wechselten einen leidenden Blick.

»Okay«, sagte sie. »Wir bringen dir was mit.«

»Keinen Kaffee bitte.« Er wisperte, als befürchte er, dass tausend Abhörmikrofone auf sie gerichtet waren.

Kyle tankte, und Serenity besorgte derweil Frühstück: einen Kaffee für Kyle und sie, einen heißen Kakao für Christopher, eine Flasche Orangensaft, dazu Bagels mit verschiedenen Füllungen und einen Frühstücksburger mit Speck und Rührei.

Kyle kam mit ein paar Landkarten vom Zahlen zurück und verbannte Serenity zu ihrem Missvergnügen auf den Rücksitz zu Christopher. »Ich brauche beim Fahren eine Landkarte neben mir«, erklärte er.

»Ich könnte uns doch dirigieren«, schlug Serenity vor.

Kyle sah sie an, als hätte sie angeboten, das Auto die nächsten hundert Meilen zu schieben. »So wie letztes Jahr auf der Fahrt nach L.A.?«

»Was kann ich dafür, wenn du mir eine falsche Karte in die Hand drückst?«, protestierte Serenity.

»Es war nicht die falsche Karte, es war nur die falsche *Seite* der Karte. Und als wir dann weiter nach Santa Monica wollten, sind wir in einer Sackgasse vor einem Müllplatz gelandet statt am Pier, oder?«

Er hatte ja recht. Straßenkarten waren einfach nicht ihr Ding, sosehr sie sich auch bemühte. Aber sie hätte trotzdem lieber vorne gesessen.

Auf der Weiterfahrt hielt sie sich ganz außen, möglichst weit von Christopher entfernt, der ziemlich müffelte. Er schien nicht weiter auf sie zu achten, sondern war viel mehr damit beschäftigt, alles herunterzuschlingen, was sie gekauft hatte. Es sah so aus, als hungere er schon seit Tagen.

»Wie bist du eigentlich hergekommen?«, wollte Kyle wissen. »In die Staaten, meine ich. Grenzkontrollen und so weiter.«

»Über Mexiko«, sagte Christopher kauend.

»Über Mexiko? Ich dachte immer, die Grenze dort wird besonders gut bewacht?«

»Ja. Aber sie verwenden da eben auch Computer.«

»Ah«, machte Kyle, und nach einer Weile, in der Christopher nur den letzten Bagel mampfte und kein weiteres Wort sagte: »Verstehe.«

Christopher nahm sich noch einmal alle Tüten vor, als hoffe er, in einer davon etwas übersehen zu haben, aber sie waren tatsächlich schon alle leer. Er knüllte sie zusammen und stopfte sie in das Netz an der Rückwand des Vordersitzes, offensichtlich unzufrieden.

»Da wir gerade beim Thema Computer sind«, hakte Serenity ein, »da hätte ich auch was anzumerken. Und zwar wegen meiner Mathe-Note. Nicht, dass ich das F vermissen würde, aber . . . Also, so funktioniert das nicht, verstehst du? Es mag ja sein, dass du ein Super-Hacker bist und alles und meinetwegen auch der größte Computerfreak der Welt, aber das mit meiner Note war trotzdem ziemlich kurz gedacht. Beeindruckend, okay. Bloß kann ich Schwierigkeiten kriegen deswegen, wenn es dumm läuft. Mr Odgen *erinnert* sich nämlich an diese Note, verstehst du? Er hat mich laut und deutlich gefragt, was mit mir los sei. Mindestens ein Dutzend Leute in der Klasse haben *gesehen*, dass ich ein F kassiert habe. Wenn Mr Odgen das nächste Mal in den Computer schaut und feststellt, dass mein F verschwunden ist, kann ich bloß hoffen, dass er das für einen Computerfehler hält und es einfach nachträgt.«

Christopher hatte die ganze Zeit, während sie geredet hatte, vornübergebeugt dagesessen und sie angesehen und dabei mit der Zunge in seinen Zähnen herumgefuhrwerkt. Jetzt fing er an, mit dem Nagel des kleinen Fingers an seinem Eckzahn zu stochern, und meinte wie nebenbei: »Ich hab deine Note nicht rausgenommen. Das war dein Lehrer.«

»Woher willst du das wissen?«

»Ich hab mit ihm telefoniert.«

»Du hast mit ihm *telefoniert?*«

»Ja.«

»Wieso das denn?«

»Damit er dein F löscht, ist doch klar.«

Serenity verschränkte die Arme. »Mir ist das überhaupt nicht klar. Ich dachte, du hast dich in den Schulcomputer gehackt und meine Note rausgelöscht, um mich zu beeindrucken.«

Christopher zog die Augenbrauen hoch. »Natürlich hab ich mich auch in den Schulcomputer gehackt«, erklärte er. »Aber dass es nichts gebracht hätte, die Note zu löschen oder zu ändern, ist ja logisch. Es genügt nicht, einfach nur Computer zu hacken. Man muss das *System* hacken, verstehst du?«

»Nein«, sagte Serenity.

»Ich hab erst mal in den Mails von eurem Mathelehrer gelesen. Darunter waren ein paar, die er mit einem Kollegen in San Francisco gewechselt hat, der ihm von Schwierigkeiten mit einer Schülerin erzählt hat. Deren Katze war am Morgen vor einer Arbeit überfahren worden, worauf sie eine schlechte Note geschrieben hat. Als der Lehrer das mit der Katze als Ausrede bezeichnet hat, hat sie ihn verklagt – und recht bekommen. Er musste ihr erlauben, die Arbeit noch einmal zu schreiben.« Christopher grinste dünn. »Sie hat sie dann beim zweiten Mal genauso verhauen.«

Serenity musterte ihn, wartete auf die Pointe. »Und? Was hat das damit zu tun, dass du –«

»Ich habe Mr Odgen angerufen und ihm erzählt, ich sei dein Exfreund«, erzählte der magere, schwarzhaarige Junge seelenruhig weiter. »Ich habe gesagt, ich hätte an dem Morgen vor deiner Arbeit mit dir Schluss gemacht, aber nun hätte ich erfahren, dass du die Prüfung in den Sand gesetzt hättest, was mir leidtäte und ob er dir nicht eine zweite Chance geben könne.«

Serenity glaubte, ihre Augäpfel anschwellen zu spüren. »Wie kommst du dazu, so was –«

»Er war ganz gerührt. Ehrlich. Er hat mehrmals gesagt, das sei hochanständig von mir und er würde dein F erst mal löschen und dir nach den Ferien anbieten, die Prüfung zu wiederholen.«

Kyles Schultern zuckten verdächtig. *Lachte* der etwa? Serenity hob die Hände, ließ sie hilflos wieder fallen. »Ich fass es nicht. Was für eine Farce!«

»Wieso? Das stellt nur die Fairness wieder her. Du hast die Arbeit versiebt, weil du dir Sorgen um deinen Vater gemacht hast. Aber das konnte ich ihm ja schlecht sagen. Also hab ich ihm was anderes erzählt. Etwas, das für ihn als Erklärung funktioniert hat.«

Serenity fuhr sich mit den Händen übers Gesicht, unschlüssig, ob sie ihn zum Teufel wünschen oder ob sie sich freuen sollte. Auf so was musste man erst mal kommen!

»Na ja«, sagte sie schließlich. »Ist zwar reichlich bizarr, miteinander Schluss zu machen, ehe man sich das erste Mal begegnet, aber . . . Ach, keine Ahnung.« Sie musterte ihn. »Danke.«

Christopher lehnte sich zurück. »Es gibt auch noch einen unfairen Teil«, meinte er.

»Einen unfairen Teil?«, echote Serenity.

»Euer Mr Odgen benutzt GoogleDoc, um seine Klausuren vorzubereiten. Das heißt, alle seine Blätter mit den Prüfungsaufgaben liegen im Netz. Man braucht bloß sein Passwort zu knacken.«

»Nein«, sagte Serenity.

»Er hatte gestern die Aufgaben für dich schon fertig«, fuhr Christopher fort. »Ich hab sie ausgedruckt und dir mit der normalen Post geschickt.« Er zuckte mit den Achseln. »Bis du wieder zu Hause bist, kannst du dir also in Ruhe überlegen, ob du den Brief aufmachst oder zerreißt.«

22 | In San Francisco kurvte Kyle eine Weile – ziellos, wie es schien – durch eines der Industrieviertel dort und hielt schließlich vor einer heruntergekommenen Automobilwerkstatt. »Ich muss hier was fragen«, erklärte er knapp.

»Kann ich mit?«, wollte Serenity wissen, während Christopher sich bereits wieder unter seiner Decke verkrochen hatte.

Kyle zog den Zündschlüssel ab. »Wenn du den Mund hältst.«

»Okay.«

Sie betraten die Werkstatt, die *Full Service* versprach. Zwei Wagen standen im Halbdunkel, die Motorhauben geöffnet. Ein Mann in einem verschmierten roten Overall hatte sich an einem davon zu schaffen gemacht. Als er sie bemerkte, wischte er sich die Hände an einem Lappen ab und kam herüber. Er trug eine dünnrandige Brille und einen gestutzten Kinnbart und wirkte eher wie ein Lehrer, nicht wie ein Automechaniker.

Und er schien Kyle zu kennen. »Ah, du bist's«, sagte er. »Mal wieder unterwegs?«

»In das Camp, das nirgendwo ist«, antwortete Kyle.

Der Mann nickte, musterte Serenity. »Deine Schwester?«

»Ja.«

»Dacht ich mir doch. Die gleiche Mähne.« Er grinste, wobei ein Goldzahn zum Vorschein kam. »Gut. Fragen wir mal nach.«

Sie folgten ihm in sein winziges Büro. Dort schob er ein paar ölverschmierte Ordner beiseite, zog ein altmodisches Telefon hervor und wählte eine Nummer. »Ja, Todd hier. Ich ruf noch mal an wegen dem Blumenstrauß für Janet, wohin ich den schicken lassen muss. Ich kann den Straßennamen nicht lesen. Eine Sauklaue!« Er lauschte. »820 Parkwood Drive, Apartment

52-10. Okay, hab ich. Ja, du auch.« Er legte auf und sah Kyle an. »Alles klar?«

»Alles klar«, sagte Kyle und wandte sich zum Gehen. »Danke.«

Serenity kapierte überhaupt nichts.

Als sie wieder im Wagen saßen, erklärte Kyle es ihr. »Er ist ein Teil von Dads Sicherheitssystem. Aber er erfährt nicht alles. Wenn man ihn verhören würde, könnte er nichts verraten außer dem Namen einer Straße, wie es sie in hundert Orten der USA gibt.«

»Das heißt, du brauchst jetzt noch den Namen einer Stadt?«

»Genau. Und den erfahr ich beim nächsten Kontakt.« Er ließ den Motor an.

Sie verließen San Francisco über die Golden Gate Bridge. In Sausalito besorgten sie sich eine große Pizza, die sie abseits des Highways im Freien aßen, am Rand einer von Pinien gesäumten Straße, wo es so still und friedlich war, dass sich sogar Christopher ins Freie traute. Den größten Teil des Nachmittags verbrachten sie auf kleinen und kleinsten Straßen nördlich von Sacramento, wobei Kyle immer wieder anhielt, um die Aushänge von Immobilienmaklern oder Reisebüros zu studieren.

»Wir werden verfolgt«, behauptete Christopher plötzlich. Sie fuhren gerade eine vielfach geflickte, schmale Teerstraße entlang, die rechts von endlosen Reihen Apfelbäumen und links von riesigen, bewässerten Feldern gesäumt wurde.

Kyle warf einen Blick in den Rückspiegel. »Der Wagen dahinten?«

»Ja«, sagte Christopher angespannt. »Der folgt uns schon seit einer halben Stunde.«

»Das ist auf der Straße kein Wunder. Wo soll er denn hier abbiegen?«

Christopher drehte sich hin und her, schaute nach hinten und wieder nach vorn und kaute dabei auf seiner Lippe. »Wenn du mal anhalten würdest . . .«, schlug er vor. »Dann sehen wir, was die machen.«

Kyle seufzte. »Von mir aus.«

Er brachte den Wagen an der Einmündung eines Feldwegs zum Stehen und legte die Hand an den Schalter, mit dem man den Allradantrieb aktivierte. Sollte die Situation brenzlig werden, konnten sie sich querfeldein davonmachen.

Doch die Situation wurde nicht brenzlig. Der andere Wagen, eine alte cremeweiße Limousine, näherte sich gemächlich. Zwei alte Frauen saßen darin, die sich angeregt unterhielten und ihnen im Vorbeifahren freundlich zuwinkten.

Christopher sah ihnen skeptisch nach.

»Na, da sind wir ja grade noch mal davongekommen«, meinte Kyle trocken, ließ den beiden Damen ein wenig Vorsprung und lenkte den Wagen wieder zurück auf die Straße.

Beim nächsten Halt stieg Serenity mit ihm aus. »Ich muss mich mal bewegen«, erklärte sie.

Es war ein Reisebüro, das »aus familiären Gründen« geschlossen hatte, wie ein Schild in der Tür behauptete. Kyle ging vor dem Schaukasten in die Hocke und studierte die ausgehängten Sonderangebote.

»Bingo«, sagte er und zeigte auf einen simplen Zettel, der »Last-Minute-Städtereisen« anbot.

Serenity beugte sich zu ihm hinunter. Er deutete auf ein *Spe-*

zialangebot: drei Tage Idaho Falls. Angebot limitiert! Nennen Sie den Gutscheincode 2GO2JJ und sparen Sie $ 99! »Jetzt wissen wir, wo wir hinmüssen.«

»Nach Idaho Falls?«

»Genau.«

»Und woran siehst du, dass das der Hinweis ist?«

Kyle grinste. »Lies dir den Gutscheincode mal vor.«

»*Two GO Two Jay Jay . . .*«, begann Serenity, ehe sie begriff. »*To go to J.J.* – Dads Initialen!«

»Die Kandidatin hat hundert Punkte.« Kyle erhob sich wieder. »Allerdings schaffen wir das heute nicht mehr.«

Serenity blieb stehen. »Kyle. Was ist, wenn das Ganze doch irgendwie eine Falle ist? Wenn Christopher uns anlügt?«

»Ich hab doch gesagt, Dad kann rausfinden, ob das FBI dahintersteckt.«

»Ich dachte, das war irgendwie . . . ein Trick von dir?«

Kyle schüttelte den Kopf. »Jemand beim FBI gibt Dad Tipps. Keine Ahnung, wer. Dass es ihnen überhaupt gelungen ist, so lange unterzutauchen, verdanken sie vermutlich ihm.«

»Aber wenn sie hinter Christopher auch her sind . . . Das ist doch eine zusätzliche Gefahr, oder?«

Kyle atmete geräuschvoll ein und hob die Augenbrauen. »*Falls* sie hinter ihm her sind . . . Der Knabe spielt sich ein bisschen auf, wenn du mich fragst.«

Sie schafften es noch bis knapp vor Auburn, dann nahmen sie sich ein Zimmer in einem Motel; ein Apartment mit zwei Schlafzimmern.

Christopher machte die Prozedur des Eincheckens wieder völlig nervös, besonders, als er aus dem Auto heraus mitbekam, wie Kyle im Office ein Formular ausfüllte. Während sie warteten – Kyle plauderte drinnen mit dem Mann hinter dem Tresen –, machte er Serenity auf die Kameras aufmerksam, die das Motelgelände überwachten. Beim Aussteigen blieb er im Wagen, bis Kyle die Tür des Apartments aufgeschlossen hatte, dann huschte er, seinen abgeschabten Rucksack über der Schulter, wie der Blitz hinein. Kaum drinnen, zückte er ein kleines Werkzeug-Set und schraubte erst einmal sämtliche Telefone, den Fernseher, die Stehlampen und die Steckdosen auf, um sich zu vergewissern, dass keine Abhörmikrofone darin versteckt waren.

»Da hätten sie ein bisschen viel zu tun, alle Motels in Amerika zu verwanzen, denkst du nicht?«, sagte Kyle und warf seine Reisetasche auf eines der Betten. »Das hier nehmen wir, Serenity kriegt das andere. Ich hab gesehen, dass es die Straße runter einen China-Imbiss gibt; da hol ich uns nachher was zum Abendessen. Aber zuerst wird geduscht.« Er ließ sich auf sein Bett fallen und hintenüberkippen und streckte die Arme von sich. »In alphabetischer Reihenfolge.«

Christopher brauchte *ewig* in der Dusche.

»Er wird das ganze warme Wasser verbrauchen«, prophezeite Serenity.

Kyle lag reglos, die Augen geschlossen. »Und wennschon. Das ist es wert. Ein paar Minuten Stille – und kein Schweißgeruch mehr!«

Serenity betrachtete die Badezimmertür, hinter der es rauschte und rauschte. »Er ist irgendwie ganz nett. Aber irgendwie auch nervig.«

Kyle brummte zustimmend. »Verfolgungswahn, wenn du mich fragst. Aber ich sag dir eins: Bei der ersten Pause morgen wird der Junge seinen Hintern aus dem Wagen bewegen. Und wenn ich ihn eigenhändig rausschmeißen muss.«

23 | Kyle hielt Wort. Und prompt passierte das mit dem Fingerabdruckscanner an der Kasse und mit den Hubschraubern.

Als die vier riesigen Maschinen aus allen Richtungen auf sie zukamen und die Maschinengewehrmündungen Flammen spien, schloss Serenity mit ihrem Leben ab. Arme Mom! Ob sie je erfahren würde, was aus ihren Kindern geworden war?

Und dann stürzten die Hubschrauber einfach ab, alle vier. Vollführten ohne ersichtlichen Grund wilde Schwenkmanöver, gerieten ins Taumeln und krachten in den Boden, dass die Fetzen flogen. So schauerlich es war, sie in Flammen aufgehen zu sehen – ganz anders als im Kino, wo man keine Druckwellen der Explosionen spürte und nicht diesen Gestank nach brennendem Diesel und verschmortem Gummi roch –, war es doch eigenartig befriedigend.

Worauf hatten sie sich da eingelassen? Das fragte sie sich die ganze Zeit, während Christopher seine Geschichte erzählte. Diese Geschichte, von der ihr auch in dem Moment, in dem der Mann sie mitten auf der Straße anhielt, immer noch rätselhaft war, worauf sie hinauslaufen würde.

Anders als Kyle, der die Sache mit dem Internetanschluss im Kopf schon erraten hatte.

Ein Chip im Riechnerv! Das musste man sich mal vorstellen. Serenity musterte den seltsamen Jungen und merkte, dass es ihr verdammt schwerfiel, sich das vorzustellen.

Christopher unterbrach seine Erklärungen plötzlich. Er drehte sich herum, beugte sich über die Sitzlehne nach hinten und zerrte etwas unter einer der Reisetaschen hervor: Ein armlan-

109

ges Stück Holz, das Kyle als Unterlage für den Wagenheber mit sich führte.

»Die beiden da . . .«, sagte er. »Ich muss rausfinden, ob das *Upgrader* sind. Dazu musst du –«

»*Upgrader?*«, wiederholte Serenity.

Er schüttelte ungeduldig den Kopf. »Ich meine, ob sie zu denen gehören, die uns verfolgen.«

»Und wie willst du das rausfinden?«

»Indem ich zu der Frau gehe und etwas so leise sage, dass nur sie es hören kann. Wenn der Mann trotzdem darauf reagiert, dann stehen sie miteinander in Verbindung. Dann ist das hier eine Falle.«

»In Verbindung?« Serenity gruselte. »Auch über einen Chip im Kopf?«

»Genau.« Christopher drückte ihr den Knüppel in die Hand. »Stell dich währenddessen hinter den Mann, und schlag ihn im Notfall nieder. Ich kümmere mich um die Frau.«

Serenity sah ihn entsetzt an. »Bist du verrückt?« Sie hielt ihm den Holzprügel wieder hin. »Ich kann so was nicht.«

Christopher ignorierte sie. »Stell dir einfach vor, es wäre der Typ aus dem Camaro. Der dich ins Auto zerren wollte.« Damit stieg er aus und ließ sie sitzen, mit einem unterarmlangen Stück Holz und einem idiotischen Auftrag.

Sie sah ihm nach, wie er zu Kyle hinüberschlenderte. Was sollte sie denn jetzt tun? Das war doch komplett verrückt. Die beiden waren ein harmloses altes Ehepaar, nichts weiter. Zwei in die Jahre gekommene Motorrad-Fans. Christopher hatte einen Knall!

Andererseits . . . die Hubschrauber. Die hatten sie wirklich angegriffen. Verfolgt. Gejagt!

Und dann die Geschichte mit dem Auto. Serenity meinte, auf einmal wieder den harten, gierigen Griff um ihr Handgelenk zu spüren.

Seufzend öffnete sie die Tür. Es war ja nichts dabei, wenn sie mal ausstieg. Das Holzstück würde sie hinter ihrem Rücken halten, wo es niemand sah.

Christopher ging neben Kyle in die Hocke. Serenity machte ein paar zögerliche Schritte auf den Mann zu, beobachtete, wie Christopher Kyle etwas zuflüsterte . . .

Und im nächsten Moment war es, als würde ein Horrorfilm Realität: Die angeblich ohnmächtige Frau fuhr hoch und krallte sich Christopher! Der Mann riss einen Revolver aus seiner Lederkluft!

Und dann . . . *redeten die beiden im Chor!*

Serenity blieb fast die Luft weg. Sie klangen plötzlich wie Zombies, wie Maschinenwesen, wie sie da mit zwei Mündern ein und dasselbe sagten: »Keiner bewegt sich. Wir brauchen nur den Jungen, Christopher Kidd. Wenn du und das Mädchen kooperieren, wird euch nichts geschehen.«

Schlag ihn nieder. Das sagte sich so einfach. Serenity war wie gelähmt. Ihre Hände hielten den hölzernen Knüppel, aber sie fühlte sich außerstande, etwas damit anzufangen.

Stell dir vor, es wäre der Typ aus dem Camaro . . .

Der hatte ihr auch keine Wahl lassen wollen. Der hatte sie auch zwingen wollen.

Dieser Scheißkerl.

Wut wallte ihn ihr auf, glühende Erbitterung. Serenity wirbelte herum. Der Prügel in ihren Händen schlug zu wie von selbst.

Der Mann gab keinen Laut von sich. Er ließ den Revolver los und knickte ohne ein weiteres Wort in sich zusammen.

24 | Serenity ließ den Knüppel fallen. Hatte sie den Mann erschlagen? Sie hatte doch bloß . . .

Okay, er hatte abgekriegt, was eigentlich dem Kerl in dem Camaro zugedacht gewesen war. Aber was musste er auch einen Revolver ziehen!

Wie er da lag, reglos im Staub. Serenity keuchte, spürte ihr Herz bis in den Hals. War er tot?

Nein. Er atmete noch! Oder? Schwer zu sagen bei seiner dicken ledernen Motorradkluft.

Am besten, sie brachte erst mal den Revolver an sich.

Sie ging in die Hocke, hob die Waffe behutsam am Lauf hoch und brachte sie aus der Reichweite des Mannes. Irgendwo musste es einen Hebel geben, der sie sicherte; zumindest, wenn man den Filmen glauben konnte. Da, dieser dreieckige Schieber – der sah so aus, als ließe er sich mit dem Daumen betätigen, wenn man die Waffe in der Hand hielt. Serenity schob ihn in eine Position, in der ein Pfeil auf ein S zeigte. S wie *safe*, oder? Aber sie war sich nicht sicher, also legte sie den Revolver vorsichtig auf den Boden und so, dass sein Lauf hinaus in die Wüste wies.

Kyle und Christopher hatten die Frau inzwischen niedergekämpft. Ihr Bruder hielt ihr die Arme auf den Rücken gedreht, und während sie sich wand und fauchte und um sich trat, schnürte Christopher ihr irgendetwas um die Handgelenke. Er zog so fest zu, dass sie aufschrie. Er beugte sich über die Frau und flüsterte ihr etwas ins Ohr, was sie von einem Moment auf den anderen verstummen ließ.

Kyle stand auf, kam herüber. »Schwesterlein, du siehst mich

beeindruckt«, sagte er, immer noch schwer atmend von dem Kampf. Eine frische Strieme zierte seine Wange, ein Kratzer, den ihm die alte Frau zugefügt hatte.

Serenity schluckte. »Kannst du mal nachschauen, ob er noch lebt?«

»Ich glaube schon.« Er kniete sich vor dem Mann in der Lederkluft nieder, legte die Finger an dessen Hals. »Ja, keine Frage.« Er betastete den Schädel. Aus den Haaren sickerte, das bemerkte Serenity erst jetzt, Blut. »Das ist nur eine Platzwunde. Ich schätze, der kommt schneller wieder zu sich, als uns lieb ist.«

Er packte den Mann bei den Schultern, drehte ihn roh auf den Bauch und zerrte ihm die Arme auf den Rücken. Der grauhaarige Mann gab ein gurgelndes Stöhnen von sich. Kyle fesselte ihm die Handgelenke mit einer Mullbinde aus seinem Verbandskasten.

Christopher trat zu ihnen. »Wir können sie nicht mitnehmen«, sagte er. »Es sind *Upgrader*. Ihre Chips sind praktisch Peilsender.«

Kyle machte den letzten Knoten und stand auf. »Dann lassen wir sie hier.«

»Das kannst du nicht machen!«, protestierte Serenity. »So einsam, wie die Straße hier ist? Was, wenn tagelang niemand kommt? Dann verdursten die beiden!«

»Mein Mitleid mit Leuten, die Revolver auf mich richten, hält sich in Grenzen.« Kyle ging zu den Motorrädern hinüber, hockte sich neben sie auf die Fersen und studierte die Motoren. Nach kurzem Überlegen riss er an beiden Maschinen je ein

Kabel und einen Schlauch heraus. Er ging damit zum Wagen, warf sie in den Kofferraum und kehrte mit einer Flasche Wasser und einem Messer zurück.

»Wir machen es folgendermaßen«, erklärte er und legte das Messer mitten auf die Straße. »Die beiden werden etwa eine Viertelstunde brauchen hierherzurobben und vielleicht noch mal zehn Minuten, bis sie sich gegenseitig die Fesseln durchgeschnitten haben. Mit ihren Motorrädern können sie nichts mehr anfangen, also werden sie wohl laufen müssen. Und damit sie nicht verdursten . . .« Er hob die Wasserflasche hoch und stellte sie neben den Motorrädern auf den Boden. »Haben Sie verstanden, was ich erklärt habe?«, rief er der gefesselten Frau zu, aber die warf ihm nur grimmige Blicke zu.

»Okay«, meinte Kyle achselzuckend. »Kommt, wir fahren.«

Die ersten paar Meilen herrschte Stille im Wagen. Jeder schien das, was sie gerade erlebt hatten, erst verarbeiten zu müssen.

Eine Frage gab es, die Serenity beschäftigte, umso mehr, je länger sie fuhren. Schließlich beugte sie sich zu Christopher hinüber und sagte leise: »Das mit dem Auto . . . dem Camaro . . . das hast auch du gemacht, oder? Auch mit diesem . . . Chip in deinem Riechnerv?«

Christopher nickte. »Je moderner ein Auto, desto mehr Elektronik hat es an Bord. Die neuen Modelle sind praktisch fahrbare Computer. Und lausig programmiert. Bei dem Camaro hatte ich über Bluetooth Verbindung mit dem Wartungssystem und sofort Zugriff auf die elektronisch gesteuerten Komponenten –«

»Okay, okay«, unterbrach Serenity ihn. »Erspar uns die Details. Ich wollte bloß wissen, ob du das warst.«

»Und ich wollte bloß sagen, dass es bei einer alten Karre nicht gegangen wäre.« Er machte eine knappe Geste, die anzeigte, dass er Kyles Geländewagen auch zu dieser Kategorie rechnete.

»Danke jedenfalls«, meinte Serenity.

Christopher verzog das Gesicht. »Es wäre besser nicht nötig gewesen. Die sind mir dadurch auf die Spur gekommen, verstehst du? Weil ich mein Interface aktiviert hatte. Und das, obwohl ich nicht mal im Internet war, geschweige denn im . . .« Er hielt inne, biss sich auf die Unterlippe. »Ziemlich beunruhigend. Vor zwei Wochen konnte ich so was noch machen, ohne dass die was davon gemerkt haben.«

»Ich höre immer *die*«, schaltete sich Kyle von vorne in das Gespräch ein. »Wer sind *die?*«

»Das wollte ich vorhin gerade erzählen«, sagte Christopher. »Als wir unterbrochen wurden.«

»Es ist also nicht die Polizei?«

»Nein.«

»Wer dann? Ein Geheimdienst? Banken?«

»Nein«, sagte Christopher. Er spähte aus dem Fenster, über die karge, weite Landschaft Nevadas. »Wir sind doch noch eine Weile unterwegs, oder? Ich muss das wirklich ausführlich erzählen. Es hat keinen Sinn zu versuchen, es in ein, zwei Sätzen zu sagen.«

»Schade«, erwiderte Kyle. »So eine Erklärung in ein, zwei Sätzen wäre genau nach meinem Geschmack gewesen.«

Christopher rieb sich den Nacken. »Ich war, glaube ich, gerade dabei zu erzählen, wie Linus, mein Dad und ich versucht haben, die Codierung des Sehnervs zu entschlüsseln –«

Kyle hob die Hand. »Stopp. Sorry. Ich hab's mir anders überlegt. Nach allem, was passiert ist, brauche ich erst mal 'ne Auszeit, okay?«

»Okay«, sagte Christopher. Es schien ihm gar nicht so unrecht zu sein.

So fuhren sie weiter, durch eine derart kahle, leblose Landschaft, dass es Serenity zwischendurch vorkam, als habe sich das Ende der Welt längst ereignet und als seien sie die letzten Überlebenden. Und auch nur deshalb, weil sie von dem, was passiert war, nichts bemerkt hatten.

»Was ist eigentlich mit deinen Eltern?«, fragte sie Christopher nach einer Weile. »Wissen die überhaupt, wo du bist?«

Christopher sah sie an, mit einem Blick, der Serenity bis auf den Grund ihrer Seele erschreckte. »Meine Eltern?«, sagte er mit hoher Stimme. »Meine Eltern gehören zu *denen!*«

Evolution

25 | Irgendwann verlor Christopher das Gefühl für Zeit und Raum. Die Fahrt schien endlos zu dauern, die Sonne stand am Himmel wie festgenagelt, und er hätte nicht mehr sagen können, ob Stunden vergangen waren oder Tage oder Monate, seit sie aufgebrochen waren.

Wie trostlos die Landschaft draußen war! Eine nicht enden wollende Ebene in Grau und Braun, mit erbärmlichen, trockenen Pflanzen hier und da, die mehr tot aussahen als lebendig. Und endlos, wie gesagt. Noch nie hatte er eine solche Weite erlebt, eine derart lange Strecke durch eine Landschaft zurückgelegt, ohne dass sich ringsherum irgendetwas Wesentliches änderte. Wenn er an Deutschland zurückdachte, an Frankfurt: Wie eng und überschaubar da alles war! Und England genauso; mit den winzigen, vielfach gewundenen Straßen mit den überwachsenen Seitenrändern, die sich lieblich in eine Landschaft schmiegten, die verglichen mit dieser Wüste die reinste Puppenstube war.

Ab und zu nickte er ein, schwebte zwischen Wachen und Schlafen. Die Musik aus Kyles Radio wurde zu unterschiedslosem Gedudel, zu einem Klangteppich wie Meeresrauschen, ohne Bedeutung, ohne Konturen.

Erinnerungen . . . Dass Serenity ihn nach seinen Eltern gefragt hatte, hatte den inneren Projektor angeworfen, eine Filmrolle nach der anderen spulte vor seinem geistigen Auge ab. Wie er auf Dads Schoß saß, vor dessen Computer, und wie es ihn danach verlangt hatte, die Tastatur zu berühren – das war eine seiner frühesten Erinnerungen.

Damals konnte er nicht älter als drei gewesen sein. Wenig später hatte er zum ersten Mal mit der Maus spielen dürfen, hatte gelernt, wie man damit auf dem Bildschirm malte. Wie man das, was man gemalt hatte, wieder weglöschte, veränderte, Bildausschnitte zu Stempeln umdefinierte. Er hatte noch den Tonfall im Ohr, in dem Dad gesagt hatte: »Oh, ich wusste gar nicht, dass das geht.«

Er bekam Dads alten Computer und ein Programm, das ihm alles vorlas, was er eintippte. Damit brachte er sich in langen, versunkenen, herrlichen Stunden das Lesen und Schreiben selber bei, ja, er fand diese bis dahin so rätselhafte Fähigkeit der Erwachsenen auf einmal völlig logisch und einfach zu begreifen.

Im Grunde war das Lesenlernen auf eigene Faust sein erster Hack gewesen, dachte er heute. Er hatte ganz allein herausgekriegt, wie es ging. Und innerhalb von ein paar Tagen. Keine Schule hatte ihn gebremst.

Doch seine Mutter war nicht zufrieden gewesen. »Christopher muss auch mal raus«, hatte sie geschimpft. »Ein Fünfjähriger kann doch nicht den ganzen Tag vor dem Computer sitzen!«

Also schickten sie ihn zu Oma und Opa. In Opas Werkstatt roch er den Kleber, das heiße Metall, wenn etwas gebohrt oder gelötet wurde, den Geruch der Kunststoffe, wenn sie angerührt wurden oder nach dem Auftragen trocknen mussten. Er half Oma im Garten, hackte in den Beeten zwischen den Reihen von Mohrrüben oder Salatköpfen, durfte Beeren einsammeln und Äpfel auflesen und bekam Geschichten vorgelesen.

Aber egal, was er tat, und egal, wie viel Spaß es ihm machte, er vergaß niemals den Computer, der in seinem Zimmer auf ihn wartete. Der Computer, der wie ein Freund, ein Bruder, wie ein Stück von ihm selbst war. Der Computer, der ihm die Tür in unerforschte, aufregende Welten öffnete.

Und dabei hatte er damals noch gar keinen Internetanschluss gehabt.

Um diese Zeit herum kam er in die Schule. Was für eine Enttäuschung! Es ging nur um Lesen, Schreiben und Rechnen, und alles wurde auf eine sterbenslangweilige, umständliche Weise vermittelt. Die anderen Kinder taten sich schwer damit, was Christopher nicht wunderte. Die meisten interessierte das Ganze nicht sonderlich; was sie interessierte, war Fußball spielen und rennen und einander schubsen und miteinander raufen. Es war ein echtes Problem, die langen Vormittage im Klassenzimmer zu überstehen. Christopher konnte längst lesen, längst schreiben, längst rechnen – Letzteres sogar besser als die Lehrerin –, was sollte er also tun?

Weil ihm nichts anderes einfiel, um seinen unruhigen, wissbegierigen Sohn zu beschäftigen, erklärte Dad ihm eines Tages die Grundbegriffe des Programmierens. Prozeduren. Variablenzuweisungen. Schleifen, Verzweigungen, Unterprogrammaufrufe.

Von da an gab es kein Halten mehr. Das war so faszinierend, dass Christopher alles andere bleiben ließ. Er fraß sich durch Handbücher, Programmbeispiele und Übungen, probierte aus, entwickelte eigene Routinen und Programme. Schon nach vier Wochen reichte ihm BASIC nicht mehr. Er lernte C, Prolog, Assembler, FORTRAN . . . Egal welche Sprache ihm unterkam, er begriff im Nu ihre Konzepte, ihre Möglichkeiten und Beschränkungen, saugte alles auf wie ein trockener Schwamm das Wasser.

»Wie du dir das alles merken kannst«, sagte Dad bisweilen, wenn Christopher ihm auswendig einen ASCII-Code nennen konnte oder die Parameter eines seltenen Befehls. Aber Christopher fand es einfach, sich solche Dinge zu merken: War doch besser, als sie jedes Mal nachschlagen zu müssen, oder?

Damit war die Schule kein Problem mehr. Er tat, als höre er zu, während er sich in Wirklichkeit Programme ausdachte, die er nachmittags umsetzte. Er erkundete das Betriebssystem seines Computers, analysierte die Komponenten, versuchte zu verstehen, wie die Systeme funktionierten. Irgendwann schrieb er eine Routine für eines von Dads Softwareprojekten, deren Code Dad ein anerkennendes Pfeifen entlockte, und bekam zur Belohnung seinen eigenen Internetzugang.

Keine Woche später fand er den ersten Virus auf seinem Computer.

Dieses Ding faszinierte ihn. Er isolierte das Schadprogramm, zerlegte und analysierte es und war hin und weg von den Konzepten, die er darin fand. In dieser Nacht konnte er nicht schlafen, weil sein Hirn unablässig Varianten davon austüftelte und dann noch einmal Varianten der Varianten. Wie von selbst produzierte sein Geist Algorithmen für Virenprogramme, die weit raffinierter waren als das, das er vorgefunden hatte, die sich besser tarnten, gewitzter fortpflanzten und mit größerer Effizienz verbreiteten.

Das wurde sein neues Hobby: Er schickte Viren hinaus in die Welt, die im Unterschied zu anderen einfach *nichts* taten, sich nicht bemerkbar machten und auch von den meisten Virenscannern nicht bemerkt wurden, und schickte ihnen andere Viren hinterher, die sie jagten und erlegten und die Zahl der erlegten Viren per Internet zurückmeldeten.

Ganz unbemerkt blieb sein Spiel allerdings nicht. Eine Handvoll Leute auf der Welt registrierten, was er tat, und versuchten, ihn aufzuspüren. Christopher bemerkte es rechtzeitig genug, um sich hinter Firewalls, anonymen Servern und einem Geflecht verschlüsselter Verbindungen zu verbergen.

»*Wer bist du?*«, fragte einer, der sich selber *Pentabyte-Man* nannte.

»*Computer*Kid*«, antwortete Christopher.

»*Du bist gut, Mann!*«, kam als Antwort.

Christopher kam ins Gymnasium. Hier wurde der Unterricht ein bisschen interessanter. In den langweiligen Fächern sorgte Christopher für hinreichend gute Noten, indem er sich in die Rechner der Lehrer hackte und sich jeweils die Aufgaben der nächsten Prüfung vorab besorgte: Das minimierte den Lernaufwand und ließ mehr Zeit für seine Forschungsreisen durch den Cyberspace.

Durch seine Mutter, die in einer der größten Banken Europas arbeitete, begriff er früh, dass es neben dem allgemein zugänglichen Computernetzwerk, das als *Internet* bekannt war, noch weitere, nicht ohne Weiteres zugängliche Netzwerke gab – zum Beispiel das der Banken. Die Computer aller Finanzinstitute weltweit waren auf eine Weise miteinander verbunden, die ein Eindringen von außen praktisch unmöglich machte.

Ein faszinierendes Problem.

Da sein Dad früher im Rechenzentrum derselben Bank gearbeitet hatte, fanden sich im Keller noch allerhand Unterlagen über die Struktur des Bankennetzwerks, die verwendeten Protokolle, Back-up-Strategien und Sicherheitsmaßnahmen. Insgesamt waren es über fünftausend Seiten, doch Christopher las sie alle durch, dachte einige Wochen darüber nach und stellte schließlich Dad beim Mittagessen ein paar Fragen dazu. Ihm kam es vor, als wiese das Bankensystem gewisse Lücken und systematische Ungereimtheiten auf, was aber sicher nur heißen konnte, dass er etwas nicht richtig verstanden hatte.

»Oh my dear«, meinte Dad, der nach wie vor nur englisch mit ihm sprach. »Du hast das doch nicht etwa alles gelesen?«

»Doch«, sagte Christopher.

»Ich kenne niemanden, der das je gemacht hätte«, gab Dad zu. »Die Dinger sind nur zum Nachschlagen gedacht.«

Christopher verstand diese Antwort nicht ganz – schließlich hatte er auch das Konversationslexikon, das im Wohnzimmerregal stand, von vorne bis hinten durchgelesen –, aber jedenfalls sah Dad die Lücken nicht, die Christopher gefunden zu haben meinte.

Bildete er sie sich nur ein? Das hätte er zu gerne gewusst.

Er fragte seine Mutter, ob er sie mal ins Büro begleiten dürfe, um an ihrem mit dem Bankennetz verbundenen Rechner etwas nachzugucken.

»Vergiss es«, erwiderte sie. »Die reißen mir den Kopf ab, wenn ich einen Hacker wie dich meinen Computer auch nur *anschauen* lasse.«

26 | »Alles aufwachen«, sagte Kyle. »Wir sind da. Erst mal jedenfalls.«

Christopher schreckte hoch. Er war eingeschlafen!

Draußen war es schon dunkel. Sie standen in einer stillen Straße vor einem Haus, in dessen Fenstern kein Licht brannte. Der Motor knackte beim Abkühlen. Über der Eingangstür glomm eine von innen beleuchtete Hausnummer: 820.

»Kommt«, sagte Kyle.

Die Haustür war mit einem dieser Codeschlösser ausgestattet, wie sie seit einiger Zeit in Mode gekommen waren. Sie funktionierten berührungslos über Codekarten oder aber über einen Zahlencode zum Eintippen. Die Mitglieder der Familie trugen einfach ihre Karte bei sich und konnten das Haus jederzeit betreten, ohne sie auch nur aus der Tasche nehmen zu müssen. Jedem, der sonst Zugang zum Haus haben sollte – Putzhilfen, Lieferanten, Handwerker und so weiter –, gab man den jeweils gültigen Code.

Kyle gehörte offenbar zu letzterem Kreis, denn er tippte, ohne zu zögern, die Zahlenfolge 5-2-1-0 ein, und die Tür entriegelte sich mit einem leisen Klicken.

»Macht überall Licht«, sagte Kyle beim Hineingehen.

»Dann werden die Nachbarn aber merken, dass jemand da ist«, wandte Serenity ein.

Kyle nickte nur. »Das ist der Sinn der Sache.«

Also gingen sie durch alle Zimmer und schalteten das Licht an. Es war ein kleines Haus, bei dessen Konstruktion einiges schiefgegangen zu sein schien: Zwei Zimmertüren kamen einander in die Quere, und in der Küche hatte man für die ungeschickt installierte Wasseruhr ein Stück aus der Arbeitsplatte sägen müssen. Die Bewohner des Hauses waren wohl in Urlaub gefahren, so aufgeräumt, wie alles aussah, aber sie schienen mit Gästen während ihrer Abwesenheit gerechnet zu haben: Auf frisch bezogenen Betten lagen sorgsam gebügelte Handtücher bereit.

»Was tun wir hier eigentlich?«, wollte Serenity wissen.

»Wir warten, bis man mit uns Kontakt aufnimmt«, erklärte ihr Bruder. »Was vermutlich morgen passieren wird.«

Serenity furchte die Stirn. »Ein bisschen umständlich, oder?«

»Umständlich, aber sicherer als über Netzwerke, die man bis zu eurem Vater zurückverfolgen könnte«, sagte Christopher. »Das Telefonnetz kann abgehört werden, E-Mails waren sowieso noch nie vertraulich . . . Man muss etwas dazwischenschalten.«

Kyle nickte. »Du durchschaust das Prinzip.«

»Ich nehme an, irgendjemand wird sehen, dass jetzt im Haus Licht ist«, mutmaßte Christopher. »Das ist das Signal, dass wir da sind. Man kann beobachten, ob uns jemand gefolgt ist, ob wir uns verdächtig benehmen und so weiter.«

»Aber heißt das nicht«, warf Serenity ein, »dass Dad immer jemanden braucht, der sein Haus zur Verfügung stellt?«

»Ja«, sagte Kyle und bugsierte seine Reisetasche in eines der Schlafzimmer. »Aber das ist kein Problem für ihn.«

Nachdem die Zimmer verteilt und die Reihenfolge, in der sie die Dusche benutzen würden, abgesprochen war, machten sie sich über die Vorräte her. Die Gefrierfächer waren gut gefüllt. Kyle nahm tiefgefrorene Putenschnitzel heraus, eine Gemüsemischung und Pommes frites, die man im Backofen zubereiten konnte, und begann, mit Pfannen und Töpfen zu hantieren.

Serenity öffnete derweil eine Schranktür nach der anderen. »Geschirr«, stellte sie fest. »Frühstücksflocken. Wieder Geschirr. Noch mehr Geschirr. Und zur Abwechslung – Geschirr!« Sie hielt inne. »Ach nee. Schaut euch das mal an!«

Auf der Innenseite der Schranktür, die sie gerade wieder hatte schließen wollen, hing eine sorgsam mit Klebstreifen befestigte Prospekthülle, in der ein Blatt Papier steckte. Es war ein Kontoauszug. Dem Datum nach etwas mehr als vier Jahre alt, prangte der Briefkopf der *Bank of Idaho* darauf, und der damalige Kontostand – den jemand mit drei dicken Fragezeichen und ebenso vielen Ausrufungszeichen versehen hatte – belief sich auf $ 1.000.008.207,56.

»So ein Zufall, was?« Serenity grinste.

Christopher zuckte mit den Achseln. Es berührte ihn auch seltsam, aber er sagte sich, dass der eigentliche Zufall eher darin lag, dass ein Bewohner dieses Hauses – dem Ausdruck zufolge eine Familie Wright – überhaupt an einen Kontoauszug gekommen war, ehe die Banken seinerzeit alles abgeschaltet und die Schotten dicht gemacht hatten. Dass man ein solches Dokument nicht einfach wegwarf, war dagegen nachvollziehbar.

»Ich wüsste immer noch gern, warum du das damals eigentlich gemacht hast mit diesem Milliardenvirus«, gab Serenity zu. »Und sag jetzt bitte nicht wieder, dass das eine lange Geschichte ist!«

»Kurz ist sie jedenfalls nicht«, erwiderte Christopher. In seiner Erinnerung kam es ihm immer noch vor, als sei alles erst gestern passiert.

Die Sonne hatte geschienen, dicke Hummeln hatten sich in den Geranien vor den Fenstern von Großmutters Küche verlustiert, und Christopher hatte ein interessantes Buch über Dateiformate gelesen, das er in der Universitätsbücherei gefunden hatte. Es war ein schöner Nachmittag im Frühling gewesen, bis zu dem Moment, in dem seine Mutter ungewöhnlich früh aus dem Büro heimgekommen war.

Genauer gesagt zu einer Uhrzeit, zu der die Börse in New York noch geöffnet war. Da sich der Tagesablauf im Hause Kidd seit Jahren nach den Handelszeiten der wichtigsten Börsenplätze weltweit richtete, war das geradezu alarmierend.

Christopher erinnerte sich auch noch daran, wie seine Mutter ausgesehen hatte: wie ein Gespenst. Kreidebleich hatte sie da am Küchentisch gesessen, in einem der dunkelblauen Kostüme, die sie in der Bank trug. Sie hielt die Hände flach auf die Tischplatte gepresst, um zu verbergen, dass sie zitterten.

»Ich hab uns ruiniert«, hatte sie geflüstert. *»Ich hab uns alle ruiniert.«*

»Dieser Milliardenvirus, wie du ihn nennst«, sagte Christopher, »war damals der einzige Weg, meiner Mutter zu helfen.«

27 | Es tat weh, an seine Eltern zu denken. Er versuchte, es so selten wie möglich zu tun. Die Erinnerung daran, wie er entkommen war – und wie knapp –, erfüllte ihn immer noch mit Grauen. Und die Erinnerung an die Zeit davor, vor allem, was passiert war, erfüllte ihn mit Trauer.

Christopher hätte das Thema am liebsten gemieden. Aber es war besser, jetzt mit der Geschichte seines Bankenvirus herauszurücken.

Solange er sie damit beschäftigte, konnten Kyle und Serenity ihn wenigstens nicht über die *Upgrader* ausfragen.

Im Auto war er den Fragen, die Kyle ihm unterwegs dazu gestellt hatte, ausgewichen. Aber lange würden die Geschwister sich vermutlich nicht mehr hinhalten lassen.

»Ich weiß nicht, ob ihr euch daran erinnert«, begann Christopher, »aber einige Jahre vorher gab es eine Bankenkrise . . .«

»*Eine* Bankenkrise?«, fragte Kyle, während er die gefrorenen Putenschnitzel aus ihrer Verpackung schälte. »Irgendwie hat man das Gefühl, die gibt's ständig.«

»Kann sein. Aber die hatte jedenfalls zur Folge, dass ein paar Regeln geändert werden mussten und entsprechend auch die Anstellungsverträge der meisten Leute, die in Banken im Investmentbereich arbeiteten«, fuhr Christopher fort.

Kyle stellte einen Teller mit den Schnitzeln für ein paar Sekunden in die Mikrowelle. »Leute wie deine Mutter?«

»Ja. Die neuen Bestimmungen sahen vor, dass man bei allen Transaktionen für die Bank zu einem bestimmten Prozentsatz mit eigenem Vermögen haften musste. Das sollte das Verantwortungsgefühl stärken oder so was in der Art.«

»Aua«, sagte Kyle. Die Mikrowelle öffnete sich mit einem *Ping*. Er zog den Teller heraus, betastete das Fleisch und nickte zufrieden. »Es gibt Leute, die sich auf so was einlassen?«

»Den meisten bleibt nichts anderes übrig.«

»Wird man dann wenigstens auch an den Gewinnen beteiligt?«

»Das wurde man schon immer. Das Vergütungssystem der Banken beruht zum Großteil auf dem Bonus-System.«

Kyle schaltete den Elektrogrill ein und stellte einen Topf mit dem Gemüse auf den Herd. »Schwesterherz, du könntest mal nachsehen, ob du nicht eine Soße oder so was findest.«

»Was glaubst du, wonach ich vorhin gesucht habe?«, versetzte Serenity.

»Nach Geschirr, hatte ich den Eindruck.« Kyle grinste.

»Sehr witzig.« Serenity streckte ihrem Bruder die Zunge heraus. »Ich glaube, die Leute hier haben ihre Milliarde in Geschirr angelegt.«

»Hast du hier schon nachgeschaut?« Kyle öffnete die Fächer über dem Herd. Gleich im ersten standen lauter Gläser mit Tomatensoßen, Knoblauchsoßen, Pesto, Salsa und so weiter. »Sieht doch gut aus.«

Serenity grummelte etwas vor sich hin und begann, in dem Schrank herumzusuchen. »Hat jemand was gegen Barbecuesoße?«

»Ich nicht«, erwiderte Kyle und schob Christopher das Backblech hin. »Hier. Du könntest dich nebenbei um die Pommes kümmern.«

»Okay.« Christopher studierte die auf der Packung aufgedruckte Anleitung, riss sie dann auf und verteilte die kalten, sich teigig anfühlenden Fritten auf dem Blech.

»Also, deine Mutter bekam einen neuen Vertrag«, resümierte Kyle. Er testete mit einem angefeuchteten Finger, ob der Grill schon heiß war. »Und weiter?«

»Diese Haftungsbeteiligung ist damals damit begründet worden, dass es in anderen Berufen genauso gehandhabt wird. Eine Kassiererin im Supermarkt muss auch mit ihrem eigenen Geld haften. Wenn abends etwas in der Kasse fehlt, wird es ihr abgezogen.« Christopher öffnete den Backofen, aus dem ihm Gluthitze entgegenschlug, und schob das Blech hinein. »Der springende Punkt ist aber, dass es hier um ganz andere Beträge geht. Wer in der Investmentabteilung bleiben wollte, musste Haftung für einen bestimmten Mindestbetrag stellen können – und so viel Geld hatten meine Eltern nicht.«

»Sie hätte also ihren Job aufgeben müssen.« Kyle rührte das Gemüse um, dann warf er die Putenschnitzel auf den Grill. Der köstliche Geruch nach gebratenem Fleisch begann, sich in der Küche auszubreiten.

»Genau«, sagte Christopher. Er hockte vor dem Ofen und behielt die Pommes im Auge, die rasch braun wurden. »Deswegen hat sie meine Großeltern gebeten, für sie zu bürgen. Die haben alles verpfändet – das Haus, das mit seinem großen Grundstück in der Innenstadt Frankfurts einiges wert war, aber auch ihre Lebensversicherungen, einfach alles. Das hat gerade gereicht.«

Serenity begann, den Tisch zu decken. »Stell ich mir ziemlich stressig vor – jeden Tag ins Büro zu gehen und mit der Familienvilla Roulette zu spielen.«

»Investmentbanker nennen das Arbeit, hab ich mir sagen lassen«, meinte Kyle und hob den Deckel des Grills. Die Schnitzel sahen schon ziemlich gut aus.

»Das war meinen Großeltern, glaube ich, nicht klar. Wie gesagt, der ganze Rest der Familie verstand im Grunde nicht viel von Geld.« Christopher sah sich nach einem Topfhandschuh um. Es wurde allmählich Zeit, die Pommes aus dem Ofen zu holen. »Außerdem war meine Mutter ziemlich gut in ihrem Job. Eher zu vorsichtig, als dass sie etwas Unüberlegtes riskiert hätte. Und es ist auch mit den neuen Regeln jahrelang gut gegangen.«

Er fand keinen Handschuh. Also musste es ein Handtuch tun, mehrfach zusammengelegt. Er stellte eine Schüssel bereit, dann öffnete er den Backofen und manövrierte das heiße Backblech heraus. »Es war eigentlich nicht mal ihre Schuld. Ihr ist einfach ein Fehler unterlaufen. In der Bank hatten sie gerade eine neue Version ihres Programms bekommen, und aus irgendeinem Grund war die gesamte Oberfläche geändert worden. Man musste die Parameter anders einstellen, die Tastaturbefehle und die Shortcuts waren geändert, und so weiter – die Programmierer hatten alles so gemacht, wie man es nicht machen sollte. Aua!«

Nun hatte er sich doch noch die Finger verbrannt. Er knallte das Backblech auf den Herd, schloss die Ofentür, drehte den Wasserhahn auf und hielt die verbrannte Stelle in den Strahl.

»Jedenfalls, meine Mutter hatte versehentlich eine falsche Order platziert. Eine Kaufanweisung zu völlig überhöhten Preisen, die um Mitternacht wirksam werden und die Bank schwer belasten würde«, schloss er und blies auf seine Finger. Dann drehte er das Wasser ab und nahm die Schüssel mit den Pommes frites.

Als er sich damit zum Küchentisch umdrehte, stieg die Szenerie von damals wieder aus seiner Erinnerung auf, an einem ganz anderen Tisch, in einer ganz anderen Küche. Wie seine Mutter die Hände vors Gesicht schlug und losheulte. Wie ihr ganzer Körper bebte. Er hörte wieder, wie sie zwischen den Händen hindurchschluchzte: »*Sie werden uns alles wegnehmen. Das Haus, unser ganzes Geld, die Versicherungen, das Auto . . . Morgen werden sie kommen und uns pfänden . . .*«

Das werde schon nicht so schlimm werden, hatte Oma begütigend gemeint und ihr hilflos die Hand auf die Schulter gelegt.

»*Doch!*«, hatte Mutter aufgeheult. »*Das wird schlimm! Schlimmer, als ihr es euch vorstellen könnt! Ich weiß doch, wie das läuft! Genauso haben sie es letzten November mit Paul Bering gemacht, als er sich mit Gentechnik-Aktien verspekuliert hat! Heute hockt er in einer möblierten Zweizimmerwohnung am Bahngleis und fischt Zeitungen aus Papierkörben, ich hab ihn doch gesehen, erst letzten Monat bin ich ihm begegnet . . .!*«

Es war Dads Idee gewesen. Man konnte an seinem Gesicht ablesen, dass ihm in diesem Moment die Gespräche wieder einfielen, die er und Christopher über die technischen Einzelheiten des Bankennetzwerks geführt hatten. Er sah ihn an und fragte: »Kannst du da nicht was machen? Die Order wieder zurückholen? Rauslöschen?«

28 | »Ich musste es alleine machen«, erzählte Christopher, während Serenity das Gemüse und die Pommes auf die Teller verteilte. Sie hatten sich an den Küchentisch gesetzt. »Meine Mutter hat mir ihre Büroschlüssel und ihre Codekarte gegeben, später wollten wir behaupten, ich hätte sie heimlich genommen. Dann bin ich mit der Straßenbahn in die Stadt gefahren. Das Schwierigste war, mich in ihr Büro zu schleichen, ohne dass mich jemand sah. Überall Sicherheitsleute und so. Ich musste warten, bis es dunkel wurde und das Gebäude sich leerte. Und ich hab wie auf Kohlen gesessen, denn ich hatte ja nur bis Mitternacht Zeit.«

Es war ihm schließlich gelungen, unbemerkt in die Tiefgarage zu schlüpfen. Er hatte es nicht gewagt, den Aufzug zu nehmen, und war stattdessen durch das Treppenhaus hochgestiegen – bis in den vierzigsten Stock!

Kyle schüttete sich reichlich Barbecue-Soße über alles. »Aber du hast dich nicht damit begnügt, die Order zu löschen.«

»Damit hätte ich mich schon begnügt. Das Problem ist, dass man eine solche Order, wenn sie einmal erstellt ist, nicht wieder löschen kann.«

»Wieso nicht? Das sind doch auch nur Daten in einem Computer. Magnetfelder auf Festplatten. Was soll da nicht zu löschen gehen?«

Christopher schnitt sein Putenschnitzel an. »Wenn so eine Order ins System eingestellt wird, steht sie zugleich im Gegenprotokoll auf der anderen Seite der Transaktion.« Er sah Serenity an. »Das ist so ähnlich wie mit deiner Note: Es nützt nichts, den Eintrag zu löschen, wenn es jemanden gibt, der sich daran erinnert. In dem Fall wäre das ein anderer Computer gewesen, irgendwo auf der Welt. Um an den ranzukommen, hätte ich mich durch so viele andere Systeme hacken müssen, dass die Zeit im Leben nicht gereicht hätte. Ich hatte ja nur das Passwort meiner Mutter, mit begrenzten Zugriffsrechten. Das wäre nicht zu schaffen gewesen.«

Serenity sah ihn mit großen Augen an. »Ich verstehe nur so viel, dass du losgefahren bist, obwohl dir klar war, dass du die Order nicht gelöscht kriegen würdest. Und dann? Wozu die Mühe?«

Es tat gut, mal etwas zu essen, das kein Hamburger und kein Taco war. Christopher merkte jetzt erst, was für einen Hunger er hatte. »Ein paar Tage vorher hatte mich einer aus unserer Parallelklasse gefragt, ob man eigentlich eine Wasseruhr zurückstellen kann. Ich hab ihm erklärt, dass das schwierig ist. So ein Ding ist verplombt, ein Öffnen der Plombe ist Urkundenfälschung, außerdem gibt es interne Sicherheitsmechanismen.«

Serenity deutete auf das klobige Ding, das über die Arbeitsfläche hinausragte. »Eine Wasseruhr? So was wie das da?«

»Ja. Genau. Ich hab keine Ahnung, wie er auf die Frage gekommen ist – vielleicht wollten seine Eltern sich davor drücken, die Wasserrechnung zu zahlen, aber das war mir auch egal. Mich reizte nur das Problem an sich: Wie kann man eine Wasseruhr zurückstellen, ohne sie zurückzustellen?«

»Gar nicht«, sagte Serenity.

»Doch. Wenn man radikal denkt, geht es.« Christopher spießte ein paar Fritten auf. »In Deutschland lief das damals so, dass der Zähler viermal im Jahr abgelesen wurde. Man konnte das selber machen und theoretisch natürlich eine falsche Zahl nennen, aber einmal im Jahr kam jemand von der Wassergesellschaft, um den Stand nachzuprüfen.«

»Sodass einem der falsche Zählerstand zwischendurch nichts nützt«, sagte Serenity.

»Genau.« Christopher stand auf, um sich den Wasserzähler an der Wand genauer anzuschauen. »Okay, der hier zählt eure komischen Gallonen. In Europa sind es Kubikmeter, und typischerweise hatte so ein Ding damals vor dem Komma vier Stellen. Vier Stellen, das entspricht zehntausend Kubikmetern. Wenn man so viel Wasser verbraucht hat, steht der Zähler wieder genau auf der Ausgangsposition. Nehmen wir mal an, man fängt mit zweihundertdreißig Kubikmetern an und verbraucht anschließend zehntausend Kubikmeter, dann zeigt die Wasseruhr am Ende wieder zweihundertdreißig Kubikmeter an, weil die oberste Stelle verloren geht – das ist wie beim Computer, wenn ich einen *register shift* mache und einen *overflow* kriege . . .«

Kyle und Serenity ächzten und winkten gleichzeitig ab.

»Das mit dem Zähler verstehe ich besser«, gab Kyle zu. »Das hab ich mir schon mal für Autos überlegt. Wenn ich eine Million Meilen schaffe, springt der Zähler wieder auf null. Bloß – schaff mal eine Million Meilen mit so einem Ding!«

Christopher setzte sich wieder. »Ja, das ist genau der Punkt. Pro Person verbraucht man – was weiß ich – vielleicht vierzig Kubikmeter pro Jahr. Oder lass es fünfzig sein. Jedenfalls Lichtjahre von den zehntausend Kubikmetern entfernt.« Christopher säbelte sein Schnitzel einmal quer durch. »Aber im Prinzip wäre es machbar. Ich habe es ausprobiert. Ich habe im Keller alle Hähne aufgedreht und gemessen, wie schnell ich damit Eimer füllen kann. Zwanzig Liter pro Minute sind kein Problem. Das wäre ein Kubikmeter in fünfzig Minuten. Zehntausend Kubikmeter rauslaufen zu lassen würde etwas über achttausenddreihundert Stunden dauern oder umgerechnet knapp dreihundertsechsundvierzig Tage. Danach sähe die Wasseruhr aus, als hätte man überhaupt nichts verbraucht.«

»Hast du das deinem Freund im Ernst vorgeschlagen?«, fragte Serenity entgeistert. »Das Wasser ein Jahr lang nonstop laufen zu lassen?«

»Ich hab ihm erklärt, dass es theoretisch so ginge. Aber das haben sie natürlich nicht gemacht.«

Christopher nahm noch etwas von dem Gemüse – Erbsen, Karotten und irgendetwas, das er nicht identifizieren konnte. »Egal. Jedenfalls hat mich diese Geschichte auf die entscheidende Idee gebracht. Wenn ich die Order nicht zurückholen kann, habe ich mir gesagt, dann muss ich eben in die andere Richtung denken. Radikal.«

»Und so bist du auf die Idee gekommen, jedem eine Milliarde Dollar zu überweisen«, schlussfolgerte Kyle. »Unter anderem auch euch selbst. Was in all der Geldflut nicht weiter auffallen würde.«

Christopher schüttelte den Kopf. Es verblüffte ihn immer wieder, wie wenig die meisten Menschen in Systemzusammenhängen denken konnten. »Nein, natürlich nicht. Das hätte uns nichts genutzt, genauso wenig wie euch damals. Nein, der

Plan war, so viel Chaos zu schaffen, dass man die Back-ups zurückspielen und den Stand vom Tag zuvor wiederherstellen musste. Den Stand, bevor meine Mutter ihre verhängnisvolle Order abgesetzt hat.«

Kyles Kinnlade sank herab. »Du hast das *beabsichtigt?*«

»Klar. Ich habe nachgedacht, was ich machen konnte, und mir dann überlegt, wie die Banken darauf reagieren würden. Was für Möglichkeiten sie hätten. Wozu sie gezwungen sein würden. Ich habe mir gesagt, dass all die Leute, die ich zu Milliardären mache, mir helfen würden, das Chaos noch zu vergrößern. Jeder würde versuchen, etwas von dem Geld in die Finger zu bekommen. Man würde die Bankautomaten stürmen, die Schalter, die Onlinezugänge . . . Die ganze Situation würde im Nu völlig unübersichtlich werden. Schließlich würde keine andere Lösung übrig bleiben, als alles auf den Stand vor dem Chaos zurückzusetzen.« Christopher hob die Schultern. »Und so ist es ja auch gekommen.«

»Bloß, dass sie dich erwischt haben«, meinte Kyle.

»Ja. Das hat sich nicht vermeiden lassen. Das war mir von vornherein klar.«

Christopher sah sich wieder vor dem Rechner seiner Mutter sitzen, in ihrem Büro, das dunkel war bis auf die Schreibtischlampe und den Bildschirm. Durch die Fenster ging der Blick auf die lichterfüllte Silhouette des nächtlichen Frankfurts. Davor, auf dem Fensterbrett, stand eine Digitaluhr mit großen roten Ziffern, die 23:50 anzeigte. Zehn Minuten vor Mitternacht. Zehn Minuten, die ihm noch blieben, um zu entscheiden, ob er es wirklich tun wollte.

Das Programm war fertig. Es stand vor ihm am Schirm. Noch war nichts geschehen. Er konnte es löschen, und dann würde niemand je erfahren, dass er hier gewesen war.

Oder er konnte es starten. Es losschicken in das abgeschirmte Netz der Bankcomputer. Und damit etwas auslösen, das einem Bombenangriff gleichkam.

Seine Entscheidung.

Sein Zeigefinger schwebte über der Eingabetaste. Sie zu drücken, würde sein Leben unwiderruflich verändern, das war ihm klar. Seines und das seiner ganzen Familie.

Aber wie sah die Alternative aus? Opa würde seine Werkstatt verlieren. Oma ihr Atelier, ihren Garten, ihre Malerei. Sie würden den Rest ihrer Tage in irgendeiner winzigen Wohnung von Opas karger Rente leben müssen.

Dad würde es wenig ausmachen, er war genügsam. Wenn man ihm einen Computer gab, brauchte er sonst fast nichts.

Aber seine Mutter würde es nicht ertragen. Nicht, dass sie geldgierig gewesen wäre – aber sie *hasste* es, arm zu sein.

23:51 Uhr.

Seine Entscheidung. Und es würde keine zweite Chance geben. Er musste es jetzt tun, oder er würde es nie tun können.

Christopher drückte die Taste.

Und dann machte er, dass er raus und nach Hause kam, ehe das Chaos losbrach.

»Himmel«, stieß Serenity hervor, als er am Ende war mit seiner Erzählung. »Wenn ich versuche, mir das vorzustellen . . .«

Kyle legte sein Besteck beiseite. »Du hast die ganze Welt aufgemischt, nur um ein paar Bits und Bytes auf ein paar Festplatten verschwinden zu lassen?«

»Es ging nicht anders.« Christopher merkte, dass sich seine Hand, die das Messer hielt, verkrampft hatte. Er legte es neben den Teller. »Was hättest du an meiner Stelle gemacht?«

»Wahrscheinlich dasselbe«, gab Kyle zu. »Und ich hätte mir gesagt, dass wir uns die Welt ganz schön verrückt eingerichtet haben.«

Serenity goss ihnen allen Cola nach. »Was haben deine Eltern dazu gesagt? Als das Chaos ausbrach, meine ich. Als alle Zeitungen voller Nachrichten über *Computer Kid* waren? Sie müssen dir doch dankbar gewesen sein?«

»Das waren sie auch. Sie haben mir nie irgendwelche Vorwürfe gemacht. Sie haben den ganzen Tumult ertragen, und selbst als wir nach England gezogen sind, um dem Ganzen zu entkommen, waren sie nie sauer auf mich.«

Seine Mutter war, obwohl sie ihren Job verloren hatte, an manchen Tagen richtig fröhlich gewesen. *»Jetzt hat unser Leben eben eine ganz unerwartete Wende genommen«,* hatte sie lachend erklärt. *»Hat auch was für sich, finde ich.«*

Niemand von ihnen hatte zu diesem Zeitpunkt ahnen können, dass diese Wende geradewegs in die Katastrophe führen sollte.

29 | Am nächsten Morgen hatte sich immer noch niemand gemeldet. Auch Kyle schien nicht zu wissen, wie und wann ihre Reise weitergehen sollte. Sie mussten weiterwarten.

Am Vorabend hatten sie nach dem Essen noch ein wenig durch die Fernsehprogramme gezappt und waren dann früh zu Bett gegangen. Christopher hatte zum ersten Mal seit Langem richtig gut geschlafen und war am Morgen mit einem ungewohnten Gefühl von Normalität aufgewacht. Ein paar köstliche Minuten lang war ihm gewesen, als habe ihn ein gütiges Schicksal in ein ganz anderes, friedliches Leben versetzt, ein Leben, in dem er in einem unauffälligen Einfamilienhaus in einem Vorort von Idaho Falls lebte und alles andere nur ein böser Traum gewesen war.

Doch beim Frühstück fragte Serenity ihn dann prompt: »Was hast du gestern eigentlich mit *Upgrader* gemeint?«

Christopher hatte den Mund gerade voller Cornflakes. Er kaute langsamer, um ein bisschen Zeit zum Nachdenken herauszuschinden.

»Leute mit einem Chip im Hirn«, sagte er schließlich. »So wie ich.«

»Aber wieso jagen sie dich?«

»Weil ich abtrünnig bin.«

Serenity nickte. Die Erklärung schien ihr einzuleuchten.

In Wirklichkeit erklärte sie überhaupt nichts. Aber das behielt Christopher für sich.

Kyle, der nichts frühstückte, nur im Stehen an einem Kaffee nippte, trat ans Fenster und sah auf die Straße hinaus. »Es wäre vielleicht gut, wenn wir mehr darüber wüssten«, sagte er.

»Wer sind die? Was wollen die?« Er ließ den Vorhang wieder los, drehte sich um und richtete die Kaffeetasse auf Christopher. »Und wie zum Teufel kommt jemand dazu, sich einen Chip ins Hirn pflanzen zu lassen?«

»Man hat mich nicht gefragt. Wenn du das meinst.«

»Nein, ich meine, ich weiß gern, mit wem ich es zu tun habe. Ich hatte heute Nacht Albträume von diesen Hubschraubern, die uns gestern angegriffen haben. Und ich verstehe immer noch nicht, *warum* sie das getan haben. Ich verstehe auch nicht, wie es dazu kommen konnte. Irgendwelche Freaks, die sich Chips einpflanzen oder Minikameras oder was auch immer, die gibt es schon seit zwanzig Jahren, aber das sind eben Freaks, verstehst du? Arme Irre. Sensationsgeile Geeks. Auf jeden Fall keine Leute, die mal eben eine Staffel Kampfhubschrauber losschicken können.«

Christopher nickte, sagte aber nichts. Was sollte er sagen? Dass für die Macht, mit der sie es zu tun hatten, ein paar Kampfhubschrauber loszuschicken, noch eine der leichtesten Übungen war?

»Und vor allem«, schloss Kyle und trank seinen Kaffee aus, »verstehe ich nicht, was an dir in deren Augen so wichtig sein soll. Das wüsste ich wirklich gerne.«

Ich auch, dachte Christopher.

»Ich kann erzählen, wie es angefangen hat«, schlug er zögernd vor.

Kyle drehte einen der Stühle herum und setzte sich, die verschränkten Unterarme auf die Lehne gestemmt. »Okay. Schieß los!«

Christopher schüttete sich umständlich Cornflakes nach, goss Milch hinterher. Er brauchte ein bisschen Zeit, um seine Gedanken zu ordnen.

»Ich hab euch ja schon erzählt, wie Linus, mein Vater und ich an der Entschlüsselung des Sehnervs gearbeitet haben«, begann er schließlich. »Am Anfang dachten wir, wir arbeiten an einem einzigartigen Projekt – einem Problem, an das sich noch niemand sonst auf der Welt gewagt hat. Aber ich habe irgendwann bemerkt, dass Dr. Connery in einer abschließbaren Schublade seines Schreibtischs eine Mappe aufbewahrte, in die er ab und zu etwas hineinlegte – einen Zeitungsausschnitt, einen Ausdruck einer Internetseite, solche Dinge. Und mir fiel auf, dass er immer, nachdem er etwas in diese Mappe gesteckt hatte, besonders nervös war. Hektisch. Dass es ihm dann immer nicht schnell genug ging.«

»Lass mich raten«, sagte Serenity. »Eines Tages hast du das Schloss geknackt und nachgeguckt, was in der Mappe ist.«

»Genau. Es waren Berichte über andere Forschungsgruppen, die sich ebenfalls mit der Frage beschäftigten, wie man Computer und Gehirn direkt miteinander koppeln kann. *Brain-Computer-Interfaces* war der offizielle Fachausdruck, abgekürzt *BCI*. Es gab mittlerweile über zweihundert solche Projekte, überall auf der Welt. Ich erinnere mich, dass obenauf ein Zeitschriftenartikel über ein Projekt der Technischen Universität Berlin lag. Dort setzten sie Leuten enge Gummikappen mit eingelassenen Elektroden auf den Kopf, und die konnten dann per Gedanken einen Flipperautomaten steuern. Sie brauchten nur *links* oder *rechts* zu denken, um den entsprechenden Hebel am Automat zu bewegen.«

»Erfindungen, die die Welt nicht braucht.« Kyle rollte mit den Augen.

»Ach, ich weiß nicht«, meinte Serenity nachdenklich. »Es müsste ja nicht ein Flipperautomat sein. Auf dieselbe Weise könnte man auch . . . was weiß ich, einen Rollstuhl steuern oder so etwas.«

Christopher warf ihr einen anerkennenden Blick zu. »Das ist genau der Punkt. Die Wissenschaftler in Berlin wollten ähnlich wie wir irgendwann Prothesen steuern. Das letztendliche Ziel war, die Kommunikation mit sogenannten *Locked-In*-Patienten herzustellen, mit Leuten, die völlig gelähmt sind, weder sprechen noch die Augen bewegen können.«

Kyle gab ein kurzes Schnauben von sich. »Okay. So gesehen wäre das ja eine gute Sache. Wenn es dabei bleibt.« Er hob die Augenbrauen. »Und weiter? Hast du deinem Vater davon erzählt?«

»Ja, ich hab ihm die Mappe gezeigt und Linus auch. Dem war als Erstem klar, dass es um eine Art akademisches Wettrennen ging – Dr. Connery wollte das Problem nicht einfach nur lösen, er wollte es *als Erster* lösen.« Er aß einen Löffel Cornflakes, ehe die zu weich wurden, während er erzählte. »Wir haben ihn darauf angesprochen, und er hat es auch zugegeben. Er meinte, wer als Erster ein echtes Hirn-Computer-Interface realisiert, dem ist der Nobelpreis sicher.«

»War er nicht sauer, dass du seinen Schreibtisch geknackt hast?«, fragte Kyle.

Christopher schüttelte den Kopf. »Ich hab behauptet, er hätte die Mappe draußen liegen lassen. Er hat das sofort geglaubt, hat nur was gemurmelt von wegen, dass ein Mittel gegen Zerstreutheit auch eine gute Erfindung wäre.«

»Und wart *ihr* nicht sauer, dass ihr die Arbeit machen solltet, er aber den Nobelpreis kassieren wollte?«

»Er meinte, den würde man sich natürlich teilen.« Christopher hob die Schultern. »Was er nicht gesagt hat, war, dass ein Nobelpreis maximal auf drei Personen aufgeteilt wird. Wir waren aber zu viert.«

Serenity nickte. »Einer wäre also leer ausgegangen.«

»Ja. Als ich mit meinem Vater darüber sprach, meinte er, das würde wahrscheinlich ich sein, weil ich noch so jung sei. Aber Linus war der Überzeugung, dass im Falle eines Falles er übergangen würde, weil das, was er zum Projekt beitrug, Arbeiten waren, die im Grunde jeder hätte verrichten können. Man konnte zusehen, wie das an ihm nagte. Und wie er mehr und mehr das Interesse an dem Ganzen verlor.«

»Verständlich«, meinte Serenity.

»Du hättest die Schublade vielleicht besser zugelassen«, fügte Kyle hinzu.

Christopher ging in Gedanken die Abfolge der Ereignisse durch. Welche Handlung, welche Entscheidung hatte wozu geführt? Wäre alles anders gekommen, wenn er nicht so neugierig gewesen wäre?

Nein, sagte er sich. Das, was entstanden war, wäre früher oder später auf jeden Fall entstanden. Nur eben auf andere

Weise. An einem anderen Ort. Der einzige Unterschied wäre gewesen, dass er nichts damit zu tun gehabt hätte.

»Wie auch immer«, sagte er, »jedenfalls grübelte Linus ein paar Wochen lang vor sich hin. Wir machten uns Sorgen um ihn, redeten ihm zu. Eines Tages meinte er, mit dem, was wir bisher herausgefunden hätten, ließe sich zumindest eine direkte Verbindung zwischen einem Gehirn und einem Mobiltelefon herstellen. So, dass man eine Nummer nur zu denken brauche, um sie zu wählen.«

Kyle verzog angewidert das Gesicht. »Das ist krank.«

»Der entscheidende Punkt war«, fuhr Christopher fort, »dass Linus sich als Versuchsperson zur Verfügung stellen wollte.«

30 | Es war, als wäre es gestern gewesen. Christopher sah Dad und Linus vor sich, wie sie einander im Labor gegenüberstanden, zwischen den Tischen mit den Versuchsaufbauten und den Schreibtischen, auf denen die Computer standen.

»Der Nobelpreis – ist das der Grund?«, blaffte Dad.

»Und wenn?«, blaffte Linus zurück. »Was wäre dagegen zu sagen?«

»Dass das ein völlig bescheuerter Grund ist, so etwas zu riskieren. Du weißt doch überhaupt nicht, wem die in Stockholm den Preis zuerkennen. Das weißt du nie! Er könnte an jemand ganz anderes gehen, für eine ganz andere Entdeckung.«

Linus reckte den Kopf vor, wie er es immer tat, wenn er wütend war. »Warum sollten wir ihn nicht kriegen? Hmm? Wir sind vielleicht noch nicht da, wo Dr. Connery hinwill, aber wir sind weiter als alle anderen. Wir müssen nur mal was draus machen! Etwas, das man vorzeigen kann!«

»Es ist ein unvertretbares Risiko«, beharrte Dad.

»Risiko gehört nun mal dazu, um etwas zu erreichen.« Linus' Stimme wurde leise, was bei ihm nichts Gutes zu heißen hatte. »Und ich weiß ja nicht, wie es bei euch so aussieht, aber der Nobelpreis ist mit fast einer Million Pfund dotiert. Geteilt durch drei wären das über dreihunderttausend pro Nase. Ich jedenfalls könnte das Geld gut brauchen!«

Dad verschränkte die Arme, sein Gesicht wurde abweisend. »Was nützt dir Geld, wenn du dir dafür deinen Körper ruiniert hast?«

Worauf Linus seinen Pullover auszog, sein Hemd, sein Unterhemd, bis er mit nacktem Oberkörper dastand. Er wies auf seine Tätowierungen, seine Piercings und meinte: »Mein Körper gehört mir. Mit dem kann ich machen, was ich will. Und das mach ich auch, wie du siehst.«

Später an dem Tag sprachen sie mit Dr. Connery darüber. Inzwischen hatten sich die Gemüter wieder beruhigt, und Linus argumentierte sehr bestimmt und sehr sachlich.

»Ich habe mir die Unterlagen genau angesehen. Wir können es realisieren. Ohne Weiteres sogar. In einer ersten Stufe würde man zuerst die Ziffern der Telefonnummer denken und anschließend den Befehl, sie zu wählen. Sobald das funktioniert, könnte man weitergehen. Es würde genügen, an jemanden zu denken und sich zu wünschen, mit ihm zu sprechen – zack, und schon stünde die Verbindung!« Linus lachte. »Frauen würden das lieben, oder?«

Jetzt lachten sie alle.

»Der nächste Schritt – und stellt euch mal vor, was das hieße – wären *stille* Telefonate. Man ruft jemanden an, aber anstatt selber zu reden, *denkt* man nur, was man sagen will, und ein Sprachsynthesizer setzt das in Schallsignale um.«

»Science-Fiction«, warf Dad mit gedämpfter Missbilligung ein.

Linus schüttelte den Kopf. »Technisch absolut machbar. Und ein Segen für Schlaganfallpatienten, Taubstumme, für Leute, die ihren Kehlkopf verloren haben . . . Außerdem: Was wir in unserem Projekt überhaupt noch nicht ausgelotet haben, ist die Fähigkeit des menschlichen Gehirns, sich anzupassen. Den Umgang mit neuen Möglichkeiten zu trainieren. Erinnert euch doch mal daran, wie ihr Auto fahren gelernt habt. Fahrrad fahren. Schwimmen. Was auch immer. Am Anfang ist es schwierig. Man denkt, man wird das nie schaffen. Die Gangschaltung im Auto – meine Güte, was kämpft man mit der! Vom ersten in den zweiten Gang zu schalten, dabei die Kupplung zu treten *und* das Steuer in die richtige Richtung zu drehen – absolut unmöglich; eine völlige Überforderung! Aber zehn Stunden Übung – und man hat es drauf. Läppische zehn Stunden! Nach hundert Stunden ist es so selbstverständlich wie zu atmen. Das Auto fühlt sich wie eine Verlängerung des eigenen Körpers an. Man kann fahren und nebenher diskutieren, Radio hören und den Mädchen am Straßenrand nachschauen – alles gleichzeitig! Weil man es gelernt hat. Weil sich unser Gehirn an die Maschine Auto angepasst hat.« Er hob den Daumen, eine merkwürdige Geste. »Einer Maschine *außerhalb* von uns, die wir mühsam über Hände und Füße steuern müssen, wohlgemerkt! Wozu wäre unser Gehirn imstande, wenn es eine Maschine *direkt* steuern könnte? Wenn ein *Gedanke* genügte? Wir können noch nicht einmal erahnen, was für Möglichkeiten sich damit eröffnen würden. Aber mit der Schnittstelle, die ich vorschlage, würden wir es herausfinden.«

Alle Blicke richteten sich auf Dr. Connery, der die Hände gefaltet hatte und nachdenklich dreinblickte.

»Ich fürchte«, sagte er nach einer Weile, »ich kann das nicht tun. Ein derartiger Eingriff ohne konkrete medizinische Indikation wäre ethisch nicht zu vertreten.« Er lehnte sich zurück, verschränkte die Arme. »Offen gestanden habe ich bereits mit unseren Tierversuchen meine ethischen Grenzen erreicht.«

»In der Geschichte der Medizin sind viele Fortschritte nur mithilfe von Selbstversuchen errungen worden«, sagte Linus eindringlich. »Edward Jenner, der so die Pockenimpfung entdeckt hat. Ohne die einer von uns vielleicht schon tot wäre. Werner Forßmann, der sich selbst den ersten Herzkatheter gelegt hat – mein Vater würde nicht mehr leben ohne seine Pioniertat. Und so könnte man noch eine halbe Stunde lang weitermachen!«

»Ich weiß Ihr Angebot zu würdigen, Linus, aber wenn ich Ihnen derartige Gerätschaften einpflanze, wäre das ja kein *Selbst*versuch. Sondern ein *Menschen*versuch. Und das kann ich nicht mit meinem Gewissen vereinbaren.«

»Es würde funktionieren«, beharrte Linus.

»Vielleicht.«

Linus strich sich über die Ringe entlang seines linken Ohrs. Sie klingelten verhalten. »Und Sie wissen auch, dass ich nicht zu denen gehöre, die grundsätzlich etwas gegen Körpermodifikationen haben.«

»Ja. Aber ich kann es trotzdem nicht tun. Bitte verstehen Sie das.«

Christopher war darauf gefasst, Linus wieder ausrasten zu sehen, aber das geschah nicht. Der stämmige Mann starrte nur einen Moment lang ins Leere, seufzte schließlich und meinte: »Okay. Den Versuch war es wert.«

Das Thema schien für ihn damit tatsächlich erledigt zu sein. Dad deutete später Christopher gegenüber an, Linus habe im Verlauf der Diskussion wahrscheinlich Angst vor der eigenen Courage bekommen und sei insgeheim froh gewesen, dass sein Vorschlag abgelehnt worden war.

Niemand wunderte sich, als Linus kurze Zeit später vier Wochen Urlaub einreichte. Er hatte mal wieder eine neue Freundin: Sie hieß Catherine und war Stewardess bei American Airlines.

»Kalifornien«, erklärte er mit geheimnisvollem Lächeln. »San Francisco Bay. Sonne, surfen . . . und noch ein Wort, das mit S anfängt, das ich aber nicht aussprechen werde, solange Minderjährige im Raum sind«, fügte er mit einem Blick auf Christopher hinzu.

Die Wochen ohne Linus vergingen im Flug und ohne besondere Vorkommnisse. Dr. Connery, Christopher und sein Dad knobelten immer noch an rätselhaften Signalfolgen im Sehnerv, die sich bislang jeder Deutung entzogen, und Christopher musste nebenher ein paar lästige Arbeiten in der Schule schreiben.

Dann, eines Abends, klingelte es bei ihnen zu Hause an der Tür. Dad, der öffnete, kehrte in Begleitung eines glänzend gelaunten, braun gebrannten Linus Meany zurück. Ja, der Urlaub sei großartig gewesen. Sonne, surfen und so weiter. Und nein, er habe das Labor nicht vermisst, keine Minute.

Aber er war nicht einfach nur gekommen, um sie neidisch auf seine Sonnenbräune zu machen, das merkte man. Er wollte etwas loswerden. Er platzte beinahe.

»Frag mich was«, forderte er Dad schließlich auf.

»Fragen?«, wunderte der sich. »Was denn?«

»Egal. Irgendwas. Wie die Hauptstadt von Obervolta heißt, meinetwegen.«

Dad hob erstaunt die Augenbrauen. »Okay. Wie heißt die Hauptstadt von Obervolta?«

151

»Mann, das war natürlich nur ein Beispiel!«, rief Linus. »Obervolta heißt seit 1984 übrigens Burkina Faso, und die Hauptstadt ist Ouagadougou. Los, eine andere Frage!«

»Ehrlich?«, entfuhr es Christopher. »Das ist ja ein komischer Name.«

»Warte.« Dad stand auf und holte das Konversationslexikon aus dem Wohnzimmerregal. »Okay, stimmt.« Er schlug aufs Geratewohl eine Seite auf, blätterte weiter. »Also, hier . . . Wie groß ist die Landfläche von Schweden?«

Linus holte tief Luft, starrte ein paar Sekunden lang ins Leere und sagte dann: »450.295 Quadratkilometer.«

»Ich hab hier 449.964 Quadratkilometer stehen, aber okay, kann man gelten lassen.«

»Weiter!«

Dad schlug das Lexikon an einer anderen Stelle auf. »Ich frag mich wirklich, was mit dir los ist . . . Also, okay: Wie hieß der . . . hmm, sagen wir, der fünfzehnte Präsident der USA?«

Wieder Luftholen, wieder der Blick ins Leere, der diesmal ein wenig länger dauerte. »James Buchanan. Regierte von 1857 bis 1861.«

»Okay.« Dad klappte das Lexikon zu. »Du siehst mich beeindruckt. Was ist passiert?«

Linus sah ihn lauernd an. »Hast du es noch nicht kapiert?«

»Was?«, versetzte Dad ärgerlich. »Was soll ich kapiert haben?«

»Na, was mit mir los ist!« Linus grinste. »Also, dir wird klar sein, dass ich den Urlaub nicht dazu benutzt habe, ein Lexikon auswendig zu lernen!«

Dad musterte ihn misstrauisch. »Es sieht allerdings ganz so aus, als hättest du.«

Linus tippte sich an den Schädel. »Mann, verstehst du nicht? Ich hab *es getan!* Oder besser gesagt, tun *lassen*. Stephen Connery ist schließlich nicht der einzige Neurochirurg auf der Welt.«

Jetzt fiel ihnen beiden die Kinnlade herab, Christopher genauso wie seinem Vater.

»Die Schnittstelle!«, rief Dad aus. »Ist nicht wahr! Du hast dir ein verdammtes *Telefon* einpflanzen lassen?«

»Hier, schau.« Linus wandte sich zur Seite, hob seine zu einer ansehnlichen Mähne gewachsenen Haare beiseite. Darunter war ein handtellergroßer Bereich frei rasiert worden, von dem eine nur noch schwach sichtbare Narbe zum Schädelansatz und den Hals hinablief. »War gar keine so große Affäre, wie ich gedacht hatte. Eine dreistündige OP, vier Tage danach war ich schon wieder draußen.« Er tippte sich an die rechte Schulter. »Das eigentliche Gerät sitzt hier. Und es ist kein Telefon, es ist ein UMTS-Modul.«

»Ein UMTS-Modul?«

»Genau. Das heißt, ich hab direkte Anbindung ans Internet, jederzeit und überall. Ein Gedanke, und ich bin in Google, in Wikipedia oder sonst wo.«

»Du hast unsere Unterlagen mit nach Amerika genommen!«

»Reg dich ab. Ich war bei dem ganzen Projekt dabei, wie du dich erinnern wirst. Ich brauchte nur meinen Kopf mitzunehmen.«

In Dads Gesicht arbeitete es. »Aber wie siehst du überhaupt,

153

was die jeweilige Webseite anzeigt? Wir haben den visuellen Code doch noch gar nicht entschlüsselt!«

»Ich sehe es auch nicht. Ich *höre* es. Ich verwende dieselbe Software, mit der Blinde im Internet surfen. Ziemlich ausgefeilt, erkennt fast allen unnötigen Text, Werbung und lässt das weg, sucht auf Zuruf und so weiter.«

»Aber du hast vorhin immer nur ein paar Sekunden gebraucht. Sich einen Wikipedia-Artikel vorlesen zu lassen, dauert doch bestimmt viel länger.«

Linus grinste triumphierend. »Siehst du? Das ist eben der Trainingseffekt, den ich meinte. Ich hab die Geschwindigkeit Schritt für Schritt hochgesetzt, jeden Tag ein bisschen. Und ich hab gerade erst angefangen zu üben, vor kaum mehr als zwei Wochen. Ich sag dir, ein Ende der Möglichkeiten ist überhaupt noch nicht abzusehen!«

»Okay.« Dad sank erledigt gegen die Sessellehne. »Und wie soll das nun weitergehen? Du denkst hoffentlich nicht, die geben dir deswegen jetzt den Nobelpreis? Womöglich ungeteilt?«

Linus lächelte mitleidig. »Den Nobelpreis? Wer zum Teufel braucht den Nobelpreis?« Er schüttelte den Kopf. »Ich melde mich für *Who Wants to Be a Millionaire* an und räum den Hauptpreis ab. Ist doch viel einfacher so!«

31 | »Und genau das hat er gemacht«, erzählte Christopher. »Die Fernsehleute waren begeistert, weil er so ein ungewöhnlicher Typ war mit all seinen Piercings; er machte sich gut auf dem Fernsehschirm. Und er sah nicht gerade aus wie jemand, der es weit schaffen wird – sie haben wahrscheinlich gedacht, sie kriegen viel Spaß für wenig Geld.«

»Aber er hat es geschafft?«, fragte Serenity. »Die Million abgeräumt?«

»Er hat eine tolle Show draus gemacht. Wir haben die Sendung natürlich gesehen. Linus hat keine Sekunde lang gewirkt wie einer, der alles weiß – so jemand würde gar nicht durchs Casting kommen, schätze ich. Er hat gezögert, geschwankt, gegrübelt, seine diversen Joker eingesetzt . . . Um Zeit zu gewinnen wahrscheinlich, weil manche Fragen knifflig zu beantworten waren, selbst wenn man das Internet im Kopf hat.« Christopher musste an das verdutzte Gesicht des Moderators denken, als sein schräger Kandidat die Eine-Million-Pfund-Frage schließlich wie aus der Pistole geschossen beantwortete. So, als habe Linus keine Lust mehr auf weiteres Theater gehabt. »Am Schluss ist er grinsend rausmarschiert, den Scheck in der Hand.«

»Cool«, sagte Serenity.

»Ein paar Tage lang war er der Held der Nation«, fuhr Christopher fort. »Überall lauerten ihm Journalisten auf, wollten wissen, was er jetzt mit seinem Gewinn machen würde, und ein Sender bot ihm sogar an, eine Art Wissens-Show zu moderieren.« Er schob den Teller von sich, die Cornflakes waren ihm inzwischen zu weich geworden. »Dann kam eine Zeitung mit der Meldung raus, er habe getrickst. Offenbar hat ihn jemand aus Kalifornien verpetzt. Der Bericht drehte sich um eine Gruppe von Computerfreaks in Silicon Valley, die an einer Computer-Hirn-Anbindung bastelten. Und es gab ein Foto, auf dem man Linus aus dem Gebäude kommen sah, einen dicken Verband um den Kopf.«

Kyle grinste. »So ein Pech aber auch.«

»Die anderen Blätter machten sich darüber lustig. In der *Times* hieß es, wenn es einen Preis für die absurdeste Verschwörungstheorie gäbe, stünde der Gewinner damit fest. Aber – die Produktionsgesellschaft der Sendung verklagte Linus wegen Betruges und verlangte ihr Geld zurück.«

In den darauffolgenden Wochen war das ein großes Thema in den Medien Großbritanniens gewesen. Auf allen Kanälen sah man Linus Meany, wie er in Begleitung eines Anwalts den umfangreichen Vertrag vorwies, den jeder Kandidat vor der Aufzeichnung der Sendung unterschreiben musste. Er erklärte, er habe keine der darin vereinbarten Regeln verletzt. Im Internet nach einer Information zu suchen, falle nicht unter das Verbot, sich helfen zu lassen – schließlich habe er es allein getan.

Ein Brain-Computer-Interface zu besitzen, stritt er keinen Moment lang ab. Aufsehen erregte es, als Linus einem Journalisten, der ihm während einer Pressekonferenz eine umständliche Frage stellte, die Antwort in Form einer E-Mail direkt auf seinen Blackberry schickte.

Linus nannte sein Implantat ein *Upgrade* und prophezeite, derartige Geräte würden in ein paar Jahrzehnten so selbstverständlich sein wie Zahnfüllungen. Ein Rockmusik-Magazin setzte sein Foto auf die Titelseite und schrieb: *Der Upgrader – ist er unsere Zukunft?*

»Aber dann haben die Medien es versiebt«, erzählte Christopher weiter. »Im Fernsehen haben sie eine Runde greiser Mediziner diskutieren lassen, alle hoch angesehen, geadelt, mit Orden behängt und was weiß ich, aber kein einziger Neurologe darunter und natürlich erst recht kein Informatiker – und die kamen zu dem Schluss, dass so etwas überhaupt nicht funktionieren könne. In einer Show trat zur besten Sendezeit ein Zauberkünstler auf, der erklärte, wie der Trick mit der E-Mail an den Journalisten funktionierte . . .«

»Und wie?«, wollte Serenity wissen.

»Der Mann war überzeugt, dass Linus einen Helfer hinter der Bühne gehabt hatte, an einem Computer mit Internetanschluss. Und dass der diese E-Mail geschickt hatte. Er hat das auch vorgeführt, und damit galt Linus als entlarvt.« Christopher starrte auf seinen Löffel hinab, betrachtete sein verzerrtes Abbild, das sich darin spiegelte. »Sie wollten es einfach nicht wahrhaben. Anstatt zu diskutieren, was so eine Schnittstelle bedeuten könnte, haben sie alle möglichen anderen Typen in die Öffentlichkeit gezerrt, die irgendwas mit ihrem Körper angestellt hatten. Leute, die sich Teufelshörner unter die Kopfhaut einpflanzen oder die Zunge spalten lassen. Leute, die sich die Ohren zu Elfenohren zusammennähen. Einen Künstler, der sich ein künstliches Ohr in den linken Unterarm hat einpflanzen lassen. Eine Journalistin, die sich einen Magneten in die Fingerkuppe implantieren ließ, um Magnetfelder spüren zu

können. Und so weiter. Kategorie *UFO gesichtet und Elvis lebt.*
Am Schluss war es einfach ein Kuriositätenkabinett, bei dem
sich alle nur gruselten und keiner mehr wusste, worum es eigentlich am Anfang gegangen war.«

»Und Linus? Musste er seinen Gewinn zurückzahlen?«, fragte Serenity.

Linus.

Nein, er hatte seinen Gewinn nicht zurückgezahlt. Ganz im
Gegenteil.

Christopher erinnerte sich, wie Linus noch einmal ins Labor
gekommen war nach all dem Trubel. Sie waren gerade dabei
gewesen, die Internetseiten der Kalifornier zu studieren und
sich davon zu überzeugen, dass die nach einem ganz anderen
Prinzip arbeiteten, einem, das sie längst wieder verworfen hatten. »Wir sind viel weiter«, erklärte Dr. Connery gerade, als Linus zur Tür hereinkam. Der Programmierer erwiderte: »Das
nützt euch nichts, wenn ihr nichts daraus macht.«

Sie seien zu theoretisch orientiert, meinte er. Man müsse die
Möglichkeiten ausprobieren, anstatt nur darüber nachzudenken. »Ihr steht vor dem Schwimmbecken und fragt euch, wie
es sich wohl anfühlt, nass zu werden – ich dagegen springe
einfach hinein! Ich *weiß* es!«

»Das ist nicht die wissenschaftliche Methode, Linus«, hielt
ihm Dr. Connery vor. »Das ist pure Abenteuerei.«

»Wissen Sie, was? Ich pfeif auf Ihre wissenschaftliche Methode«, lachte Linus. »Sie begreifen nicht, Doktor. Schauen Sie
mich an. Ich habe jederzeit und überall jede beliebige Zahl, jede beliebige Information verfügbar – ein Gedanke an Wikipe-

dia oder Britannica Online genügt. Ich finde mich auf der ganzen Welt zurecht – ich brauche nur an Google Maps zu denken. Ich kann mir alles merken – ich schreibe es einfach in ein Dokument bei GoogleDoc oder sonst einem Online-Office. Ich kann von meinem Kopf aus E-Mails empfangen oder verschicken, per Internet telefonieren, Hotelzimmer buchen, Fahrpläne abfragen, Musik hören, Spiele spielen . . . Und das ist alles erst der Anfang. Das ist nur das erste Upgrade. Ein primitiver Prototyp dessen, was noch kommen wird.« Er schüttelte mitleidig den Kopf. »Den *Upgradern* gehört die Zukunft. Das ist so sicher wie das Amen in der Kirche.«

Damit ging er – und verschwand spurlos. Das Verfahren, das die Produktionsgesellschaft gegen ihn angestrengt hatte, musste auf unbestimmte Zeit vertagt werden, weil der Angeklagte nicht auffindbar war.

Das Geld hatte er natürlich mitgenommen.

»Und unsere ganzen Unterlagen zweifellos auch«, erklärte Dr. Connery in einer Besprechung am darauffolgenden Tag. »Wie er ja selber gesagt hat, braucht er nur seinen Kopf dazu. Und dieses verdammte Interface.«

Es war spät am Abend. Jenseits der großen Fensterscheiben des Büros lag Mondlicht auf dem Park, der das Institut umgab. Die Pflanzen um sie herum warfen bizarre Schatten.

»Es war ein Fehler, dieses Projekt zu beginnen«, bekannte Dr. Connery. »Wobei ich niemanden beschuldigen kann außer mich selber. Es war mein Ehrgeiz, der mich hat blind werden lassen für die Konsequenzen. Ich wollte Leuten helfen, die durch Unfälle oder Krankheiten benachteiligt sind – und was

159

habe ich stattdessen getan? Ich habe mitgeholfen, technisch aufgerüstete Wesen zu erschaffen, neben denen normale Menschen womöglich eines Tages nur noch Bürger zweiter Klasse sein werden. Die *Upgrader* werden einen Standard vorgeben, den niemand mehr erfüllen kann, der so ist, wie Gott und die Natur ihn geschaffen hat.« Er faltete die Hände, ein Ausdruck des Grauens im Gesicht. »Das Projekt ist hiermit beendet.« Er wandte sich an Christophers Vater. »Sie können noch persönliche Dinge aus dem Labor mitnehmen, wenn Sie wollen. Aber die Daten, Programme und Unterlagen werde ich unverzüglich vernichten lassen.«

So endete es. Am nächsten Tag wurde das Labor geräumt, die Geräte und Möbel abtransportiert, die Wände frisch gestrichen. Ein Unternehmen, das auf die sichere Vernichtung von Daten spezialisiert war, kam und schredderte sämtliche Ordner, Listings, Ausdrucke und Pläne, zerstörte alle Datenträger.

Als Christopher und sein Vater in Dr. Connerys Büro gingen, um sich von ihm zu verabschieden, waren die Pflanzen daraus verschwunden. Die Bücherregale sahen noch unberührt aus, aber die Kisten, in die man sie verpacken würde, standen schon bereit. Hinter dem Schreibtisch saß eine schlanke, grauhaarige Frau, damit beschäftigt, irgendwelche Unterlagen zu sichten.

Dr. Stephen Connery, erklärte sie ihnen, sei nicht mehr da. Er habe gekündigt, und ihres Wissens habe er das Land verlassen.

»Wir fragten jeden, der ihn kannte«, sagte Christopher, »aber niemand wusste, wohin er gegangen war.«

Kyle, der in der Nähe des Fensters saß, hob den Kopf. »Warte mal kurz«, sagte er. »Das könnten sie sein.«

160

Christopher brauchte einen Moment, um wieder in die Gegenwart einzutauchen. Draußen rollte ein weißer Pick-up die Straße entlang, auf dessen Ladefläche eine Menge Kartons standen, die mit einer regenfesten Plane gesichert waren.

»Sind das Dads Leute?«, fragte Serenity.

»Ja.« Kyle stand auf, schob den Vorhang zwei Fingerbreit zur Seite.

Christopher und Serenity standen auch auf, traten hinter ihn. Der Pick-up hielt zwei Häuser weiter. Zwei Männer stiegen aus, stapften zur Haustür, klingelten. Sie redeten kurz mit jemandem, den man nicht erkannte, der sie aber offenbar abwies oder ihnen jedenfalls nicht weiterhelfen konnte, worauf die Männer es beim Nachbarhaus versuchten.

Dort öffnete niemand. Sie wechselten einen Blick, drehten um, kehrten auf die Straße zurück und gingen zum nächsten Haus.

Zu ihrem.

»Und wenn es *Upgrader* sind?«, fragte Serenity leise.

Kyle atmete geräuschvoll ein.

»Du kennst die also nicht?«

»Nein«, gab Kyle zu. Er wandte den Kopf, sah sie an. »Ihr beide geht nach hinten. Wartet bei der Verandatür, was passiert. Notfalls müsst ihr flüchten, verstanden? Ohne mich. Ich komm schon klar.«

Die beiden Männer betraten den Plattenweg zum Haus.

»Macht schon!«, zischte Kyle.

32 | Flüchten. Okay. Aber wohin? Christopher spähte durch die Verandatür. Der Garten war winzig, dann kam ein Bretterzaun und der Garten des nächsten Hauses. Amerika war ein großes Land, aber die Häuser waren so dicht aneinandergebaut, als sei Platz dazwischen etwas Schlimmes.

»Da ist niemand zu sehen«, flüsterte Serenity. »Meinst du nicht, die kämen von allen Seiten, wenn es *Upgrader* wären?«

»Schätze schon«, meinte Christopher. Er umfasste den Türgriff. »Ich schau mich mal um.«

Sie sah ihn skeptisch an, aber sie wandte nichts ein in der Art wie *Aber Kyle hat gesagt* oder *Nein, das ist zu gefährlich*. Dicker Pluspunkt.

Er öffnete die Verandatür, stieß das Fliegengitter beiseite und trat hinaus. Nichts passierte. Niemand brach aus dem Gebüsch, sprang über den Zaun oder ballerte in die Luft.

Okay. Ermutigend. Und jetzt nach vorn, nachsehen, was sich dort abspielte. Er hielt sich dicht an der Außenwand, ging hinter einem Busch in Deckung. Kyle stand mit den beiden Männern auf der Straße und gestikulierte, schien ihnen den Weg irgendwohin zu erklären. Sie fragten mehrfach nach, vergewisserten sich offenbar, dass sie alles richtig verstanden hatten, bedankten sich schließlich und marschierten zu ihrem Wagen zurück.

Christopher huschte wieder nach hinten und ins Haus. »Entwarnung«, beruhigte er Serenity. »Das war harmlos. Zwei Auslieferfahrer, die nach dem Weg gefragt haben.«

Sie gingen wieder nach vorn in die Küche. Dort klapperte es schon heftig; Kyle war dabei, hastig das Frühstücksgeschirr abzuräumen. »Los, Beeilung«, rief er. »Spülen, aufräumen, packen. In zehn Minuten müssen wir los.«

»Wieso das denn?« Seine Schwester sah ihn verblüfft an.

»Das waren unsere Lotsen. Wir treffen sie in einer halben Stunde auf dem Parkplatz vor dem *K-Mart* in der 17. Straße.«

Nach hektischen zehn Minuten war alles gespült und weggeräumt, nichts zu Bruch gegangen und waren alle Klamotten wieder in den Rucksäcken und Reisetaschen verstaut. Kyle ging noch einmal durch sämtliche Zimmer, um sich zu vergewissern, dass sie das Haus einigermaßen aufgeräumt zurückließen, meinte »Geht so«, dann brachen sie auf.

Bis zu dem Supermarkt brauchten sie fast vierzig Minuten, obwohl Kyle so zügig wie möglich fuhr. Der Parkplatz davor war nicht gerade klein und alles andere als übersichtlich. Kyle bremste ab. Im Schritttempo und mit wachsender Nervosität hielten sie Ausschau. Endlich entdeckte Serenity den weißen Pick-up auf einem Stellplatz vor dem Seiteneingang.

Ihr Bruder stoppte kurz, einer der beiden Männer hob grüßend die Hand, Kyle erwiderte die Geste und lenkte seinen Wagen in Richtung Ausfahrt. Noch ehe sie die erreicht hatten, fuhr der Pick-up an ihnen vorbei, und ab da folgten sie ihm einfach.

Es ging aus der Stadt hinaus nach Norden. Stundenlang. Ein endlos scheinender, mehrspuriger Highway führte durch eine flache, karge Landschaft, die sich nie zu ändern schien.

Irgendwann erhoben sich Berge vor ihnen. Tauchten Bäume auf. Ein Halt an einer Tankstelle, aber diesmal blieb Christopher wieder im Wagen, ließ sich etwas zu essen mitbringen.

Werbeplakate entlang der Straße. Telefonleitungen. Stromkabel. Einkaufszentren, Werkstätten, Imbissbuden.

Doch irgendwann verschwand das alles, und nur die Straße blieb übrig. Die Straße, karge Steppe rechts und links und ein Himmel voller Wolken, die sich mächtig auftürmten.

Kyle ließ dem Pick-up immer mehr Vorsprung, je weniger andere Autos ihnen begegneten. Inzwischen betrug die Distanz mehrere Kilometer, manchmal war das Fahrzeug, das sie lotste, nur noch ein weißer Punkt am Horizont.

Im Wagen herrschte Schweigen. Am Anfang der Fahrt hatte Kyle erklärt, sich darauf konzentrieren zu müssen, den Pick-up nicht zu verlieren, und irgendwie hatte sich das verselbstständigt. Niemand hatte Lust, etwas zu sagen, nicht mal Musik lief. Sie hörten den Motor brummen, sahen die Landschaft vorbeiziehen, ansonsten verging die Zeit.

Nur einmal fragte Kyle: »Wie hat er eigentlich seine Batterie aufgeladen?«

»Was?«, schreckte Christopher hoch. »Wer?«

»Dieser Linus. Dieses UMTS-Modul in seiner Schulter – wie hat das mit der Stromversorgung funktioniert? Hatte er eine Öffnung in der Haut, um ein Kabel anzuschließen, oder wie ging das?«

»Ach so. Nein. Das lief über Induktion. Es gab damals schon Aufladegeräte, auf die man Mobiltelefone, iPods und so weiter einfach nur drauflegen musste, ohne einstecken. So ein Ding hat Linus verwendet.«

»Verstehe.« Kyle musterte Christopher kurz im Rückspiegel. »Und *dein* Chip? Wie machst du das?«

Es gab ihm einen Stich, daran denken zu müssen. »Das ist eine ganz neue Technologie. Der Chip braucht so wenig Strom, dass er aus der Bioelektrizität eines menschlichen Körpers gespeist werden kann.«

»Hmm. Der Fortschritt ist nicht aufzuhalten, was?«

Christopher nickte. »Das ist das Problem.«

Darüber schien Kyle nachdenken zu müssen. Sie schwiegen wieder, fuhren einfach, folgten ihren Lotsen.

Plötzlich sah es aus, als verschwände der weiße Punkt vor ihnen. Kyle gab Gas, und als sie sich der Stelle näherten, sahen sie, dass ein schmaler Weg rechts von der Straße abzweigte und steil einen bewaldeten Berg hinaufführte. Die Straße war gerade noch geteert, aber ansonsten zweifellos wenig befahren.

Kyle bog ab, und nun bekam der Motor des Geländewagens richtig zu tun. Sie erreichten einen Pass, dann ging es wieder abwärts, hinein in eine Schlucht, an Wasserfällen vorbei. Die Bäume rückten enger zusammen, ein See tauchte auf, schimmerte im Licht der abendlichen Sonne zwischen ihnen hindurch.

Zwanzig Minuten später endete der Weg auf einem von Geäst überwölbten Platz. Auf einer grasbewachsenen Lichtung stand ein Zelt, davor ein junges Pärchen, das sich an einem Grill zu schaffen machte. Kyle rangierte seinen Wagen neben den weißen Pick-up, der mit laufendem Motor vor einem Gebüsch wartete.

»Das ist aber nicht das Camp.« Serenity sah sich irritiert um.

»Nein, nur der Vorposten.« Kyle stellte den Motor ab und

drehte sich herum. »Ich werde jetzt mit den Lotsen weiterfahren und mit Dad reden. Ihr wartet hier.«

»Ein Vorposten?« Serenity betrachtete das Pärchen. »Die sehen so harmlos aus.«

»Die sollen auch so aussehen. Tatsächlich sind sie bewaffnet.« Kyle grinste spöttisch. »Also benehmt euch.«

Damit stieg er aus.

33 | Christopher verging vor Ungeduld. So dicht vor dem Ziel zu stehen, war fast schlimmer, als in völliger Ungewissheit allein unterwegs zu sein.

Vor allem, da er wusste, wie wenig die Sicherheitsmaßnahmen nutzten, die Jones und seine Leute sich ausgedacht hatten.

Er beobachtete Kyle, der mit dem Pärchen sprach. Offenbar um zu erklären, wer Serenity und er waren. Dann stieg er in den Pick-up. Der junge Mann hob ein Seil auf, das bis jetzt versteckt am Boden gelegen hatte, und zog kräftig daran.

Siehe da: Das Gebüsch wich zur Seite und gab einen schmalen Waldweg frei. Offenbar hatte man belaubte Äste zweckentfremdet und benutzte sie als Tarnung. Der Pick-up verschwand im Dunkel zwischen den Bäumen. Der blonde junge Mann, der Mitte zwanzig sein mochte, ging auf die andere Seite und zog den Busch mithilfe eines anderen Seils wieder an seinen Platz.

Bewaffnet? Der Typ wirkte völlig harmlos. Die Frau auch. Sie schaute mit großen Augen herüber, zupfte an ihren schokoladenfarbenen Haaren und sah aus, als mache sie hier einfach Urlaub.

»Hast du gewusst, dass das so laufen wird?«, fragte Christopher.

Serenity schüttelte den Kopf. »Kyle hat was angedeutet, aber . . . Nein. Ich denke, das ist, weil sie gesucht werden.«

»Klar.«

Sie sah nachdenklich aus dem Fenster. »Es ist ewig her, dass ich meinen Vater zuletzt gesehen habe.«

»Weil er gesucht wird?«

»Nein, vorher schon. Als meine Eltern sich getrennt haben, ist Dad in unserem alten Haus geblieben. Er hat mit Freunden eine Art Aussteigersiedlung gegründet. Das war in Maine. Wir haben ganz einsam gewohnt, an einem riesigen Wald. Kyle und ich waren immer die Ersten, die in den Schulbus eingestiegen sind, und die Letzten, die abends ausgestiegen sind . . .« Ihre Stimme erstarb, als verliere sie sich in Erinnerungen.

Etwas in der Art, wie sie das erzählte, ließ Christopher unvermittelt spüren, wie sehr sie die Trennung ihrer Eltern immer noch schmerzte. Vielleicht, weil es ein ganz ähnlicher Schmerz war wie sein eigener.

Irritierend, irgendwie.

»Maine.« Er rief sich die Karte der USA ins Gedächtnis. »Das ist die Ostküste. So ziemlich das andere Ende, von Kalifornien aus gesehen.« Und wo befanden *sie* sich überhaupt, bei der Gelegenheit gefragt? Sie hatten Idaho passiert, aber vermutlich waren sie inzwischen in Montana, einem der am dünnsten besiedelten Bundesstaaten.

Serenity nickte. »Ich glaube, meine Mom wollte so weit wie möglich weg.«

Der Mann kam zu ihrem Wagen herübergeschlendert. Er lächelte sanft und wirkte immer noch harmlos. Serenity drehte die Scheibe herunter.

»Hi«, sagte er. »Ich bin Richard. Du bist Kyles Schwester, hab ich das richtig verstanden?«

Sie nickte. »Ich heiße Serenity.«

»Hi, Serenity.« Er schüttelte ihr durch das Fenster die Hand.

168

Dann musterte er Christopher mit einem auffordernden Blick, der schon nicht mehr so harmlos wirkte.

»Christopher«, stellte er sich vor. Noch mal Händeschütteln.

»Schön, euch kennenzulernen«, sagte Richard.

Christopher gelang ein schiefes Lächeln. Es war eine Art der Kumpanei, die ihm sehr amerikanisch vorkam und eher gezwungen als locker, wie sie wohl gedacht war.

Andererseits . . . Er würde es mit diesen Leuten hier eine Weile aushalten müssen. Also spielte er besser mit.

Wenn es nur endlich weitergehen würde!

»Das ist Ann«, fuhr Richard fort und nickte in Richtung der jungen Frau. »Ich schlage vor, ihr setzt euch zu uns. Frische Luft und so. Ich angle ein bisschen, wer weiß, vielleicht gibt's Fisch zum Abendessen.« Es klang, als rechne er damit, dass sie dann immer noch hier sein würden. Christopher spähte auf die Uhr im Armaturenbrett. Kurz nach drei Uhr. Das konnte ja heiter werden.

Sie stiegen aus. Neben dem Zelt, in Ufernähe, stand ein grob aus Baumstämmen gezimmerter Campingtisch mit Sitzbänken. Am Ufer ragte ein Steg in den See, der seine besten Tage schon lange hinter sich hatte; ein Teil davon war so tief abgesunken, dass ihn das Wasser sanft plätschernd überspülte. Richard balancierte, eine gewaltige Angel in der Hand, auf die am wenigsten wackelnden Balken hinaus, um die Leine auszuwerfen.

»Das wird wieder nichts«, meinte Ann in einem Ton, als befürchte sie, in diesem Fall hungers zu sterben. »Sie beißen hier unten einfach nicht.«

Dann verging einfach nur noch Zeit, quälend langsam, ohne

169

dass sich viel tat. Richard stand auf dem halb versunkenen Steg, holte ab und zu die Leine ein, um sie surrend wieder auszuwerfen. Fische beteiligten sich nicht an diesem Schauspiel. Ann und Serenity machten Konversation, redeten über Platten und Bands, die Christopher nicht kannte, Fernsehsendungen, die ihm auch nichts sagten, belangloses Zeug über Serenitys Schule und Anns College. Im Grunde tauschten sie lauter Nullinformationen aus.

Serenity. Manchmal kam es ihm vor, als mustere sie ihn verstohlen, wenn er gerade nicht hinsah. Auch schon im Auto. Aber sie ließ ihn in Ruhe, fragte ihm keine Löcher in den Bauch. Das rechnete er ihr hoch an. Das war etwas, das man nicht so ohne Weiteres erwarten konnte.

Christopher hörte dem Gespräch der beiden nur mit halbem Ohr zu. Er fragte sich, was jetzt im eigentlichen Camp vor sich gehen mochte. Dadurch, dass Jeremiah Jones die – absolut vernünftige – Strategie verfolgte, keine wichtigen Informationen über die Netzwerke auszutauschen, hatte Kyle ihre Ankunft nicht ankündigen können. Auf welcher Informationsgrundlage wollten sie aber nun entscheiden, was mit ihm geschehen sollte? Im Grunde würde den Ausschlag geben, was Serenitys Bruder zu erzählen hatte.

Mit anderen Worten: Er war ihnen ausgeliefert.

Aber wie hätte er das verhindern sollen? Ihm fiel kein anderer Weg ein als der, den er gegangen war.

Er wälzte diese Gedanken gerade zum hundertsten Mal hin und her, als es auf dem Waldweg, der zum See hinabführte, plötzlich rumpelte und rumorte.

»Richard!«, rief Ann alarmiert.

Der zuckte zusammen, begann, wie wild an seiner Angelrol-
le zu kurbeln.

Im nächsten Moment tauchte ein geradezu monströser
Wohnwagen auf, aus dessen Windschutzscheibe sie die Gesichter einer vierköpfigen Familie anstarrten.

34 | Ann winkte den Neuankömmlingen zu, dann stand sie seltsam schnell auf und verschwand im Zelt. Richard hatte seine Leine endlich aufgerollt; die Angel in der Hand kam er nun vom Steg herunter und ging auf den Wohnwagen zu.

Christopher bemerkte erst jetzt, dass von einer der Zeltstangen ein dünnes, kaum wahrnehmbares Kabel hinauf in die Wipfel führte. Zweifellos eine Antenne. Sie standen im Notfall also in Sprechfunkverbindung mit dem Camp.

Richard fing ein Gespräch mit den Insassen des Wohnmobils an, schüttelte allen die Hände . . .

Christopher kniff die Augen zusammen.

»Touristen, oder?«, flüsterte Serenity ihm zu. »Die nach einem Platz zum Campen suchen.«

Christopher nickte unbehaglich. Darum also der Vorposten. Es galt zu verhindern, dass zufällig irgendwelche Urlauber auf das Camp stießen. »Gar nicht so dumm«, gab er zu. Er sah sich um. »Hier ist wenig Platz, die beste Stelle ist schon belegt, noch dazu mit einem frisch verliebt aussehenden Pärchen . . . Da werden die meisten von sich aus beschließen, es lieber woanders zu versuchen.«

Serenity warf ihm einen Blick zu, den er nicht deuten konnte, sagte aber nichts.

Tatsächlich, es lief genau so. Richard gestikulierte schon, als erkläre er den Leuten den Weg irgendwohin, trat dann beiseite, damit das Wohnmobil genug Platz zum Rangieren hatte. Die Frau winkte ihnen dabei mit strahlendem Lächeln zu, sie winkten zurück. Dann hatte das gewaltige Gefährt gewendet und verschwand wieder auf dem Weg, auf dem es gekommen war.

»Die verdammten Ferien«, seufzte Ann, als sie wieder aus dem Zelt geschlüpft kam. »Bis Samstag ist überhaupt niemand gekommen, und das war jetzt schon der zweite.«

»Wir können Leuten, die sich hierher verirren, ein paar viel bessere Plätze an zwei anderen Seen empfehlen«, erklärte Richard. »Das reicht meistens. Außerdem ist es hier ja wirklich zu eng für zwei Camper«, fügte er hinzu. Jetzt merkte man seiner Stimme an, unter welcher Anspannung er gestanden hatte.

Aus dem Zelt ertönte ein kurzes Piepsignal, das die beiden aufmerken ließ. Richard ging los, um den beweglichen Busch aus dem Weg zu ziehen, und wenig später war wieder ein Motor zu hören, diesmal aus der Richtung des Camps.

Es war der Pick-up, dem sie gefolgt waren, aber nun saßen andere Leute darin. Einer davon, ein grauhaariger Mann mit wolligem Bart und dicken Tränensäcken, schien Serenity von früher zu kennen, und sie ihn auch, denn sie rief »Rus!« und rannte winkend auf den Wagen zu.

Sie fielen sich in die Arme, während Kyle ausstieg, herüberkam und sich bei Richard erkundigte, ob alles in Ordnung sei. Der nickte und erzählte von dem Wohnwagen.

Christopher dagegen konnte kaum still stehen. Wie lange wollten sie es denn *noch* hinauszögern?

Endlich riss sich Serenity los, winkte dem davonfahrenden Pick-up nach, bis er außer Sicht war, und kam zurück mit der Frage: »Wann hört das eigentlich auf, dass einem Leute, die man ein paar Jahre lang nicht gesehen hat, als Erstes erzählen, man sei *groß geworden?*«

Kyle rieb sich die Stirnnarbe. »Vermutlich, wenn sie dir statt-

173

dessen sagen, du seist *alt* geworden.« Er hob den Schlüssel-
bund. »Kommt, steigt ein.«

Der versteckte Waldweg erwies sich als Schotterpiste, gegen
die alles Bisherige bequem und komfortabel gewesen war. Hier
kratzten Äste und Zweige die Scheiben entlang. Mehrmals
mussten sie sprudelnde Bäche durchqueren, die quer über die
Piste flossen, und kamen bisweilen nur im Schritttempo vo-
ran. Der Geländewagen bockte derart, dass sich Christopher
den Kopf an der Decke anschlug, und an einer Stelle verengte
sich die Spur so sehr, dass sie eigentlich hätten abrutschen
müssen.

Es ging noch einmal über einen Bergrücken und wieder hinab an einen See. Oder an denselben, nur an ein anderes Ufer.
Kyle brachte den Geländewagen zum Stehen.

»Wir sind da.«

Christopher spähte aus dem Fenster. Ringsum im Dickicht
und fast verdeckt von Büschen und Bäumen standen Zelte,
Wohnwagen und, unter Planen verborgen, einige Autos. Unten am See brannte ein Lagerfeuer, um das ein paar Dutzend
Menschen herumstanden. Alles wirkte friedlich, wie ein Cam-
pingplatz eben. Und doch irritierte ihn etwas.

Er brauchte eine Weile, ehe ihm klar wurde, was: Das *Feld*
war hier nicht mehr zu spüren.

35 | Sie stiegen aus. Es roch nach Rauch, nach Essen. Man hörte verhaltene Stimmen, jemand hackte Holz, und in den undurchdringlichen Tiefen des Waldes krakeelten allerlei Vögel. Der Boden war weich und nachgiebig, was eigentümlich beruhigend wirkte.

Die Menschen am Feuer hatten ihre Ankunft bemerkt und kamen gemächlichen Schritts heran, um sie zu begrüßen. »Meine Schwester«, stellte Kyle sie vor, »und das ist Christopher.« Er hob den Kopf, sah in die Runde. »Wo ist denn Dad?«

»Dein Vater musste kurz weg«, sagte ein Mann mit einer Statur, die an einen Bären denken ließ. Er musterte Christopher, ohne auch nur einen Muskel seines ausdruckslosen Gesichts zu verziehen. »Ich zeige euch das Gästezelt. Jeremiah kommt so bald wie möglich.«

»Wo ist er denn hin?«, wunderte sich Kyle.

»Das musst du ihn selbst fragen.«

Das gefiel Kyle sichtlich nicht, aber Christopher war froh darüber. Er hatte es geschafft. Er war tatsächlich hier! So ganz konnte er es noch gar nicht glauben.

Er nahm seine Tasche und folgte dem Mann, der, wie er später erfahren sollte, John Two Eagles hieß, ein Indianer vom Stamm der *Piegan Blackfeet* und so etwas wie Jeremiah Jones' Stellvertreter im Lager war.

Das Gästezelt roch muffig, als habe es jahrelang halb feucht zusammengefaltet in irgendeinem Kofferraum gelegen. Eine niedrige Liege stand darin, die bei jeder Bewegung quietschte, und der Schlafsack darauf fühlte sich klamm an. Sie ließen ihn allein zurück; offenbar würden Serenity und Kyle woanders schlafen.

Christopher ließ sich auf die Liege fallen und schloss für einen Moment die Augen.

Kühl war es. Jetzt im Frühling und nach der langen Autofahrt angenehm, aber wie mochte es sein, den Winter hier draußen zu verbringen? Er erinnerte sich undeutlich an allerhand unerfreuliche Erzählungen, wie die Winter in Montana sein konnten. Dreißig, vierzig Grad minus und so. Meterhoch Schnee und heftige Stürme.

War es eine gute Idee gewesen hierherzukommen?

Nein, sagte sich Christopher mutlos. Es gab bloß keine Alternative.

Sein Gedärm meldete sich. Jetzt, da die erste Anspannung von ihm abfiel, duldete es keinen weiteren Aufschub mehr. Er fragte sich zur Toilette durch. Das war auch ein Zelt, ein kleines, vergilbtes, in dem eine Holzbank mit einem ausgesägten Loch darin über einer atemberaubend stinkenden Grube stand und Fliegen einen aufgeregt umschwirrten. Wenigstens gab es Klopapier.

Verzweiflung beschlich ihn. Warum entpuppte sich das alles nicht als schlechter Traum? Warum konnte es nicht einfach wieder sein wie früher?

Die Hände wusch man sich mit Wasser aus einem Eimer. Auf einem Stein lag ein Stück Seife. Das Wasser war so kalt, dass man das Gefühl hatte, es brenne auf der Haut.

Das sollte nun sein Leben werden? Diese Frage ging Christopher durch den Kopf, während er sich die Hände an einem

Tuch abtrocknete, das an einem Ast hing. Sich verkriechen in der Einöde? In der Einsamkeit hausen, weit weg von allen Orten, an denen es sich angenehm lebte und die deshalb schon seit langer Zeit dicht besiedelt waren?

Und nie wieder mit Computern zu tun haben! Das konnte er sich am schwersten vorstellen. Was sollte er denn dann tun? Er war dafür geboren, mit Rechnern umzugehen, wie andere geborene Fußballspieler oder geborene Anführer waren.

Irgendwo schrie ein Tier. Es war ein hohler, lang gezogener Laut – so, als leide es unter einer schrecklichen Sehnsucht.

Am Himmel zogen dicke Wolken auf. Die Dämmerung nahte, und es sah aus, als würde es in der Nacht regnen.

Auf dem Weg zurück zum Gästezelt tauchte Serenity wieder auf. »Da bist du ja«, sagte sie erleichtert, so, als habe sie ihn gesucht. »Komm, es gibt Abendessen!«

Sie versammelten sich rings um das Lagerfeuer, saßen auf umgestürzten Baumstämmen oder auf dicken Plastikkissen am Boden: um die zwei Dutzend Leute, mehr Männer als Frauen, die meisten zwischen vierzig und sechzig, wie Christopher schätzte. Es gab Bohneneintopf mit Fleisch aus zwei großen Kochtöpfen, die an Dreifüßen über dem Feuer hingen. Christophers Magen knurrte hörbar, als ihm der Geruch in die Nase stieg.

Ein graugrünes Militärzelt schien als eine Art Lebensmittellager genutzt zu werden: Eine Seite ließ sich nach oben rollen und festmachen. Ein totes Tier hing darin, mit den Hinterläufen an der Firststange aufgehängt und schon teilweise abgehäutet; ein Reh, soweit sich das noch erkennen ließ. Im Hintergrund standen zwei alte Kühlschränke, irgendwo hörte man ein Stromaggregat tuckern.

Ganz schön aufwendig für so eine Siedlung von Flüchtlingen – auch wenn alles andere eher nach Provisorium aussah und erahnen ließ, wie überhastet das Camp organisiert worden sein musste.

Auf seinem Weg von Mexiko die kalifornische Küste hinauf hatte Christopher eine Menge Campingplätze gesehen: Damit hatte dieses Lager keinerlei Ähnlichkeit. Hier gab es keine hoch technisierten Campingfahrzeuge, groß wie Reisebusse, keine mit Gartenzwergen und Lichterketten verzierten Superzelte. Er sah nur grüne oder tarnfarbene Zelte aus Militärbeständen, ein paar kleine, schlichte Wohnwagen oder umgebaute Lastwagen und Tarnnetze, die in den Bäumen hingen. Es wirkte wie ein Lager versprengter Guerilleros.

Das Essen war einfach, schmeckte aber überraschend gut. Was sicher an der würzigen Waldluft lag oder daran, dass er den ganzen Tag nur Junkfood zu sich genommen hatte.

Den anderen schien es auch zu schmecken. Gesprochen wurde nicht viel, vermutlich, weil Neuankömmlinge in der Runde saßen. Fremde.

Oder zumindest ein Fremder: er. Christopher fragte sich, wie viel sie wussten, versuchte, es aus den Blicken herauszulesen, mit denen sie ihn ab und zu maßen.

Kyle gehörte dazu, das merkte man. Sie behandelten ihn als einen der ihren. Serenity kannten viele aus Zeiten, als sie ein Kind gewesen war; sie musste sich eine Menge weiterer Sprüche aus der Rubrik »Was bist du groß geworden« anhören.

»Die meisten kenne ich schon mein Leben lang«, erklärte Serenity ihm. »Manche haben zusammen mit Dad irgendwelche Projekte durchgezogen, und andere . . . Von denen weiß ich auch nicht, warum sie immer da waren; sie waren es eben. Freunde.«

»Schön«, sagte Christopher kauend. Seine Eltern hatten wenige Freunde gehabt. Nur Arbeitskollegen.

Und er selber? Mit seinen Klassenkameraden hatte er nicht viel anfangen können. Im Grunde war er auch immer alleine gewesen.

Irgendwie traurig.

Plötzlich – es begann schon, dunkel zu werden – kam Aufregung in die Runde, hoben sich Köpfe, war auf einmal allgemeine Erleichterung mit Händen zu greifen. Ein Mann kam aus dem Gebüsch, gefolgt von zwei Begleitern, ließ einen Rucksack und ein Gewehr von seiner Schulter sinken und trat in den Lichtkreis des Lagerfeuers.

Jeremiah Jones.

Der Vater von Kyle und Serenity sah völlig anders aus, als er ihn sich vorgestellt hatte. Auf den Fotos wirkte er älter, trug einen beeindruckenden Bart und hatte durchaus Ähnlichkeit mit alttestamentarischen Darstellungen von Propheten. Der Jeremiah Jones, wie ihn die Zeitungen und das Fernsehen gezeigt hatten, wäre eine tolle Besetzung für die Rolle des Moses gewesen.

Mittlerweile hatte er sein Äußeres drastisch verändert. Der Mann, der da im warmen Widerschein der Flammen stand, war schlank, geradezu drahtig, obwohl deutlich nicht mehr der Jüngste, und nahezu glatzköpfig. Er erinnerte eher an Captain Picard aus *Raumschiff Enterprise* als an Moses.

Serenity stellte ihren Blechteller beiseite, wirkte einen Moment lang unsicher, ob sie sich überhaupt bemerkbar machen sollte. Dann fiel Jeremiahs Blick auf sie und ein Strahlen breitete sich auf seinem Gesicht aus. Sie sprang auf, rannte ihm entgegen und umarmte ihn stürmisch. Ihr Vater schien sich zu freuen, sie zu sehen – doch zugleich war ihm auch Sorge um sie anzumerken.

»Und das ist also der junge Mann, den ihr mitgebracht habt«, sagte Jones, als er, den Arm immer noch um die Schultern seiner Tochter gelegt, das Feuer umrundete.

Christopher stand auf, fühlte sich linkisch und unbeholfen unter all den Blicken, die in diesem Moment auf ihm ruhten. Er schüttelte die ausgestreckte Hand. »Christopher«, sagte er leise. »Ich heiße Christopher Kidd.«

Jones nickte. »Wir müssen dringend reden, glaube ich.« Er legte Christopher die Hand auf die Schulter. »Nach dem Essen.«

36 | Nach dem Essen wurde das Geschirr eingesammelt. Ein paar Männer machten sich an den Abwasch, mit Wasser aus dem See, das zuvor in anderen Töpfen über dem Feuer heiß gemacht worden war. Neues Holz wurde aufgelegt, nicht nur, um die aufsteigende Nachtkühle und die Mücken zu vertreiben, sondern auch, um Licht zu geben: Der Wald ringsum und der See waren längst von der pechschwarzen Finsternis verschluckt worden.

Während des Essens war Christopher aufgefallen, dass ein paar der Leute am Feuer irgendwann aufgestanden, im Wald verschwunden und nicht wiedergekommen waren. Dafür waren andere aufgetaucht, die er bis dahin noch nicht gesehen hatte.

Wachablösung, hatte er begriffen. Ein paar von Jones' Leuten waren immer damit beschäftigt, die Umgebung im Auge zu behalten.

»Tja, dann wollen wir mal«, meinte Jeremiah Jones irgendwann, als die Aufräumarbeiten einigermaßen abgeschlossen waren. Der bärenhafte Indianer, der sie empfangen hatte, nahm neben ihm Platz, eine Frau mit langen dunkelblonden Haaren auf der anderen Seite, dazu noch ein weißhaariger, grüblerisch dreinblickender Mann. Das Führungsgremium des Lagers, mutmaßte Christopher. Die übrigen Männer und Frauen setzten sich, wo noch Platz war.

»Nun, wir sind alle neugierig auf dich, wie du siehst«, begann Jones, als Ruhe eingekehrt war. »Und darauf, was du uns zu erzählen hast. Kyle erwähnte, dass du uns eine Art . . . hmm, Geschäft anbieten willst. Deine Hilfe gegen unsere. Habe ich das richtig verstanden?«

Christopher räusperte sich. »Ja. Sie wissen, dass das FBI Sie mithilfe von Satellitenbildern der militärischen Aufklärung sucht?«

Jones nickte. »Deswegen geben wir uns die Mühe mit den Tarnnetzen. Und ziehen alle paar Tage an einen anderen Ort.«

Christopher schüttelte den Kopf. »Das nützt Ihnen nichts. Die Satelliten des *Skylook-23-* Programms arbeiten auch im Infrarot- und UV-Bereich und lassen sich von Tarnungen nicht täuschen. Die Bilder, die sie liefern, werden von einer Matrix der leistungsstärksten Rechner der Welt ausgewertet. Die Software des Systems kann Lager wie dieses – weitab der Zivilisation und nur behelfsmäßig getarnt – auf Satellitenbildern identifizieren. Es meldet jeden Fund automatisch an alle Stellen, die mit Terrorbekämpfung zu tun haben. Und es gibt keinen Ort auf der Welt, der der Weltraumüberwachung länger als achtundvierzig Stunden entgeht.«

Jones nickte. Seine Miene war plötzlich wie versteinert. »Das entspricht ungefähr meinem Kenntnisstand. Ich frage mich in der Tat, wieso uns das FBI nicht schon längst gefunden hat.«

»Weil ich diese Software manipuliert habe«, sagte Christopher.

»Manipuliert.«

Er sah auf seine Hände hinab und dachte an zwei lange Nächte, die er in Mexico City damit verbracht hatte, sich in das System des amerikanischen Militärs zu hacken. Das war in der Wohnung von Armando Suarez gewesen, einem Computercrack, mit dem er bis dahin nur per Internet kommuniziert hatte.

Eigentlich hatte er nur bei ihm übernachten wollen. Dummerweise – oder, wie sich herausstellen sollte, zum Glück – lief bei Armando ständig mindestens ein Fernseher. Die Nachrichten hatten von einem Terroranschlag berichtet und dass ein gewisser Jeremiah Jones dafür verantwortlich sein sollte.

Christopher hatte unverzüglich handeln müssen. Armando, ein bulliger Kerl von dreißig Jahren, der grässliches Kraut rauchte und gelegentlich Aufträge für die Unterwelt von Mexiko-Stadt erledigte, hatte ihm seine Computer zur Verfügung gestellt. Er hatte ihm auch ein wenig geholfen, nach einer Weile aber nur noch stumm zugeschaut. Ab und zu hatte er den Kopf geschüttelt, und dann hatte Christopher nichts mehr mitbekommen. Wenn er vor einer Tastatur saß, blendete er irgendwann alles aus, was um ihn herum passierte.

»Ich musste es tun. Die hätten Sie sonst innerhalb von zwei Tagen gehabt«, erklärte er. »Die Software ist imstande, Konturen von Zelten, Lastwagen, Wohnwagen und dergleichen auf Satellitenfotos zu identifizieren. Zusammen mit den Alarmmeldungen werden automatisch Bilder verschickt, auf denen die entsprechenden Umrisse grafisch hervorgehoben sind.«

Irgendjemand ächzte. Jones hob nur die Augenbrauen. »Und das tut sie jetzt nicht mehr?«

»Nein. Ich habe das Programm so abgeändert, dass diese Konturen nicht mehr betont, sondern aus dem Foto *herausgerechnet* werden.« Natürlich nur bei Camps einer gewissen Größe und Art. Wenn auf den Satellitenbildern plötzlich überhaupt keine Zelte mehr aufgetaucht wären, hätte das mit Sicherheit jemanden misstrauisch gemacht. Aber das waren nur Details.

»Was, vermute ich, zur Folge hat, dass uns die Software nicht mehr aufspürt?«

»Die Software nicht und auch sonst niemand«, sagte Christopher. »Niemand bekommt heutzutage Satellitenbilder im Originalzustand zu Gesicht. Jede Aufnahme, die sich jemand auf den Schirm holt, ist digital aufbereitet. Das heißt, wenn sie Leute an die Suche setzen sollten, werden die auch nichts finden.«

»Es sei denn, sie kommen auf die Idee, sich *doch* die Originale anzuschauen.«

»Die gibt es nicht mehr. Ich lasse sie überschreiben, ohne etwas am Erstellungsdatum oder den sonstigen Dateiinformationen zu verändern.«

Jeremiah Jones fuhr sich bedächtig mit der Hand über den kahlen Schädel – ein bisschen sah es aus, als wundere er sich, wo seine Haare abgeblieben waren.

»Okay«, sagte er schließlich. »Wenn das so ist, dann hast du uns tatsächlich schon geholfen. Bleibt die Frage, was wir für dich tun können.«

»Ich werde auch verfolgt. Meine erste Bitte ist Unterschlupf bei Ihnen.«

Jones machte eine einladende Geste. »Du bist herzlich willkommen. Und weiter?«

Christopher sah in die Runde der Gesichter, die ihn aufmerksam musterten. Schon bei seiner Ankunft und vorhin beim Abendessen hatte er seine Augen offen gehalten, aber das Gesicht, das er suchte, war nicht da.

»Vielleicht hat Ihnen Kyle erzählt, dass ich einen Chip im

Gehirn trage, der eine Art Schnittstelle zum Internet dar-
stellt . . .?«, sagte er.

Jones nickte. »Hat er.«

Christopher holte tief Atem. Es fühlte sich an, als müsse er
gegen einen Widerstand einatmen.

»Unter Ihren Leuten«, fuhr er fort, »müsste sich ein Dr. Stephen Connery befinden, ein ehemaliger Neurochirurg. Meine
zweite Bitte wäre, dass er mich operiert. Ich will diesen Chip
loswerden.«

37 | Es war, als säße er vor einem Tribunal. All die Blicke, die auf ihn gerichtet waren . . . Blicke, in denen sich Fassungslosigkeit spiegelte oder auch Widerwille. Aber was sollte er tun? Es war, wie es war.

Für die Dauer eines Herzschlags kam es ihm vor, als sei die Zeit stehen geblieben, als befände er sich in einem Nichts, einem Vakuum. Erst nach und nach schienen seine Sinne wieder einzusetzen. Er roch den Rauch, das Fleisch, die Erde und Tannennadeln. Ein leichter Wind rauschte in den Baumwipfeln. Von weiter weg drangen Geräusche heran, das Klappern von Geschirr, das unterschwellige Wummern des Generators. In einem Zelt in einiger Entfernung ging eine Glühbirne an. Ihr Licht wurde mal heller, mal dunkler – besonders gleichmäßig schien der Generator nicht zu arbeiten.

Und man hörte Stimmen, ohne zu verstehen, was sie sagten. Gelächter. Er beneidete die Menschen, die da lachten.

Vor allem, dass sie nicht wussten, was ihnen bevorstand.

Der weißhaarige Mann, der sich bis jetzt noch nicht zu Wort gemeldet hatte, verschränkte die Arme und sah Christopher prüfend an. »Deine Bitte klingt vernünftig, in meinen Ohren zumindest«, sagte er. »Aber leider gibt es da ein Problem. Ein Stephen Connery ist uns nicht bekannt.«

Christopher fühlte sich auf einmal schrecklich müde. »Ich bin mir sicher, dass er hier ist. Wahrscheinlich unter einem anderen Namen.«

Die Männer und Frauen rings um das Feuer wechselten irritierte Blicke. »Theoretisch möglich«, meinte jemand. »Wir haben uns früher schließlich keine Ausweise zeigen lassen.«

Jones musterte Christopher nachdenklich. »Wieso bist du dir so sicher, dass dieser Dr. Connery hier ist?«

Ja, wieso eigentlich? Bis gerade eben hatte er nie daran gezweifelt, den Neurochirurgen am Ende seiner langen Reise zu finden. Wenn er sich geirrt haben sollte, dann allerdings . . .

Er dachte zurück. Spürte wieder den Schreck, das Projekt so Knall auf Fall beendet zu sehen, zerfallen, weil es sich in eine Richtung entwickelt hatte, die niemand vorhergesehen hatte. Niemand hatte ihnen sagen können, wohin Dr. Connery verschwunden war. Sie waren zu ihm nach Hause gefahren, doch dort hatten sie nur seine Haushälterin vorgefunden, völlig außer sich, dass der Mediziner ihr gekündigt hatte, und nicht einmal persönlich, sondern nur mit einem kurzen Schreiben. »Aufräumen soll ich, hat er geschrieben«, ereiferte sich die stämmige Frau mit den speckigen Locken. »Und dass seine Schwester kommen wird, um alles zu verkaufen.« Sie schnaubte empört. »Das habe ich wirklich nicht verdient. Nicht nach allem, was ich für ihn getan habe!«

»Was hat er denn mitgenommen?«, fragte Dad behutsam. »Irgendwas Besonderes . . .?«

Nein, meinte die Frau schniefend. »Nur ein paar Sachen aus seiner Campingausrüstung. Aber das Zelt ist noch da, der Kocher und die Luftmatratze auch . . .«

Dr. Connery hatte sich also nicht einfach auf dem Land zur Ruhe gesetzt, wie er immer gesagt hatte, dass er es eines Tages machen würde.

»Und seine Arzttasche«, fügte die Haushälterin hinzu. »Die ist auch weg.«

Egal, wen sie fragten, niemand wusste, wohin der Neurochirurg verschwunden war. Er hatte sich bei niemandem verabschiedet; selbst seiner Schwester hatte er nur einen Brief geschickt mit einer Vollmacht, das Haus und seinen Besitz zu verkaufen. Es gab keine Spuren, keine Hinweise, keine Erklärungen.

Erst viel später fiel Christopher ein, dass das vollgestopfte Bücherregal in Dr. Connerys Büro nach seinem Verschwinden eine Lücke aufgewiesen hatte. Eine einzige nur, in dem Fach direkt hinter seinem Sessel, in dem er Bücher verwahrt hatte, nach denen er häufig griff.

Ein Buch hatte gefehlt. Dr. Connery war so bedacht darauf gewesen, keine Spuren zu hinterlassen, aber dieses Buch hatte er trotzdem mitgenommen.

Er musste es für unwahrscheinlich gehalten haben, dass sich jemand an ein einzelnes seiner vielen Tausend Bücher erinnern würde.

Aber Christopher hatte für manche Dinge – wie Computerprogramme, Passwörter, Dateiformate oder eben auch Bücher – ein nahezu fotografisches Gedächtnis. Zwar kannte er den Titel nicht, weil nie Gelegenheit gewesen war, das Regal zu inspizieren, aber er erinnerte sich noch an einen charakteristischen, rot-weiß karierten Rücken.

»Ich habe im Internet nach diesem Buch gesucht«, erklärte Christopher. »Was schwierig ist, wenn man nur das Cover kennt. Oder sogar nur einen Teil davon. Aber schließlich habe ich es gefunden.«

»*Der digitale Albtraum*. Die britische Ausgabe meines Buches hatte dieses grauenhafte Muster auf dem Umschlag«, sagte Jones. »Ich war froh, als sie vergriffen war.«

Christopher hatte das Buch zuletzt in einer Bücherei aufgestöbert und durchgelesen, ohne sich zu setzen, gleich am Regal. Es hatte davon gehandelt, welche Auswirkungen die zunehmende Allgegenwart von Computern auf das menschliche Leben und Denken hatte.

Was einmal tatsächlich passieren würde, hatte auch Jeremiah Jones nicht erraten. Aber da das Buch erschienen war, lange bevor er als Terrorist gegolten hatte, hatte es Adressen und Telefonnummern enthalten, unter denen man mit ihm Kontakt aufnehmen konnte. Und genug Anhaltspunkte für Christopher, um ihn auch danach noch aufzuspüren.

»Eine faszinierende Geschichte.« Jeremiah Jones musterte Christopher nicht ohne Bewunderung. Dann reckte er sich und rief nach hinten ins Dunkel: »Bob? Ich glaube, es ist Zeit.«

Gleich darauf tauchte ein breitschultriger Mann mit einem dichten, verfilzten Bart und einer schwarzen Hornbrille auf. Christopher musste zweimal hinschauen, um ihn zu erkennen.

»Dr. Connery?«

Der Mann nahm umständlich die Brille ab, steckte sie ein und fuhr sich mit einer Hand über seine Stirn. »Christopher«, sagte er und ein kleines Lächeln, aus dem gleichzeitig so etwas wie Verzweiflung sprach, huschte über sein Gesicht. »Ich hatte gehofft, nie wieder mit diesem Namen angesprochen zu werden.«

»Wir kannten ihn bisher als Robert Moore«, erläuterte Jeremiah Jones. Er wandte sich an seine Leute. »Nachdem Kyle mir von Christopher erzählt hat, hat Bob mich beiseitegenommen und mir seine wahre Identität enthüllt. Er hat mir auch bestätigt, dass er an einer solchen Technologie gearbeitet hat – zum Glück, denn andernfalls, das muss ich ehrlich sagen, hätte ich mich schwergetan, meinem Sohn zu glauben. Bob und ich haben ausgemacht, dass er sich erst einmal im Hintergrund hält, um von Christopher nicht erkannt zu werden.« Er lächelte dünn. »Ich hatte von Anfang an das Gefühl, dass dieses Zusammentreffen kein Zufall sein konnte.«

»Bob«, sagte der alte, weißhaarige Mann vorwurfsvoll, »wieso hast du uns nicht gesagt, dass du Arzt bist?«

»Ich wüsste nicht, was ihr mit einem *Neurochirurgen* anfangen wollt«, gab Dr. Connery grummelig zurück. »Wenn mir was fehlt, komme ich auch zu dir, Neal, oder?« Er warf Christopher einen skeptischen Blick zu. »Dich hätte ich allerdings nicht hier erwartet, das muss ich zugeben.«

Ehe Christopher antworten konnte, sagte Jones: »Er braucht deine Hilfe, Bob. Er hat einen Chip im Kopf, den er loswerden möchte.«

»Ah ja, der Chip.« Dr. Connery kniff die Augen zusammen. »Das heißt, Linus' verdammte Schnittstelle, oder?«

»So ähnlich.« Christopher erklärte ihm, wie groß das Ding war und dass es am Riechnerv saß. Und dass es mit autoaktiven Biokontakten ausgestattet war, die Verbindung mit Nervenfasern selbsttätig herstellen konnten.

Dr. Connery schüttelte den Kopf. »Christopher! Gerade dir hätte ich mehr Intelligenz zugetraut. So etwas zu entfernen, wäre selbst in einem voll ausgerüsteten OP nicht einfach. Und du willst, dass ich das hier mache, in der tiefsten Wildnis? Ist dir klar, wie gefährlich ein solcher Eingriff unter diesen Umständen wäre?«

Christopher spürte, wie sich etwas in seinem Unterleib zusammenballte. Angst.

»Es drinzulassen, wäre noch gefährlicher. Und woanders ist der Eingriff nicht mehr möglich.«

»Was heißt das? Sind die Upgrader schon so mächtig geworden?«

»Sie kontrollieren fast alles.«

Dr. Connery ließ sich auf einen der Baumstämme sinken, auf der anderen Seite des Feuers, Christopher gegenüber. »Erzähl uns die ganze Geschichte«, forderte er. »Ich habe nur den Anfang miterlebt, und der war schlimm genug. Ich muss wissen, ob es so gekommen ist, wie ich befürchtet habe.«

Christopher war, als verfestige sich die Dunkelheit um sie herum. Als werde in diesem Augenblick die Nacht zu einem Kerker, der sie alle einschloss.

Er sah zu Boden, schüttelte den Kopf.

»Nein«, sagte er. »Ist es nicht.«

Ein Schweigen ringsum, dass man meinen konnte zu ersticken.

Christopher hob den Blick wieder, sah den Mann an. »Es ist alles noch viel schlimmer«, flüsterte er.

Kohärenz

38 | Christophers Vater und er hatten nicht viel Zeit, sich über das Verschwinden von Dr. Connery Gedanken zu machen, denn kurz danach starb Christophers Großmutter.

Sie starb, weil sie blind war.

Wäre sie nicht blind gewesen, hätte sie das Treppengeländer nicht verfehlt. Wäre nicht gestürzt. Hätte sich nicht zahlreiche schwere Brüche zugezogen, ein Unfall, von dem sie sich nicht mehr erholte. Sie wurde sofort ins Krankenhaus gebracht und operiert, bekam hohes Fieber, eins kam zum anderen, und zwei Wochen nach dem Sturz war sie tot.

»Wir hätten ihr *doch* Augen bauen sollen«, sagte Christophers Großvater bei ihrer Beerdigung, gramgebeugt und tiefe Verlorenheit ausstrahlend.

Christophers Mutter hatte sich schon auf dem Flug nach Frankfurt Sorgen gemacht, was nun mit ihrem Vater werden würde, allein in dem großen Haus. Ihn vor sich zu sehen, grau im Gesicht, mit leerem Blick und irgendwie *geschrumpft*, trug nicht dazu bei, diese Sorgen zu zerstreuen.

Aber ihr Vater weigerte sich kategorisch umzuziehen, und

von einem Altersheim wollte er erst recht nichts wissen. »Hier haben Ruth und ich unser ganzes Leben lang gewohnt. Wieso soll ich woanders sterben?«

Sie würde ihn nicht umstimmen, so gut kannte Christophers Mutter ihren Vater. Also telefonierte sie herum und organisierte ihm eine Haushaltshilfe und Essen auf Rädern, damit er täglich zumindest eine warme Mahlzeit bekam: Kochen hatte Heinz Raumeister nämlich nie gelernt.

»Wenn wir ihr Augen gebaut hätten . . .«, begann Opa noch einmal, als sie sich auf dem Flughafen verabschiedeten.

»Das hätten wir nicht gekonnt«, erklärte ihm Dad. »Wir waren noch nicht so weit. Wir wären es auch heute noch nicht, selbst wenn wir weitergemacht hätten. Das ist alles komplizierter als gedacht.«

Opa nickte traurig. »Sie hätte es ja auch nicht gewollt«, sagte er. »Ich weiß. Es ist nur . . .« Er beendete den Satz nicht.

So kehrten sie zurück. Mom bestellte eine Vielfliegerkarte und pendelte zweimal im Monat nach Frankfurt. Dad wurde einem anderen Projekt zugeteilt, einer ziemlich langweilig klingenden Sache: Es ging darum, für ein Londoner Krankenhaus Software zur Erfassung von Patientendaten zu entwickeln. Drei Leute der Firma arbeiteten schon seit einem Jahr daran, Dad würde der vierte Mann im Team sein.

Christopher hatte die ganze Zeit daran denken müssen, wie seine Großmutter ihm, kurz bevor sie erblindet war, ein silbernes Medaillon mit einer Halskette geschenkt und erklärt hatte: »Das hat schon *meiner* Großmutter gehört. Es soll dich auf allen Wegen beschützen.« Christopher hatte das Bild darauf betrachtet – ein Mann mit einem Wanderstab, der durch einen Fluss stapfte – und nicht verstanden, wie das funktionieren sollte. Also hatte er es in seine Nachttischschublade gelegt und dort vergessen.

Nun kam es ihm vor, als habe es seiner Großmutter Unglück gebracht, es wegzugeben. Als sie wieder in England waren, legte er das Medaillon an, mit dem festen Vorsatz, es von nun an jeden Tag zu tragen. Nur zur Erinnerung an sie, sagte er sich.

Ansonsten ging er eben wieder zur Schule und langweilte sich dort wie eh und je.

Ab und zu suchte er im Internet nach Spuren von Linus. Viel war nicht zu finden; die *Upgrader* bildeten eine seltsame, verschwiegene Szene, die im Verborgenen lebte. Nur selten, auf exotischen Servern etwa oder in *Peer-to-Peer*-Netzwerken, die sich meist, kurz nachdem Christopher sie aufgespürt hatte, wieder verflüchtigten, stieß er auf ihre Spuren: kryptische Teile seltsamer Programme, kaum zu verstehende Mitteilungen, Überbleibsel gelöschter Dateien mit ominösen Bildern und dergleichen. Mit Sicherheit sagen konnte man nur, dass es überall auf der Welt – in den USA, in Japan, Russland, Australien, Malaysia – Leute geben musste, die an Hirn-Maschine-Kopplungen arbeiteten. Sie taten es auf eigene Faust, abseits von Universitäten oder Forschungsabteilungen, in Kellern und Hinterzimmern und mit Geräten, die jedermann kaufen konnte. Sie bastelten bizarre Schaltungen, die sie in riskanten Operationen mit ihrem eigenen Körper verbanden, manchmal mithilfe von Freunden, die kaum mehr vom Operieren verstanden, als man aus Büchern lernen konnte.

»Brain-LAN-Party«, nannten sie das, wenn sich eine Handvoll Leute trafen, um einem von ihnen – auf dem Wohnzimmertisch liegend und mehr schlecht als recht narkotisiert – mit primitiven OP-Instrumenten Löcher in den Schädelknochen zu treiben und Anschlussdrähte hineinzuschieben.

Nicht wenige trugen bleibende Schäden davon, manche starben auch in der Folge ihrer Experimente, in verborgenen Foren wortreich betrauert und als Helden verehrt. Doch die Übrigen machten unverdrossen weiter.

Einer dokumentierte auf einer nur per Passwort zugänglichen Seite, wie er morgens vom Bett aus per Gedankenbefehl die elektrischen Rollläden hochfahren ließ und die Kaffeemaschine einschaltete – und verschwieg auch nicht den Nachteil seines selbst gebastelten Implantats: Es reagierte empfindlich auf Feuchtigkeit, weswegen er nicht mehr duschen konnte.

Ein anderer arbeitete daran, sein Auto per Gedanken zu steuern. Er hatte sogar einen guten Grund dafür: Er war seit einem Motorradunfall halbseitig gelähmt; sein Bruder lötete die Schaltkreise nach seinen Vorgaben. Doch die Website, auf der er von seinen Experimenten berichtete, war schon länger nicht mehr aktualisiert worden, und in einem geschützten Forum, in das sich Christopher erst hineinhacken musste, erfuhr er, dass der Betreffende bei einer Probefahrt ums Leben gekommen war. Ohne eigene Schuld, betonte derjenige, der davon berichtete, aber er führte nicht weiter aus, wessen Schuld es stattdessen gewesen sei.

So ging ein Jahr ins Land. Christophers Mutter flog immer öfter nach Frankfurt, um nach ihrem Vater zu sehen und nach

195

dem Haus. Ab und zu überlegte sie, in ihren alten Beruf zurückzukehren. Doch jedes Mal wenn sie und Dad darüber sprachen, kam der Punkt, an dem sie sagte: »Eigentlich war es entsetzlich stressig. Ich weiß nicht, ob ich mir das noch mal antun muss.« Und damit war das Thema wieder für eine Weile vom Tisch.

Man merkte, dass ihr das englische Landleben inzwischen gefiel: der Wochenmarkt in der Dorfmitte, die Nachbarn, die ihren Rasen mit der Schere schnitten . . . Sogar an den Linksverkehr habe sie sich gewöhnt, erklärte sie.

Und dann fand sich eines Tages ein dicker Umschlag mit fremdländischen Briefmarken darauf in der Post. Er war an Dad adressiert, der ihn abends öffnete und durchlas.

»Na, so was«, sagte er, überflog die Zeilen noch einmal und sagte schließlich: »Der ist von Linus, stellt euch vor. Er lebt jetzt in Singapur. Er hat zusammen mit ein paar anderen eine Firma gegründet, die sehr erfolgreich ist, wie er schreibt, und er lädt uns ein, ihn zu besuchen. Alle drei.«

Er hob eine kleine Mappe hoch. »Das sind die Tickets. Businessclass!«

39 | Der Changi Airport in Singapur war gigantisch, aber traumhaft gut organisiert. Den Schildern war zu entnehmen, dass Flugreisende, die hier umstiegen und auf ihren Anschlussflug warten mussten, sich die Zeit in einem Kino, einem Schwimmbad oder diversen Restaurants vertreiben konnten. Und überall standen PCs mit Internetanschluss, kostenlos zu benutzen. Christopher bedauerte es beinahe, dass Linus und seine Freundin sie schon erwarteten.

»Diesmal ist es die große Liebe, wenn du mich fragst«, sagte Christophers Mutter zu seinem Dad, während sie noch in der Schlange vor dem Zoll warteten. »Schau doch nur, wie harmonisch die beiden sich bewegen. Ein Herz und eine Seele, möchte man meinen.« Sie winkte, und Linus und seine Begleiterin, die hinter einer riesigen Glasscheibe warteten, winkten zurück – tatsächlich mit nahezu identischen Bewegungen.

Sie hieß Ayumi, sprach hervorragend englisch und war aus der Nähe betrachtet genauso bildschön wie von Weitem.

Was sie an Linus finden mochte, mit seinen Ohrringen (er trug nun tatsächlich einen neuen, einzelnen am rechten Ohr!), Tätowierungen und seiner Knollennase, war äußerst rätselhaft. Immerhin sah man ihm den neuen Wohlstand an: Die karierten Flanellhemden waren Designerjeans und einem Jackett gewichen, das genauso teuer aussah wie sein Haarschnitt, und es ging etwas von ihm aus, was wohl das Fluidum des Erfolgs sein mochte.

Die Begrüßung verlief mit viel Hallo und Schulterklopfen. Wie der Flug gewesen sei, wollte Linus wissen. »Businessclass hat schon was«, gab Dad zu. »Aber seit man in Flugzeugen

Mobiltelefone benutzen darf . . . Also, auf einem Zwölfstundenflug nervt das schon ziemlich.«

Linus lachte nur. »Das ist der Fortschritt. Nicht aufzuhalten.«

Die beiden dirigierten sie durch die ungeheuren Ströme von Menschen, die den Flughafen betraten oder verließen, zu einer vor dem Haupteingang wartenden, langen Limousine mit getönten Scheiben. Feuchte Hitze schlug ihnen entgegen. Der Parkplatz war Fahrzeugen mit Sondererlaubnis vorbehalten, wie zahllose Schilder unmissverständlich und unter Androhung hoher Strafen bei Zuwiderhandlung verkündeten. Ein Chauffeur in Uniform öffnete ihnen den Wagenschlag und kümmerte sich um ihre Koffer.

»Wir haben euch ein Zimmer im Fullerton reserviert«, erklärte Linus, als sie losfuhren. »Wir haben zwar Gästezimmer in unserer Wohnung, aber die sind durch unerwarteten Besuch belegt . . . Familie, ihr versteht? Das hat hier in Asien absoluten Vorrang.« Er machte eine wedelnde Handbewegung, wirkte einen Moment lang nicht wie der Manager, der alles im Griff hat, sondern wie der alte Linus, den sie kannten. »Aber das Fullerton ist ein tolles Hotel, das wird euch gefallen!«

Auch hier fuhr man links, genau wie in England. Der Verkehr floss erstaunlich friedlich auf vielspurigen Straßen, auf eine Silhouette von Wolkenkratzern zu.

»Ja, Singapur ist eine ruhige Stadt«, meinte Linus auf eine entsprechende Bemerkung Dads. »Wir haben die niedrigste Kriminalitätsrate der Welt – Verbrechen sind hier quasi unbekannt. Ihr braucht euch, wenn ihr die Stadt auf eigene Faust erkunden wollt, keine Sorgen zu machen: Man kann wirklich

198

zu jeder Tages- und Nachtzeit überallhin, ohne dass einem was passiert.«

»Das habe ich im Reiseführer gelesen«, warf Christophers Mutter ein. »Wie kommt das?«

Linus grinste schief. »Das Geheimnis ist totale Kontrolle. Singapur ist praktisch eine Diktatur – eine wohlwollende und vernünftige zwar, aber von Mitbestimmung des Volkes kann keine Rede sein. Es gelten drastische Gesetze, und die Strafen für Vergehen sind so hoch, dass sie wirklich abschrecken.«

Dad nickte. »Man hat uns beim Einchecken darauf hingewiesen, dass man nicht mal Zigaretten einführen darf.« Er hob die Schultern. »Egal, wir rauchen ja sowieso nicht.«

»War das alles, was sie euch gesagt haben?«

»Wieso?«

»Weil man sich in Singapur auch besser benehmen muss als sonst überall auf der Welt«, erklärte Linus. »Essen oder trinken in öffentlichen Verkehrsmitteln ist verboten und kostet fünfhundert Dollar Strafe. Eine Straße abseits ausgewiesener Überwege zu überqueren, ist verboten. Müll auf den Boden zu werfen, kostet bis zu dreitausend Dollar Strafe, außerdem muss man Kehrdienst auf den Straßen ableisten. Die Einfuhr von Kaugummi wird mit geradezu absurd hohen Strafen bedroht, zehntausend Dollar oder so . . .«

»Kaugummi?«

»Ja. Kommt man nicht von selber drauf, oder? Und so geht das weiter. Einem Mann, der einer Frau gegenüber aufdringlich wird, drohen Haft oder Prügelstrafe. Korruption wird atemberaubend streng bestraft, deswegen gibt es keine. Und der Besitz von Drogen wird mit der Todesstrafe geahndet, auch bei winzigen Mengen, ohne jede Ausnahme. Singapur hat die höchste Zahl von vollstreckten Todesurteilen pro Kopf weltweit.«

»Ja«, sagte Dad. »Das stand auf dem Einreiseformular, das man uns im Flugzeug gegeben hat. Nicht zu übersehen.«

»Alles ist geregelt. Zeitungen und Zeitschriften dürfen nur mit staatlicher Erlaubnis erscheinen. Wenn mehr als drei Leute öffentlich über Politik diskutieren wollen, brauchen sie eine Lizenz. Der Besitz von Satellitenschüsseln ist verboten, alle Fernseher sind ans Kabelnetz angeschlossen, in dem sämtliche Programme zensiert werden. Sexuelle Darstellungen, Äußerungen, die religiöse Gefühle irgendeiner der zugelassenen Konfessionen verletzen könnten, unerwünschte politische Meinungsäußerungen – das wird alles unterdrückt.« Linus breitete die Arme aus, lehnte sich zurück. »Und so kommt es, dass Singapur eine sichere, saubere Stadt ist, in der Millionen Menschen verschiedenster Herkunft und Religion friedlich zusammen leben: dank totaler Kontrolle.«

Es klang gruselig, wie er das sagte. Es klang, als gefiele ihm das.

Dad räusperte sich unbehaglich. »Deine Firma«, wechselte er das Thema. »Was macht ihr eigentlich genau?«

»Biotechnologie«, erwiderte Linus. »Eine absolute Boombranche. Und hier in Singapur hat man keine Angst vor dem Fortschritt. Anders als in Europa.« Er zog einen Prospekt aus der Tasche, drückte ihn Dad in die Hand. »Wir entwickeln Medikamente zur Regeneration von Körpergewebe und vertreiben sie weltweit. Das sind Stoffe, die das Zellwachstum anregen, vor allem das von Nervenzellen.«

»Ah«, machte Dad und faltete den Prospekt auseinander. Auf der Innenseite waren die Vorstandsmitglieder der Firma abgebildet. Linus gehörte dazu und Ayumi ebenfalls. »Interessant.«

Das Hotel war ein kolossaler Bau mitten in der Stadt, ein wahrer Palast mit umlaufenden Säulen im griechischen Stil, von Palmen gesäumt. Die Eingangshalle: ein Traum aus Licht und Glas und Gold, so hoch wie die Halle eines Bahnhofs. Ihre Zimmer waren luxuriöser als jeder andere Raum, den Christopher je im Leben gesehen hatte. Am liebsten hätte er das Abendessen geschwänzt, zu dem Linus und Ayumi sie erwarteten. Er hätte den Rest des Abends auf dem riesigen Bett in seinem Zimmer liegen und auf den Singapore River schauen können, der im Abendlicht aussah, als schwimme Blattgold auf dem Wasser.

Wobei der gigantische Fernseher auch nicht ohne war.

Keine Chance. Dad rief ihn an, kaum dass er sich im Zimmer umgesehen hatte, und mahnte zur Eile. Also duschte Christopher sich den langen Flug vom Leib, zog frische Sachen an, und dann gingen sie hinunter, wo ein von Linus bestelltes Taxi wartete.

Linus und Ayumi wohnten in einem Luxusapartment, zwanzig Stockwerke über der Stadt. Inzwischen war – verblüffend abrupt – die Nacht angebrochen, und die Lichter Singapurs glitzerten wie Geschmeide auf schwarzem Samt. Vom Verkehrslärm hörte man hier oben nichts mehr.

Sie speisten an einem langen Tisch, von drei schweigsamen Bediensteten umsorgt. Es schmeckte fremdartig, aber so gut, dass Christopher nun doch froh war, nicht im Hotel geblieben zu sein. Von dem Familienbesuch, den Linus erwähnt hatte, war nichts zu sehen; die seien ausgegangen, meinte Linus nur kurz, als Christophers Mutter ihn danach fragte.

Nach dem Essen gingen die Männer hinaus auf den Balkon, weil Linus noch eine Zigarette rauchen wollte, während die beiden Frauen Ayumis Orchideensammlung besichtigten.

Ein warmer Wind wehte vom Meer her, roch nach Tang und Diesel und seltsamen Gewürzen.

»Sieht ganz so aus, als hättest du deinen Millionengewinn optimal angelegt.« Dad lehnte sich über die Balkonbrüstung.

Linus blies eine Lunge voll Rauch in die Nacht. »Kann man so sagen.«

»Hast du eigentlich noch diese . . . Internetschnittstelle?«

Christopher grinste vor sich hin. Den ganzen Flug über hatte Dad nichts anderes beschäftigt. Es war ein Wunder, dass er es so lange ausgehalten hatte, bis er die Frage stellte.

Linus drückte seine Zigarette sorgfältig in einem sandgefüllten Aschenbecher aus. »Im Prinzip ja«, sagte er. »Allerdings bin ich inzwischen ein paar Schritte weiter.«

Christophers Vater drehte sich zu ihm um. »Wie muss man sich das vorstellen?«

»Ich weiß nicht, ob du dir das vorstellen kannst.« Linus musterte Dad skeptisch. »Wie soll ich das beschreiben? Ich hab den Stein der Weisen gefunden. Das ultimative Ding. Das, was besser ist als alle Träume, die jemals geträumt worden sind. Eigentlich habe ich bloß noch ein einziges Problem in meinem Leben: das jemandem klarzumachen.«

40 | »Versuch's einfach«, sagte Dad.

Am anderen Ende des Balkons glitt eine Schiebetür auf. Ayumi und Mutter traten heraus, in ein Gespräch über irgendwelche Pflanzen vertieft, die dort in einem Trog aus hellem Marmor wuchsen.

»Sagen wir's mal so«, erwiderte Linus. »Es geht immer noch um die Schnittstelle, und es hat immer noch mit dem Internet zu tun – aber wir lassen diesen blöden Webbrowser, überhaupt die ganze Software weg. Alles überflüssig. Wir verbinden uns jetzt direkt, von Gehirn zu Gehirn.«

Christopher schauderte, als er das hörte, trotz der schwülwarmen Nacht.

»Wir?«, wiederholte Dad, hörbar irritiert. »Wer ist wir?«

Linus nickte nur in Richtung Ayumis, die sich genau in diesem Moment herumdrehte und ihnen zuwinkte.

»Und das funktioniert?«, fragte Dad.

Zu ihrer grenzenlosen Verblüffung antworteten darauf Linus und Ayumi *gleichzeitig* – Linus halb laut, im Gesprächston, während seine Freundin herüberrief: *»Und wie das funktioniert!«*

Einen Moment lang schien es Dad die Sprache verschlagen zu haben. Christopher konnte es ihm nicht verdenken; ihm war es selber eiskalt den Rücken heruntergelaufen.

Schließlich sagte Dad: »Aber du weißt doch gar nicht, wie Gedanken codiert sind!«

Linus lächelte spöttisch. »Stimmt, das weiß ich nicht. Aber der Witz ist: Das *muss* ich auch gar nicht wissen. Das *andere* Gehirn weiß es ja!«

»Das andere . . .? Was heißt das? Was überträgst du denn?«

»Impulse. Aktionspotenziale, wie man das bei Nervenfasern nennt. Eins meiner Neuronen feuert, der Impuls wandert die Nervenbahn entlang, erreicht das Interface, wird in ein Signal umgewandelt, das per TCP/IP, WiFi und Internet« – er deutete mit einem großen Schwung seines ausgestreckten Zeigefingers eine Flugbahn von seinem Kopf zu dem Ayumis an – »das andere Interface erreicht, dort wieder in ein Aktionspotenzial umgewandelt wird und über eine Nervenbahn weiter in das andere Gehirn wandert. *And that's it!*«

Dad stierte ins Leere, versuchte, das zu verarbeiten. »Wie soll das gehen? Du weißt doch überhaupt nicht, an welche Nervenbahnen du so ein Interface anschließen musst! Zumal das konkrete Geflecht der Neuronen bei jedem Menschen anders ist, sich unterscheidet wie ein Fingerabdruck vom anderen.«

»Ja, aber das muss ich nicht wissen! Das ist ja das Geniale. Das tüftelt so ein Gehirn von selber aus. Das ist der Trainingseffekt, von dem ich damals gesprochen habe, erinnerst du dich? Gehirne sind lernfähig, ganz einfach, und ganz besonders das menschliche Gehirn. Wir können unser ganzes Leben lang Neues lernen – wir brauchen nur die entsprechende Anregung!« Linus fing an zu gestikulieren, schien bei seinem Lieblingsthema angelangt zu sein. »Es war das einfachste denkbare Experiment, so simpel, dass man erst mal drauf kommen muss: Wir haben uns gefragt, was eigentlich passiert, wenn wir all die Software weglassen und zwei Gehirne direkt miteinander koppeln. Ergebnis: Es passiert gar nichts. Erst mal jedenfalls. Tage vergehen, und du fühlst dich wie immer. Du vergisst völlig, dass da ein Experiment läuft. In unserem Fall war es ein Glück, dass wir es vergessen haben, denn wenn du an dieser Stelle den Stecker ziehst, dann verpasst du's. Inzwischen wissen wir, dass wir nicht die Ersten waren, die das probiert haben, aber viele haben zu früh aufgehört. Du musst Geduld haben. Nach einiger Zeit – bei uns waren es, glaube ich, vier Wochen – passiert es, dass da plötzlich ein Gedanke ist, der nicht von dir stammt. Ein Gedanke, der von dem anderen zu dir rübergeflossen ist. Irgendwie. Keine Ahnung, wie das im Einzelnen vor sich geht; das sollen andere austüfteln, wenn sie wollen. Für mich zählt nur, dass es funktioniert. Und das tut es!«

»Okay«, meinte Dad skeptisch. »Aber was *hast* du davon?«

»Einklang«, sagte Linus. Nein, er sagte es nicht, er *verkündete* es geradezu. Er sprach es aus, als sei es ein heiliges Wort. »Es bleibt ja nicht bei gelegentlich auftauchenden Gedanken. Du verschmilzt mit dem anderen und der andere mit dir. Du musst nicht mehr diskutieren, du musst nicht mehr streiten – und zwar nicht, weil Konflikte und Missverständnisse unter den Teppich gekehrt werden, sondern, weil es keine mehr gibt! Nach einiger Zeit *denkst* du dasselbe wie der andere, du *willst* dasselbe wie der andere . . .« Er beugte sich in einer verschwörerischen Geste vor. »Und die Wirkung im *Bett* . . . also, dafür gibt es keine Worte!«

Dad hüstelte peinlich berührt, nickte mahnend in Christophers Richtung. Linus fuhr herum, und dann blickten ihn die beiden so betreten an, als glaubten sie ernsthaft, er habe noch nie etwas von Sex gehört.

Linus räusperte sich. »Okay«, meinte er und gab Dad einen freundschaftlichen Klaps auf den Arm. »Wie auch immer. Jedenfalls, wir haben die Schnittstelle weiterentwickelt. Perfektioniert, kann man sagen. Das ist jetzt nur noch ein Chip, winzig klein und leistungsmäßig so optimiert, dass er seinen Strombedarf aus der Bioelektrizität des Körpers deckt. Und er ist ohne große Operation einsetzbar – er braucht im Prinzip nur Kontakt zu ein paar Nerven, dann regt er von selbst die Bildung weiterer Nervenbahnen an. Das machen sogenannte bioaktive Komponenten – unser Medikament ist ein Abfallprodukt dieser Forschung.« Er fingerte die nächste Zigarette aus der Packung. »Das ist auch der Grund, warum ich euch eingeladen habe. Alte Freundschaft und so.« Er zündete sich die Zigarette an, nahm einen tiefen Atemzug und sah Dad erwartungsvoll an.

»Danke«, sagte der, »aber ich glaube, das wäre nichts für mich. Unsere Ehe ist auch so ganz in Ordnung, denke ich.«

Etwas veränderte sich in Linus' Blick. Aus seinem geöffneten Mund entwich Rauch wie aus dem Maul eines Drachen. Er starrte Dad auf eine Weise an, die Christopher regelrecht Angst machte.

Das hier war kein Gespräch unter alten Freunden und Kollegen. Das hier war *gefährlich*.

»Du verstehst gar nicht, wovon wir reden, oder?«, meinte Linus schließlich. Seine Stimme war nur noch ein Flüstern. »Nein, tust du nicht. Nicht mal ansatzweise.«

41 | Die Stadt lag vor ihnen, durchflutet von Autos und dem Licht zahlloser Leuchtreklamen, aber vor diesem Hintergrund wirkte der Balkon nur umso dunkler. Trotzdem konnte Christopher sehen, dass seinem Vater im Verlauf des Gesprächs zunehmend unbehaglicher zumute wurde.

»Ja«, räumte er behutsam ein, »vermutlich verstehe ich das wirklich nicht.«

»Ich rede nicht von Ayumi und mir«, sagte Linus. »Das war nur der Anfang. Wir sind *viele!* Die ganze Firma ist vernetzt, die Familien der Firmenangehörigen, ihre Freunde . . .«

Dad räusperte sich, wie immer, wenn er sich in einer Diskussion entschlossen hatte, Widerstand zu leisten. »Linus, ich sehe, dass du davon begeistert bist, aber offen gesagt, mich gruselt es bei dem, was du erzählst. Gehirne miteinander verschalten, zu einem Netzwerk, als wären es Computer . . . Wo bleibt denn da die Individualität?«

»Ach, Scheiß drauf!«, erwiderte Linus ungehalten. »Deine großartige Individualität kannst du dir sonst wohin stecken. *Du bist nicht mehr allein, Mann!* Verstehst du? Das Upgrade hat ein Problem beseitigt, das die Menschheit von Anbeginn der Zeiten an gequält hat – du bist endlich, endlich nicht mehr allein!«

Linus trat einen Schritt auf Dad zu, die Hände zu einer Geste erhoben, als wolle er ihn an den Aufschlägen seines Jacketts packen und schütteln. Jackenaufschläge, die es nicht gab, da Dad sein Sakko drinnen über die Stuhllehne gehängt hatte. »Du weißt doch, wovon ich rede. Jeder Mensch weiß das. Es ist unsere allererste Erfahrung, wenn wir auf die Welt kommen: Wir sind allein! Alles, was du tun kannst, ist, vor Hilflosigkeit zu schreien. Und allein bist du dein ganzes Leben. Selbst wenn du mit jemandem zusammen bist, einer Frau, die du liebst, mit der du dich verstehst, mit der du dein Leben teilst – du bleibst trotzdem allein *in dir.* Du kannst von deinen Gefühlen *reden,* aber du kannst sie nicht *teilen.* Du träumst allein. Und du wirst einmal allein sterben. Wir dagegen . . .« Er wies auf Ayumi, die sich in Bewegung gesetzt hatte, gemessenen Schrittes näher kam. »Wir teilen unsere Träume, wir teilen unsere Gedanken, wir teilen unsere Gefühle. Worte können nicht vermitteln, wie das ist. Wenn ich dir sage, dass zwischen uns absolute, nackte Ehrlichkeit herrscht, dann macht dir diese Vorstellung vielleicht Angst – man braucht doch seine kleinen Geheimnisse, wie man sagt, nicht wahr? Aber man braucht sie eben nicht. Man hat nur deshalb Angst vor absoluter Ehrlichkeit, weil man Angst hat, nicht verstanden zu werden, Angst, verurteilt zu werden, wenn man sich offenbart. Doch wir, wir verstehen uns. Jeder von uns *versteht* den anderen, weil er seine Gedanken mitdenkt und seine Gefühle mitfühlt – wir *können* einander überhaupt nicht missverstehen! Es ist keine Lüge zwischen uns möglich, aber es ist auch keine *nötig* . . . und du ahnst nicht, wie großartig das ist. Erst jetzt, wo ich es nicht mehr bin, weiß ich, wie *allein* ich war.«

Dad wand sich förmlich. Er sah aus, als erwäge er ernsthaft, jeden Moment über die Brüstung zu springen. »Ja, ich gebe zu, das klingt wie eine schöne Sache, aber . . .«, entrang er sich.

Linus hörte ihm gar nicht zu. »Du musst die Dimensionen

verstehen. Das Prinzip dahinter. Weißt du, was der Unterschied zwischen einer Glühbirne und einem Laser ist?«

Die Frage überraschte Dad sichtlich. »Worauf willst du hinaus?«

»Der Unterschied liegt nicht im Energieaufwand«, erklärte Linus ernst. »Die Glühbirne und der Laser können gleich viel Energie verbrauchen, aber die Glühbirne erhellt damit nur ein Zimmer, während der Laser Löcher in Metall brennt – warum? Weil das Laserlicht *kohärentes* Licht ist: Hier haben alle Wellen nicht nur dieselbe Frequenz, sie schwingen auch im Takt miteinander. Während die Glühbirne Wellen aller möglichen Frequenzen chaotisch durcheinander ausstrahlt, verstärken sich die Wellen eines Laserstrahls gegenseitig – das ist das Geheimnis seiner Durchschlagskraft: Kohärenz.«

»Kohärenz«, wiederholte Dad ratlos.

Ayumi trat neben Linus, und wie um vorzuführen, wovon die Rede war, sprachen sie im Chor weiter: »Wir sind eine Gruppe von Menschen, die *wahrhaftig* miteinander verbunden sind. Wenn wir ein Ziel verfolgen, verfolgen wir es gemeinsam. Keiner von uns hat irgendwelche Nebenabsichten, Hintergedanken oder Vorbehalte – wir *können* überhaupt nicht anders, als Hand in Hand zusammenzuarbeiten. Damit ist ein alter Menschheitstraum wahr geworden. Unsere Gedanken sind in Kohärenz. Deswegen gibt es keine Streits, keine fruchtlosen Diskussionen, keine Missverständnisse – und keinerlei Energieverluste. Unter uns herrscht Frieden und Eintracht. Uns gehört die Zukunft. Nichts wird uns aufhalten.«

Damit verstummte Ayumi, während Linus sanft hinzufügte: »Und wir bieten euch an, daran teilzuhaben.«

Christopher sah, wie sich die Augen seiner Mutter, die hinter den beiden stand, voller Entsetzen weiteten. Er sah, wie sie einen Blick mit Dad wechselte.

Er kannte diese Art Blick. Die beiden verständigten sich damit auf eine Weise, die keine Technik benötigte.

»Das ist sehr beeindruckend, das muss ich zugeben«, sagte Dad mit gänzlich veränderter Stimme. »Allerdings kommt dieses . . . hmm, Angebot ziemlich überraschend. Ich muss mir das erst einmal in aller Ruhe überlegen. Wir alle müssen das.«

»Worüber machst du dir Sorgen?«, fragte Linus und breitete die Arme aus. »Seh ich so aus, als ginge es mir schlecht? Seh ich aus wie ein armer Mann?«

»Nein. Aber ich hätte zum Beispiel Angst, mich zu verlieren.«

»Das ist eine alberne Angst. Du verlierst dich, ja – aber nur, um in etwas Größerem aufzugehen!«

»Was ein gewöhnungsbedürftiger Gedanke ist, wie du zugeben musst.« Dad richtete den Finger auf Linus' Brust. »Für dich war es nur ein Experiment. Du hast diese Entscheidung nicht treffen müssen. Stimmt's?«

Linus stutzte. »Ja. Da hast du recht.«

»Lass uns das Ganze überschlafen und morgen noch einmal in Ruhe darüber reden«, schlug Dad versöhnlich vor. »Ich muss zugeben, dass ich ein bisschen zu viel von deinem hervorragenden Wein getrunken habe, um jetzt über solche Dinge entscheiden zu können.«

Linus starrte ins Leere, den Blick hinaus auf das Lichterspiel des nächtlichen Singapur gerichtet. Mit seiner stämmigen Gestalt und seinen breiten Schultern wirkte er wie ein Hindernis, an dem kein Vorbeikommen war.

»Ja. Ich verstehe das«, sagte er schließlich. »Es ist nur so, dass wir keine Zeit verlieren dürfen. Die Dinge entwickeln sich, und sie entwickeln sich in einem Tempo, das du dir nicht vorstellen kannst. Wir sind nicht die einzige Kohärenz, musst du wissen. Es bilden sich gerade überall auf der Welt ähnliche Gruppen. Irgendwann kommt es immer zu einem Kontakt, und dann übernimmt jeweils die stärkere Gruppe die schwächere. Absorbiert sie, wenn du so willst, obwohl der Vorgang eigentlich darin besteht, dass eine Kohärenz die andere überlagert und ihr ihren eigenen Takt aufzwingt.« Er sah Dad an, mit einem eisern wirkenden Blick. »Bis jetzt waren immer wir die siegreiche Kohärenz. Außerdem produzieren wir die besten Interfaces. Mit anderen Worten, wenn ihr euch uns anschließt, seid ihr bei der stärksten Gruppe. Bei der Kohärenz, die am Ende übrig sein wird.«

Dad erwiderte den Blick ebenso eisern. »Okay. Aber wie gesagt, lass uns die Sache überschlafen. Wir können uns ja morgen zum Frühstück treffen, was hältst du davon?«

Eine winzige Pause. »Gut«, erwiderte Linus. »Machen wir es so. Wir holen euch ab um, sagen wir . . . neun Uhr?«

»Ja. Oder um halb zehn? Nach dem langen Flug . . .«

»Okay. Halb zehn unten in der Hotellobby?«

Ayumi hatte schon ihr Handy gezückt, orderte in melodiösem Singapur-Englisch ein Taxi. Linus begleitete sie nach unten, bezahlte die Fahrt zum Hotel im Voraus, verabschiedete sie und wartete, bis sie eingestiegen waren und der Wagen anfuhr.

»Also, das –«, begann Mutter, doch Dad, der auf dem Beifahrersitz saß, drehte sich sofort um und legte mahnend den Zeigefinger vor die Lippen.

Christopher nickte. Klar. Sie wussten nicht, ob der Fahrer womöglich zur *Kohärenz* gehörte.

So fuhren sie schweigend, bis Dad, der die ganze Zeit angestrengt aus dem Fenster sah, plötzlich geradeaus zeigte und sagte: »Halten Sie bitte dort vorne an.«

Der Mann am Steuer zuckte beinahe zusammen. »Ist nicht Hotel«, erwiderte er mühsam und ohne den Fuß vom Gas zu nehmen.

»Wir wollen noch ein bisschen spazieren gehen«, sagte Dad. »Die Nacht ist so angenehm. So etwas sind wir aus England nicht gewöhnt, verstehen Sie?«

Es war schwer zu erkennen, ob der Chauffeur das verstand. »Ist noch weit bis Hotel«, beharrte er.

»Halten Sie hier«, gab Dad zurück, »oder ich beschwere mich morgen früh bei Ihrer Behörde.« Er zog seinen Terminplaner aus dem Jackett, zückte den Kugelschreiber und machte Anstalten, sich die Nummern und Namen aufzuschreiben, die auf dem Ausweis an der Windschutzscheibe standen.

»Wenn Sie wünschen, ich halte!«, rief der Mann aus und brachte sein Taxi mit quietschenden Reifen zum Stehen.

Sie verstanden zwar nicht, was er vor sich hin murmelte, während sie alle ausstiegen, doch dem Tonfall nach konnte es sich nur um Verwünschungen handeln.

»Und jetzt?«, fragte Mutter.

»Jetzt machen wir, dass wir fortkommen«, sagte Dad. Er fasste in seine Jackentasche, holte die Reisepässe heraus. »Die hab ich nur deswegen dabei, weil ich nicht rausgekriegt habe, wie man den Safe in unserem Zimmer verschließt. Ich hätte nie gedacht, dass mich eine wirre Bedienungsanleitung mal so glücklich machen würde. Was noch? Kreditkarte habe ich, Portemonnaie auch.«

»Dein Laptop«, sagte Mutter. »Der liegt im Hotel.«

»Von dem habe ich zu Hause ein komplettes Back-up, außerdem ist die Platte PGP-verschlüsselt«, überlegte Dad. »Da kommt niemand so leicht ran. Was noch? Irgendwas, was wir nicht wieder kaufen können?«

Mutter schloss einen Moment die Augen, öffnete sie seufzend wieder. »Nichts, was ein Risiko wert wäre.«

»Gut. Dann gehen wir nicht ins Hotel zurück.« Christophers Vater zückte seine Kreditkarte. Er hatte sich die Haltestelle gut ausgesucht: Sie standen vor einer Bank, und in einem kleinen Vorraum wartete ein Geldautomat auf Kundschaft. »Wir heben so viel Bargeld ab wie möglich.«

»Ich hoffe bloß, Linus und seine . . . *Kohärenz* kriegen das jetzt nicht mit«, sagte Mutter.

»Ich auch«, meinte Dad, während er eine Kreditkarte nach der anderen in den Schlitz schob und sich jedes Mal den Höchstbetrag auszahlen ließ.

Danach fragten sie sich zur nächsten Metrostation durch, gelangten zur *Raffles Place Station* und erwischten fast sofort einen Zug zum Changi Airport. Christopher musterte die Fahrkarten, kleine Chips aus Hartplastik, die man am Ziel abgeben musste, um das Pfand zurückzuerhalten.

»Ich wundere mich, dass du dich in Singapur so gut auskennst.« Christophers Mutter war kreidebleich. Man merkte, dass sie sich anstrengen musste, die Form zu wahren.

»Ich hab bloß die Broschüre im Flugzeug gelesen«, erwiderte Dad. »Weil mein Buch so langweilig war.«

Die Fahrt dauerte eine halbe Stunde. An jeder Station hielt Christopher den Atem an, war darauf gefasst, dass Linus und seine . . . hmm, wie sollte man sie nennen? Netzgefährten? Kohärenzbrüder? Aber es stiegen nur ganz normale Leute ein, die meisten mit Koffern beladen.

Am Flughafen studierten sie die Tafel, auf der die nächsten Starts angezeigt wurden. »Darwin, Australien in dreißig Minuten«, sagte Dad schließlich. »Den nehmen wir.«

»Australien?« Christopher starrte ihn an. »Was wollen wir denn dort?«

»Es ist ein anderer Kontinent. Und ich möchte nach diesem Abend furchtbar gerne auf einen anderen Kontinent.«

Sie eilten an den Ticketschalter von British Airways. »Wir müssen kein Gepäck einchecken, aber wir wollen den Flug nach Darwin kriegen«, erklärte Dad der Frau hinter der Theke und legte ihr die Pässe hin. »Drei Plätze, egal welche Klasse. Ich zahle bar.«

Die Frau, eine korpulente, mütterlich wirkende Asiatin, checkte ihren Computer. »Plätze habe ich jede Menge«, erklärte sie, »aber Sie werden rennen müssen. Das Boarding hat schon begonnen.«

»Wir werden rennen«, versprach Dad. »Als ginge es um die Goldmedaille.«

Die Frau nahm die Geldscheinbündel entgegen, die Dad ihr hinlegte, machte alles gleichzeitig: das Geld zählen, die Tickets ausstellen und am Gate anrufen, um Bescheid zu sagen. »Viel Glück«, rief sie ihnen zum Abschied hinterher.

Sie rannten. Sie mussten ins Nachbarterminal, und die Terminals waren *riesig*. Sie erreichten das Gate außer Atem, betraten das Flugzeug als Letzte, und es setzte sich in Bewegung, während sie sich noch anschnallten.

Christopher hatte einen Fensterplatz, und irgendwie war er sich sicher, dass jemand den Start verhindern würde.

Doch das Flugzeug rollte auf die Startbahn, die Triebwerke heulten auf, und gleich darauf waren sie in der Luft. Er sah hinaus, hinab auf die Myriaden bunter Lichter des nächtlichen Singapur, die unter ihnen versanken, und fasste sich plötzlich erschrocken an den Hals.

Das Medaillon, das ihm seine Großmutter geschenkt hatte, war weg. Er hatte es beim Duschen abgelegt und aus irgendeinem Grund vergessen, die Kette wieder umzulegen. Wahrscheinlich lag es immer noch auf dem Waschbecken im Hotel.

Es kam ihm vor wie ein böses Omen.

42 | Ein plötzlicher Windstoß ließ irgendwo Äste gegeneinanderschlagen, mit dumpfem Knallen. Das Campfeuer flackerte. Christopher sah auf, in bleiche Gesichter, in denen Entsetzen stand. Ihm war kalt.

Wie spät war es eigentlich? Er wusste es nicht, hatte keine Vorstellung. Es war anstrengend gewesen, alles noch einmal zu erzählen, was Kyle und Serenity schon wussten, und dann weiterzumachen.

»Ihr habt alles zurückgelassen?«, fragte jemand.

»Ja«, sagte Christopher.

»Und von Darwin aus . . .?«

»Die nächste Etappe war Sidney, glaube ich . . . Nein, Adelaide, und dann Sidney, und von dort aus . . .« Er hielt inne, war sich auf einmal nicht mehr sicher. »Ich weiß nur noch, dass wir irgendwann in Paris gelandet und von dort aus mit dem Zug nach England gefahren sind.«

Es war eine Flucht gewesen, über deren Notwendigkeit es nie Diskussionen gegeben hatte. Keiner von ihnen hatte je die Frage gestellt, ob sie überstürzt gehandelt hatten. Keiner von ihnen hatte je gesagt, *wenn wir noch kurz ins Hotel zurückgegangen wären und unsere Sachen gepackt hätten, dann hätte ich noch mein . . .* Es hatte genügt, sich an diesen Moment zu erinnern, in dem Linus und Ayumi im Chor gesprochen hatten, um einfach nur froh zu sein, dass sie entkommen waren.

»Bob«, wandte Jeremiah Jones sich an Dr. Connery, hielt inne und meinte: »Ich bin es so gewohnt, dich Bob zu nennen . . . Aber du heißt eigentlich Stephen, nicht wahr?«

»Stephen Robert Connery, wenn man's genau nimmt«, sagte

der bärtige Neurologe. »Bob ist also schon in Ordnung.« Er hüstelte. »Moore war der Mädchenname meiner Mutter. Da meine Eltern erst geheiratet haben, als ich schon fünf war, habe ich also tatsächlich mal Robert Moore geheißen.«

»Okay. Bob. Was denkst du über diese Geschichte? Kann so eine direkte Verbindung von Hirn zu Hirn funktionieren?«

Dr. Connery kratzte sich am Bart, schien ihn glätten zu wollen; ein hoffnungsloses Unterfangen. »Es ist eine irrwitzige Idee, aber . . . Ja, es müsste funktionieren. Nach allem, was wir über den Aufbau des Gehirns und die Neuronen wissen, müsste es funktionieren.« Er hob die Hände, legte die spitzen Finger rechts und links an die Schädeldecke. »Jeder von uns hat genau genommen zwei Gehirne – die rechte und die linke Gehirnhälfte, die für unterschiedliche Dinge zuständig sind. Verbunden sind sie durch den sogenannten *Balken,* ein dickes, quer verlaufendes Bündel von etwa zweihundertfünfzig Millionen Nervenfasern. Dank dieser Verbindung empfinden wir uns als Einheit. Es gibt Menschen, bei denen dieser *corpus callosum* beschädigt oder durchtrennt ist – durch einen Unfall oder eine Krankheit etwa. Bei solchen Menschen arbeitet zum Beispiel das Sprachzentrum in der linken Hemisphäre nicht mit dem visuellen Zentrum in der rechten Hemisphäre zusammen. Die beiden Hirnhälften arbeiten unabhängig voneinander, was im Alltag nicht besonders auffällt, aber manchmal zu bizarren Effekten führt.«

»Dieses Interface, dieser Chip«, hakte Jones nach, »wäre dann eine Art künstlicher Balken in ein anderes Gehirn hinein?«

»So verstehe ich das auch, ja. Doch wenn ich mir versuche

vorzustellen, was das für Folgen haben muss . . .« Dr. Connery schüttelte den Kopf. »Trotzdem. Was für eine Idee!«

»Eine naheliegende Idee, wenn man erst einmal angefangen hat, mit Brain-Computer-Interfaces zu experimentieren«, sagte Jeremiah Jones. »Geradezu zwangsläufig. Es war nur eine Frage der Zeit, bis es jemand versucht.«

»Und dass Linus vor so einem Versuch nicht zurückschrecken würde, hätte ich mir eigentlich denken können.« Dr. Connery faltete die Hände, stützte sein Kinn darauf und wandte sich wieder Christopher zu. »Ihr seid also nach Großbritannien zurückgekehrt mit nichts als dem, was ihr am Leib getragen habt?«

»Sozusagen. Natürlich haben wir unterwegs ein paar Sachen gekauft.«

»Und weiter? Was ist dann passiert? Ich nehme an, Linus hat sich wieder gemeldet.«

»Nein.«

»Sondern?« Der Neurologe kniff die Augen zusammen. »Irgendetwas muss ja wohl passiert sein. Sonst wärst du jetzt nicht hier, oder?«

Christopher sah in die Runde, sah Serenity an, Kyle, all die Leute, die um das Feuer saßen und ihm zuhörten. Erst jetzt fiel ihm auf, wie viele es waren.

»Ja.« Christopher nickte. »Es ist etwas passiert.«

Ihm graute vor dem, was noch zu erzählen blieb.

43 | Es gelang ihnen nie mehr so richtig, in ihr altes Leben zurückzukehren. Immer wenn es gerade anfing, sich wieder so anzufühlen wie vor ihrer Reise nach Singapur, passierte irgendetwas, das für Aufregung sorgte.

Zuerst war es Christophers Großvater. Er erlitt einen Schlaganfall, zum Glück keinen schweren, aber er würde zumindest für einige Zeit auf Hilfe angewiesen sein.

Das hatte zur Folge, dass Mutter regelmäßig nach Deutschland flog, um sich um ihren Vater zu kümmern. Eine Pflegekraft wurde engagiert, die täglich nach Großvater sah. In dem alten Haus mussten einige Dinge umgebaut werden, damit er weiterhin darin wohnen konnte.

All das kostete Geld und nicht wenig. Dad hatte sich wieder selbstständig machen wollen, doch dieses Vorhaben musste erst einmal auf Eis gelegt werden. Die Ersparnisse der Familie schmolzen zu schnell dahin, als dass man jetzt hätte Risiken eingehen können.

»Und wenn wir deinen Vater doch zu uns holen?«, schlug Dad vor. »Klar, unser Haus ist nicht gerade riesig, aber eine Person mehr, das müsste gehen.«

»Vergiss es«, meinte Mutter. »Darüber habe ich schon mit ihm geredet. Das will er auf keinen Fall. Er hat sein ganzes Leben lang in diesem alten Kasten gelebt; er ist fest entschlossen, dort auch zu sterben.«

Dad nickte; er kannte seinen Schwiegervater nun schon zu lange, um überrascht zu sein. »Das Problem ist, dass wir nicht ohne Weiteres zu ihm ziehen können. Nicht, solange ich meinen Job hier habe und wir auf das Geld angewiesen sind.«

Daraufhin kehrte Schweigen ein. Allen war klar, dass es eine dritte Alternative gab: dass nämlich Mutter allein nach Frankfurt ging, während Dad und Christopher in England blieben. Doch das hätte eine Trennung der Familie auf unabsehbare Zeit bedeutet.

Also machten sie erst einmal einfach weiter: Mutter flog jede Woche nach Frankfurt, Dad arbeitete wie gehabt an dem Projekt in dem Londoner Krankenhaus, und alle hofften sie, dass es Christophers Großvater bald besser gehen würde.

Kurz darauf eine angenehme Überraschung: Dad erhielt eine Einladung zu einem wissenschaftlichen Kongress. Thema war der Einsatz von Computern im klinischen Bereich, und Dad sollte ein Referat darüber halten, wie man den Schutz von Patientendaten in der Praxis sicherstellte – sein momentanes Spezialthema.

Der Hammer dabei war: Stattfinden sollte die Tagung – in *Acapulco!* Dem Schreiben lagen Prospekte bei, die Palmen und lange Strände zeigten und Menschen, die sich in der Sonne aalten.

»Toll!« Christophers Mutter freute sich sichtlich für seinen Dad. »Mexiko! Das ist ja fast wie ein Lotteriegewinn!«

»Ich weiß nicht«, brummte Dad. »Einen Vortrag halten? Kann ich das überhaupt?«

»Klar kannst du das!«, erklärte Christophers Mutter entschieden. »Mach das. Deiner Karriere wird es nicht schaden, und zumindest bist du dann wenigstens einmal im Leben in Acapulco gewesen.«

Also sagte Dad zu und verbrachte anschließend viele Abende damit, Folien vorzubereiten und einen Vortragstext auszuarbeiten, den er ihnen immer wieder vorlas, wenn er meinte, bessere Formulierungen gefunden zu haben.

Der geborene Vortragsredner, erkannte Christopher, war Dad jedenfalls nicht. Seine Zuhörer in Acapulco würden eine ziemlich zähe halbe Stunde erleben.

Am Abend vor Dads Abflug hörte Christopher, als er oben aus seinem Zimmer kam, wie sich seine Eltern unten in der Küche unterhielten.

»Dass du mir nicht mit irgendwelchen hübschen jungen Mexikanerinnen anbändelst!«

»Ach was. Bestimmt sitzen wir den ganzen Tag in einem dunklen Kongresszentrum und fachsimpeln und kriegen von der Sonne draußen überhaupt nichts mit.«

»Ah ja? Weißt du, was ich glaube? Dass ihr euch schon nicht überarbeiten werdet. Solche Kongresse sind doch bloß ein Anlass, auf Kosten irgendwelcher Sponsoren Urlaub zu machen. Sonst müsste man ja nicht nach Acapulco fliegen. Wenn es nur um das Fachgebiet ginge, täte es genauso – was weiß ich? Glasgow oder Hannover oder sonst ein Ort mit einem Kongresszentrum.«

Dad lachte leise. »Du hast vermutlich recht. Ich gebe ja auch zu, dass ich meine Badehose eingepackt habe, für alle Fälle.«

»Ha! Aber mir was erzählen, von wegen –« Es klang, als brächte sie Dad mit einem langen Kuss zum Schweigen.

Christopher musste lächeln. Er machte kehrt, ging so leise wie möglich in sein Zimmer zurück und wartete, bis sie ihn zum Abendessen riefen.

Mutter hatte kurz zuvor angefangen, sich wieder bei verschiedenen Banken und Investmentgesellschaften zu bewerben. Während Dad fort war, bekamen sie Antwort: lauter Absagen.

Das bedrückte sie sichtlich. »Ich hatte gedacht, die Sache wäre langsam vergessen. Oder zumindest vergeben«, meinte sie frustriert.

Christopher fing sich in den zwei Wochen, die Dad in Mexiko war, eine schwere Erkältung ein, so richtig mit Fieber und lasch im Bett herumliegen und auf nichts Appetit haben. Wenigstens musste er nicht in die Schule, aber in dem Fall hätte er es sogar vorgezogen, gesund zu sein und hinzugehen.

Den Tag, an dem Dad zurückkam, verschlief er fast völlig; er bekam gar nicht mit, wie Mom ihn vom Flughafen abholte. Irgendwann rüttelte ihn jemand an der Schulter, und als er die Augen aufschlug, standen die beiden da: Mutter, immer noch in gedrückter Stimmung, und neben ihr Dad, braun gebrannt, der sagte: »Na, was machst denn du für Sachen?«

Mit dem Vortrag habe alles geklappt, erzählte er, und es sei insgesamt eine ziemlich lockere Angelegenheit gewesen.

Christopher musterte ihn mit tränenden Augen. Irgendetwas war anders mit Dad als sonst. Irgendetwas. Er kam bloß nicht darauf, was.

Dann schlief er wieder ein.

In den folgenden Tagen ging es ihm allmählich besser, doch das Gefühl, dass mit seinem Vater irgendetwas anders geworden war in Acapulco, wollte nicht verschwinden. Was war es, das dieses Gefühl auslöste? Das sonnengebräunte Gesicht?

Nein, Dad war nach manchen Familienurlauben im Süden schon dunkler gewesen.

Schließlich kam Christopher darauf, was es war.

Dad *lachte* nicht mehr.

Nicht, dass sein Vater ein besonders lustiger Mensch gewesen wäre, aber es gab Momente, da konnte er sich über einen blöden Witz geradezu wegschmeißen vor Lachen. Es hatte Situationen gegeben, da war das regelrecht peinlich gewesen.

Doch jetzt ... Dad lächelte nur noch ab und zu, und auch das nur auf eine eher beiläufige, unbeteiligte Art. Und die meiste Zeit war er ernst, sachlich, ruhig.

Er wirkte, als hätte er etwas erlebt, über das er nicht sprechen konnte. Und als wolle er sich das nicht anmerken lassen.

44 | Kurz darauf flog Mutter wieder nach Deutschland, sodass es an Dad war, sich um Christopher zu kümmern, denn die Erkältung hatte sich zu einer hartnäckigen Bronchitis ausgeweitet.

Auf dem Rückweg von einem Arztbesuch bog Dad unterwegs plötzlich in eine völlig andere Richtung ab, fuhr durch Straßen, in denen Christopher noch nie gewesen war. An einem der Häuser ging eine Tür auf, jemand stellte ein in blaues Packpapier gewickeltes Paket auf den Fußabtreter und schloss die Tür wieder.

Im nächsten Moment hielt Dad vor diesem Haus, stieg aus, holte das Paket und lud es in den Kofferraum.

»Was war das denn?«, fragte Christopher, als sie weiterfuhren.

»Nichts«, sagte Dad. Und die Weise, wie er es sagte, klang nach: *Das geht dich nichts an.*

Er lenkte den Wagen wieder zurück auf bekannte Straßen, aber ehe sie nach Hause fuhren, machte Dad an einem Supermarkt halt, um zu tanken. Während die Zapfuhr lief, holte er das blaue Paket aus dem Kofferraum und reichte es einem Mann, der aussah, als ob er gerade zufällig des Weges kam. Die beiden redeten kein Wort miteinander, kaum, dass sie einander kurz ansahen.

Christopher fasste sich an die Stirn. Sie fühlte sich immer noch heiß an, und ihm war auch gar nicht gut.

Wahrscheinlich war das nur ein Fiebertraum.

An einem der nächsten Tage rief Mutter abends an, fragte nach Dad, doch der war noch nicht da.

»Hmm«, machte sie. Sie klang beunruhigt. »Wir hatten ausgemacht, dass ich um diese Zeit anrufe.«

»Er ist bestimmt noch in der Firma«, meinte Christopher. »Vielleicht ist etwas dazwischengekommen.«

»Ja. Gut, dann probier ich's auf seinem Mobiltelefon. Wie geht's dir?«

»Ich bin okay«, sagte Christopher, obwohl das nicht ganz stimmte.

Als Dad nach Hause kam, ziemlich spät, erzählte Christopher ihm, dass Mutter angerufen hatte, und fragte, ob sie ihn auf dem Handy erreicht habe. Dad nickte nur gleichgültig und sagte weiter nichts dazu.

Das fühlte sich alles äußerst ungut an.

Am nächsten Tag schleppte sich Christopher nachmittags zum Rechner und hackte sich in einen Computer in Dads Büro. Der Rechner stand in der IT-Abteilung des Krankenhauses und hatte eine Webcam installiert. Dad war da, saß an seiner Maschine, wie immer umgeben von Bergen von Unterlagen, die er kaum eines Blickes würdigte, und arbeitete.

Christopher drehte den Bildschirm so, dass er ihn vom Bett aus sehen konnte, schlüpfte zurück unter die warme Decke und wartete ab. Mit einem zusätzlichen Kissen im Rücken konnte er Dad bequem zuschauen, seinen Tee und seine Medikamente nehmen und ab und zu ein bisschen dösen.

Er schreckte hoch, als der Bildschirm plötzlich schwarz wurde. Jemand hatte den Rechner heruntergefahren. Ein Blick auf die Uhr: Die machten schon Feierabend! Er hatte den Moment des Aufbruchs verpennt!

Hastig strampelte sich Christopher aus den Decken, eilte an seinen Computer und wechselte in den Server der Firma. Dad hatte sich um 17:05:12 ausgeloggt, vor fünf Minuten also. Er konnte noch nicht weit sein.

Christophers Finger flogen über die Tastatur. Großbritannien besaß das weltweit dichteste Netz von Überwachungskameras, und einige Monate zuvor war es eine reizvolle Herausforderung gewesen, den Zugang zu dem Computersystem zu knacken, das sie verband und auswertete. Heute Abend machte Christopher zum ersten Mal praktischen Gebrauch davon.

Der geknackte Zugang funktionierte noch. Ein komplizierter Bildschirm aus Videobildern, Schemaplänen und Listen baute sich auf. Christopher hatte im Frühjahr einen verregneten Nachmittag damit verbracht herauszufinden, wie das alles zu benutzen war. Damals war das ein interessantes Vergnügen gewesen – dass er das System einmal dazu verwenden würde, seinen eigenen Vater zu bespitzeln, wäre ihm nicht im Traum eingefallen.

Da! Dad, zu Fuß vom Gelände des Krankenhauses her kommend. Er schritt zielstrebig aus, aber offenbar hatte er es nicht eilig.

Als er aus dem Bild verschwand, klickte Christopher zur nächsten Kamera weiter. Die zeigte die Treppe zu der Metro-Station, mit der Dad aus der Stadt hinausfahren musste, bis zu dem Park-and-Ride-Platz, wo er sein Auto abgestellt hatte. Er würde Dads Metro von Station zu Station folgen; an jeder Haltestelle waren Kameras installiert, über die Christopher sehen konnte, ob sein Vater ausstieg oder nicht.

Aber Dad stieg nicht einmal ein. Er ging einfach an der Metro-Station vorbei!

Hektisch klickte sich Christopher durch die Menüs. Hatte er Dad verloren? Nein, da war er. An einer Haltestelle. Er stand da, schien auf einen Bus zu warten.

Aber warum? Wohin wollte er? Christopher studierte die laufend aktualisierte Anzeige neben dem Kamerabild. Als Nächstes würde ein Bus der Linie 55 nach Leyton ankommen, in etwa zwei Minuten, drei Minuten später ein 135er nach Crossharbour, was wieder eine komplett andere Richtung war.

Der Bus kam. Dad rührte sich nicht von der Stelle.

Christopher rieb sich das Kinn. Okay, nach Leyton wollte Dad also schon mal nicht.

Eine dunkelhaarige Frau, die als eine der letzten Fahrgäste ausgestiegen war, trat zu Dad. Christopher kniff die Augen zusammen. Sprachen sie miteinander? Schwer zu sagen. Aber Dad schien auf sie gewartet zu haben; er ging mit ihr zusammen davon. Man sah die beiden noch eine Weile nebeneinander auf dem Bürgersteig, dann bogen sie in eine Seitengasse ein, wo keine Kamera sie mehr im Blick hatte.

Und sie kamen nicht wieder zum Vorschein.

Christopher wurde elend zumute. Er wartete noch, solange es aushielt, aber irgendwann musste er den Rechner abschalten und zurück ins Bett kriechen.

45 | Dad kam spät nach Hause an diesem Abend, erst nach Mitternacht. Christopher war wach geblieben, er hatte sich ausgemalt, seinem Vater Vorwürfe zu machen, ihn zur Rede zu stellen, doch er brachte es aus irgendeinem Grund nicht fertig.

Das war der Nachteil daran, erkannte er, jemandem hinterherzuspionieren: Man machte sich damit selber angreifbar. Fand man auf diese Weise etwas über den anderen heraus und hielt es ihm vor, hatte man im Streit von vornherein die schwächere Position.

Dad kam auch an den folgenden Abenden spät nach Hause, und einmal schaffte es Christopher, nach dem Grund zu fragen. »Ich hatte noch zu tun«, war die Antwort. Was fing man damit an?

Dann kam Christophers Mutter endlich zurück, doch an Dads Verhalten änderte sich nichts; er kam weiterhin nicht vor elf Uhr abends nach Hause. Doch sie ließ sich das nicht gefallen.

»Hast du eine andere?«, hörte Christopher sie eines Abends im Wohnzimmer schreien. »Hast du eine Affäre? Bist du deswegen die ganze Zeit so geistesabwesend?«

Christopher öffnete die Tür seines Zimmers einen Spalt weit, um Dads Antwort zu hören. Er sei doch nicht geistesabwesend, wie sie darauf käme?

»Bist du wohl!«, beharrte Mutter.

Christophers Hoffnungen schwanden. Im Gegensatz zu seiner Mutter entging ihm nicht, dass Dad nur bestritt, geistesabwesend zu sein, nicht aber, eine Geliebte zu haben.

Wie würde das enden? Das war nicht schwer zu erraten: Über kurz oder lang würden sich seine Eltern scheiden lassen. Aber sich vorzustellen, wie das *sein* würde, fiel ihm schwer, ja, es schmerzte schon, es auch nur zu versuchen.

Klar, das Leben ging weiter. In seiner Klasse hatte die Hälfte seiner Mitschüler geschiedene Eltern. Aber das war etwas, über das so gut wie nie gesprochen wurde. Ein Mädchen hatte er einmal erzählen hören, sie habe bei der Scheidung ihrer Eltern wählen müssen, bei wem sie bleiben wolle.

Würde er bald auch vor dieser Wahl stehen? Und wenn ja: Wie würde *er* sich entscheiden?

Was für ein entsetzlicher Gedanke!

Christopher setzte sich an seinen Computer und ging ins Internet, um nach irgendeinem System zu suchen, das einigermaßen schwierig zu knacken war. Er wollte über all das jetzt nicht nachdenken. Bestimmt würde sich das wieder einrenken, und er machte sich unnötige Sorgen. Seine Eltern hatten sich doch immer gut verstanden; wieso sollte das auf einmal anders sein? Dass sie sich scheiden lassen würden, konnte er sich schlicht nicht vorstellen. Scheidung, das war etwas, das nur anderen zustieß.

Und immerhin, von nun an kam Dad wieder pünktlich zum Abendessen nach Hause.

Dafür zog er sich danach sofort in sein Arbeitszimmer zurück, um bis weit nach Mitternacht an seinem Rechner zu programmieren.

»Was soll das?«, regte sich Christophers Mutter auf. »Was tust du den ganzen Tag, dass du abends noch arbeiten musst?«

»Reg dich nicht auf«, erwiderte Dad. »Ich hab schon einen anderen Job in Aussicht.«

Trotzdem herrschte weiterhin so dicke Luft im Hause Kidd, dass es kaum auszuhalten war. Christopher war froh, wieder gesund zu sein – bis auf den Husten, der sich hartnäckig hielt – und dem allem in die Schule zu entkommen. Ja, zum ersten Mal in seinem Leben spürte er nach Schulende regelrechte Unlust, nach Hause zu gehen. Manchmal bummelte er stattdessen auch noch eine Weile durch das Einkaufszentrum oder setzte sich ein, zwei Stunden in ein Internetcafé, um dort zu surfen.

Seine Eltern stritten nun wegen jeder Kleinigkeit. Die Luft war wie mit Elektrizität geladen. Es war, als hinge in den Zimmern dicker schwarzer Nebel. Mutter schimpfte, zeterte, regte sich auf und weinte schließlich, während Dad alles fast reglos über sich ergehen ließ. Wenn er mal einen Vorwurf abstritt, tat er das so lahm, als sei ihm eigentlich egal, ob sie ihm glaubte oder nicht.

»Ich weiß nicht, wie das weitergehen soll mit Dad und mir«, sagte Mutter eines Abends zu Christopher, als sie beide allein im Wohnzimmer saßen. Dad hatte sich wieder einmal zurückgezogen, um zu arbeiten. »Ich hab keine Ahnung, was mit ihm los ist. Er sagt, es ist die Arbeit, aber ich kenne ihn seit zweiundzwanzig Jahren, das kann er jemand anderem vorlügen.«

Später dachte Christopher oft, dass dies der Moment gewesen wäre, in dem er seiner Mutter hätte erzählen sollen, was er über das Kamerasystem Ihrer Majestät gesehen hatte. Dass dann vieles anders gekommen wäre.

»Immerhin scheint er endlich begriffen zu haben, dass es so nicht weitergeht«, fuhr Christophers Mutter fort. »Wobei er von einem Extrem ins andere verfällt. Jetzt hat er einen Urlaub für uns beide gebucht, in Brighton. Einfach so. Legt mir die Hotelbuchung hin und meint, wir bräuchten mal wieder Zeit füreinander. Er hat mir sogar versprochen, keinen Laptop mitzunehmen!«

Christopher schluckte. »Das klingt doch gut.«

»Ja, und vielleicht hat er recht. Vielleicht müssen wir uns einfach in Ruhe aussprechen . . .« Sie hielt inne, musterte ihren Sohn nachdenklich. »Sag mal, Chris, hast du das Gefühl, dass ich euch beide in letzter Zeit vernachlässigt habe? Wegen Opa, meine ich? Weil ich so oft in Frankfurt war und so weiter?«

Christopher schüttelte verblüfft den Kopf. »Quatsch.«

»Nicht?«

»Nein.«

»Aber was, wenn dein Vater das so empfunden hat? Vielleicht hat er sich deshalb so in seine Arbeit vergraben . . .«

Christopher hätte ihr sagen können, dass nach allem, was er wusste, Dads Arbeit nicht das Problem war, aber er sagte stattdessen: »Als du noch gearbeitet hast, warst du viel seltener zu Hause. Damals hätten wir uns eher vernachlässigt fühlen können.«

Das schien sie einleuchtend zu finden. »Zwei Wochen Brighton«, sagte sie. »Wirst du so lange allein zurechtkommen?«

»Klar«, sagte Christopher.

»Aber nicht jeden Tag Pizza, okay?«

Christopher grinste. »Keine Sorge. Ab und zu mach ich mir auch Spaghetti.«

Die Atmosphäre an dem Tag, an dem seine Eltern nach Brighton aufbrachen, ähnelte trotzdem eher der eines Waffenstillstands. Beide taten, als hätten sie gute Laune, und überhäuften Christopher mit mehr oder minder nützlichen Ratschlägen für die Zeit ihrer Abwesenheit: Ablenkungsmanöver, eindeutig. Sie merkten selber, was für schlechte Schauspieler sie waren.

Immerhin: Sie stiegen beide ins Auto und fuhren davon. Und manchmal geschahen ja Wunder. Christopher winkte ihnen nach, bis der Wagen am Ende der Straße um die Ecke verschwand.

Dann ging er zurück ins Haus und begann mit seinen Recherchen.

Er war an jenem bewussten Abend zwar geschockt gewesen, aber nicht so geschockt, dass er nicht noch daran gedacht hätte, ein Bildschirmfoto zu machen von dem, was die Kameras zeigten. Dieses Bild von Dad und der unbekannten Frau bearbeitete er nun mit allem, was moderne Technologie zu bieten hatte.

Er hatte die letzten Tage, während seine Eltern ihre Koffer packten, damit verbracht, den Zugang zum Server einer amerikanischen Softwarefirma zu knacken, die die anerkannt beste Bildbearbeitungssoftware herstellte. Von dort lud er nun eine noch nicht im Handel erhältliche Vorversion des nächsten Updates herunter, dem man in Fachkreisen wahre Wunderdinge nachsagte. Und tatsächlich – die Programmierer hatten ganze Arbeit geleistet. Er verbesserte den Bildausschnitt, der die fremde Frau zeigte, so lange, bis er ein scharfes, kontrastreiches Bild von ihr hatte. Es war gut genug, um sie zweifelsfrei wiederzuerkennen, sollte man ihr in anderem Zusammenhang begegnen.

Anschließend besorgte er sich aus Dads Zimmer die Unterlagen jenes Kongresses in Acapulco. Mexico war der Anfang gewesen. Seitdem war alles anders.

Was Christopher vor allem interessierte, war natürlich die Teilnehmerliste des Kongresses.

Zweihundertelf Personen standen darauf, von denen knapp ein Drittel Frauen waren. Christopher begann, die Namen zu googeln und sich die Bilder anzusehen, die er auf diese Weise fand.

Die Teilnehmer kamen aus aller Welt, und manche Namen waren in den betreffenden Ländern ziemlich geläufig, sodass Christopher manchmal auf Dutzende verschiedener Fotos stieß. Doch keines davon zeigte die Frau, die Dad in London getroffen hatte.

Umgekehrt fand er zu etwa der Hälfte der Namen überhaupt keine Bilder. Diese Namen übertrug er in eine gesonderte Liste.

Er suchte und fand auch das Kongresszentrum in Acapulco. Es unterhielt eine Website, über die man auf deren eigenen Server gelangte, der einem *brute-force*-Angriff keine Minute standhielt: Das Zugangspasswort lautete, äußerst einfallslos, *congress*.

Auf diesem Server fand sich, wie Christopher gehofft hatte, eine Mitarbeiterdatenbank, komplett mit Passfotos, wie man sie für das Ausstellen von Zugangsausweisen benötigte. Auch alle ehemaligen Mitarbeiter waren noch verzeichnet; bei ihnen stand im Feld »Job_Ende«, das bei den anderen leer war, ein Datum.

Keine Mitarbeiterin ähnelte der fraglichen Frau.

Was nun? Christopher kam der Gedanke, sich die Sponsoren näher anzusehen. Es war schließlich möglich, dass diejenigen Firmen, die die Veranstaltung bezahlten, auch Mitarbeiter hinschickten, um sich zu vergewissern, dass ihr Geld sinnvoll ausgegeben wurde.

Wobei ihn natürlich vor allem Mitarbeiter*innen* interessierten.

Es handelte sich um drei Sponsoren: die Firma A. D. Winston Cyberware mit Sitz in San Francisco, Silicon Valley; die Firma InCell Pharmaceutics mit Sitz in London und die Firma Mitsu Care Products mit Sitz in Nagasaki, Japan.

Während Christopher versuchte, mehr über diese Firmen herauszufinden und möglichst an Fotos ihrer Mitarbeiter heranzukommen, fiel ihm etwas auf, das ihn auf einmal verstehen ließ, woher die Redensart kam, jemandem gefriere das Blut in den Adern.

Alle drei Firmen waren hundertprozentige Töchter der Firma Coherent Technologies, Singapur – jener Firma, die Linus Meany und seinen Partnern gehörte.

46 | Die zwei Wochen, die seine Eltern fort waren, vergingen, ohne dass Christopher ein Wort von ihnen hörte, mal abgesehen von der kurzen SMS, die seine Mutter ihm bei der Ankunft geschickt hatte.

Dann stand auf einmal ihr Auto wieder in der Einfahrt.

Vom Fenster seines Zimmers sah Christopher zu, wie sie ausstiegen, die Koffer ausluden, die Hausschlüssel hervorkramten. Es geschah schweigend. Sie wechselten kein Wort miteinander, sahen sich nicht einmal an.

Trotzdem wirkten sie nicht, als hätten sie noch Krach. In ihren Bewegungen lag ein Gleichklang, wie er ihn schon einmal gesehen hatte.

Und zwar bei Linus und Ayumi.

Sie kamen herein, stellten die Koffer ab, begrüßten ihn, Umarmung, flüchtiger Kuss von Mutter, alles, wie es sich gehörte, soweit. So, wie sie sich gaben und redeten, schien nie etwas gewesen zu sein.

»Und?«, fragte Christopher. »Wie war's?«

»Schön«, sagte Mutter.

»Vertragt ihr euch wieder?«

»Aber ja.«

Das war alles an Kommentar. Ja, es herrschte Harmonie zwischen den beiden, das war zu spüren. Aber dennoch ... Etwas fehlte. Etwas, das mit Freude zu tun hatte. Oder wenigstens mit Erleichterung. Womöglich mit so etwas wie Glück. Doch davon keine Spur. Die neue Harmonie wirkte ... irgendwie *sachlich*. Als hätten zwei Geschäftspartner nach langem Ringen einen für beide Seiten vorteilhaften Deal ausgehandelt

235

und hielten sich nun strikt an die Vertragsklauseln, damit die andere Seite das Arrangement nicht kündigen konnte.

Und am nächsten Abend blieben *beide* lange fort.

Sie kamen *beide* erst kurz vor Mitternacht nach Hause, sagten *beide* nichts dazu. Was Christopher okay gefunden hätte, wenn sie *miteinander* fort gewesen wären. Aber sie kamen aus verschiedenen Richtungen, Dad eine halbe Stunde nach Christophers Mutter.

Kurz darauf bekam seine Mutter wieder einen Job in der City von London, bei einer der größten Investmentbanken der Welt. Einfach so. Sie schien sich nicht einmal darüber zu freuen. So, als sei das etwas ganz Selbstverständliches.

Das Essen schmeckte nach nichts mehr. Früher waren die gemeinsamen Mahlzeiten immer kleine Höhepunkte des Tages gewesen; sie hatten miteinander geredet und gelacht. Jetzt aßen sie schweigend, wenn sie überhaupt gemeinsam aßen. Wenn Christopher etwas zu sagen versuchte, bekam er nur einsilbige, nichtssagende Antworten. Im Grunde waren es keine Mahlzeiten mehr, sondern nur noch Nahrungsaufnahmevorgänge.

Später fragte sich Christopher oft, was gewesen wäre, wenn er es angesprochen hätte. Wenn er seinen Verdacht geäußert hätte, dass sie etwas mit Linus und seiner Firma zu tun hatten. Wenn er sie gefragt hätte, ob sie einen Chip im Hirn trugen.

Ob sie *angeschlossen* waren.

Doch tatsächlich hatte er sich diesen Verdacht nicht einmal selber eingestanden. An diese Möglichkeit zu denken, war ihm vorgekommen, wie an UFOs zu glauben: unwirklich. Er verschloss die Augen, wollte es nicht wahrhaben.

Bis seine Eltern eines Abends Besuch mitbrachten.

Es waren drei Männer und eine Frau, die durch die Haustür traten; vier Gesichter, von denen Christopher keines je zuvor gesehen hatte.

Dad hatte Schweißperlen auf der Stirn. Daran sollte Christopher noch oft denken: an diese winzigen, glitzernden Tropfen Schweiß auf Dads Stirn.

Im Grunde hatte er in diesem Augenblick gewusst, was passieren würde.

Zwei der Männer traten sofort hinter Christopher, schnitten ihm den Fluchtweg ab. So, wie sie gebaut waren, gab es kaum einen Zweifel, dass an ihnen kein Vorbeikommen sein würde.

Der dritte Mann hatte eine Ledertasche dabei, wie Ärzte sie benutzen. Er stellte sie auf den Tisch, öffnete sie und holte einen breiten Lederriemen heraus sowie ein seltsames Gestell, das einer Schraubzwinge ähnelte. Dann hob er ein chromglitzerndes Instrument heraus, das aussah wie eine Pistole mit einem langen, strohhalmdünnen Lauf.

»Christopher«, erklärte Dad mit maschinenhaft ruhiger Stimme, »wir werden dich jetzt einem kleinen chirurgischen Eingriff unterziehen. Es ist zu deinem Besten, wie du erkennen wirst, und es tut nicht weh. Nicht, wenn du dich nicht wehrst.«

47 | Er wollte schreien, wollte fliehen, sich herumwerfen und zumindest *versuchen* zu entkommen, doch da packten ihn die beiden Männer schon, hielten ihn fest. Er schrie, daran konnten sie ihn nicht hindern, aber das störte sie nicht weiter. Sie ließen ihn sich die Lunge aus dem Hals brüllen, Verwünschungen, Flüche, Hilferufe.

Sogar »Feuer!« – »Feuer!«, schrie er, darauf mussten doch selbst die Nachbarn reagieren, die ansonsten lieber weghörten, oder?

Aber es hörte ihn niemand. Die Nachbarhäuser waren zu weit weg.

Schließlich trat die Frau hinter Christopher und drückte ihm den kalten Zylinder einer Injektionspistole an den Hals. Mit einem kurzen Zischen jagte sie irgendetwas in seine Blutbahn, das ihn zusammensacken und alle Kraft verlieren ließ. Er verstummte.

»Entspann dich«, sagte Mutter tonlos, »dann hast du es gleich überstanden.«

Christopher wollte etwas erwidern, zum Beispiel, dass er keinen Wert darauf legte, irgendetwas zu überstehen, aber er war so müde, so abgrundtief müde. Wenn ihn die beiden Männer nicht gestützt hätten, ihm wäre danach gewesen, sich einfach auf den Boden zu legen. Seine Knie waren weich wie warme Butter. Wobei er nicht wusste, wie sich warme Butter anfühlte, er stellte sich nur vor, dass sie sich so anfühlen musste. Mit mäßigem Interesse verfolgte er, wie sein Vater das seltsame Gestell an den Rahmen der Tür ins Wohnzimmer schraubte, in Höhe von Christophers Kopf. Er befestigte den Ledergurt da ran, dann stellten die beiden Männer Christopher mit dem Rücken dagegen, sodass sein Hinterkopf genau auf das Gestell zu liegen kam. Dad zog ihm den Lederriemen über die Stirn und zurrte ihn fest, so fest, dass Christopher sich nicht mehr bewegen konnte.

So konnte er sich natürlich nicht hinlegen. Aber er konnte auch nicht mehr fallen. Klug ausgedacht, das Ganze, dachte Christopher träge.

Der dritte Mann legte eine Art Klammer um Christophers Waden: Das sah er nicht, denn sein Kopf war ja fest eingespannt und sein Blickfeld dadurch begrenzt, aber er spürte es. Diese Klammer wurde ebenfalls irgendwie am Türrahmen befestigt.

Die beiden Männer stützten ihn weiterhin, außerdem hielt jeder von ihnen einen seiner Arme fest.

Blöde Haltung, dachte Christopher. *Man fühlt sich irgendwie so wehrlos.*

Die Frau tauchte in seinem Gesichtsfeld auf, leuchtete ihm mit einer kleinen Taschenlampe in die Augen, zog jedes seiner Augenlider kurz herunter, wie eine Ärztin, die ihn untersuchte. Bloß dass sie gar nicht aussah wie eine Ärztin, sondern wie eine von Mutters Kolleginnen aus der Investmentabteilung. Sie legte ihre Finger an seinen Hals, wozu? Um seinen Puls zu zählen? Seltsam.

Seltsam auch, dass alles in völligem Schweigen vor sich ging. Niemand gab Kommandos, sie warfen einander keine Blicke zu, gaben sich keine Handzeichen, nichts. Jeder schien genau zu wissen, was er wann zu tun hatte.

Die Frau holte eine kleine Sprayflasche hervor, an der ein langes, dünnes Röhrchen befestigt war, das sie ihm in die Nase schob. Es zischte, ein chemischer Geruch und das Gefühl von Kälte breiteten sich in seiner Nase aus. Gleich darauf begannen sein Rachen, sein Gaumen, das ganze Innere seines Kopfes sich taub anzufühlen und so, als sei es nicht mehr da.

Seltsam alles. Wenn nur seine Knie nicht so weich gewesen wären. Christopher hatte mehr und mehr das Gefühl, dass ihn nur noch der Gurt um seinen Kopf aufrecht hielt.

Die Frau verschwand, dafür tauchte Dad in seinem Gesichtsfeld auf. Dad, dem der Schweiß auf der Stirn stand. Dad, dessen Augen unmerklich zuckten.

»Du wirst jetzt gleich ein unangenehmes Geräusch in deinem Kopf hören«, erklärte er bedächtig. Er hatte das seltsame, chromglänzende, pistolenähnliche Gerät in der Hand und eine kleine Schatulle, wie man sie für Eheringe und dergleichen verwendete. »Das Geräusch entsteht dadurch, dass wir ein kleines Loch in deine Nasenrückwand bohren müssen, um an die richtige Stelle zu kommen.« Er öffnete die Schatulle. Zwei winzige Gegenstände aus Metall lagen darin, oval, kaum so groß wie ein halber Fingernagel und in eine Schicht aus graugrünem Glibber gehüllt. »Das Geräusch überträgt sich über die Knochen direkt in dein Ohr, deshalb wird es sehr laut klingen, aber tatsächlich ist es ein harmloser Eingriff, wie ihn jeder Hals-Nasen-Ohren-Arzt regelmäßig durchführt. Das Loch wächst innerhalb weniger Tage wieder zu, sogar der Knochen wächst nach.« Er wählte einen der Chips aus, legte ihn in eine Kammer über dem Griff des pistolenförmigen Dings. »Am besten, du achtest gar nicht darauf. Entspann dich. Es tut nicht weh.«

Er reichte das Instrument an den dritten Mann weiter. Der nahm es mit gleichmütigem, geübtem Griff, trat vor Christopher hin, legte die freie Hand auf dessen Kinn und führte ihm den langen, dünnen Stab in das rechte Nasenloch ein, bis dessen Ende irgendwo hinten anstieß. Christopher hörte ein Geräusch, ein dumpfes »Blobb«, aber er spürte nichts. Was immer da geschah, es geschah in dem tauben Bereich in seinem Kopf.

Der Mann drückte den Abzug des Instruments, etwas schnappte, schnarrte, bewegte sich, begleitet von einem Geräusch im Inneren von Christophers Kopf, das sich anhörte, als breche ein riesiges Regal voller Saurierknochen in sich zusammen. Gleichzeitig war ihm, als dringe etwas in ihn ein, etwas Kaltes, Schweres, Massives, das genau wusste, wohin es wollte, aber vielleicht war das ja auch nur Einbildung. Sie konnten ihm den Chip doch nicht durch diese Röhre mitten ins Hirn schieben, oder?

Der Mann zog das Instrument wieder heraus. Die vorderen zwei Zentimeter des dünnen Laufes waren blutverschmiert.

Christopher schmeckte auch Blut, das seinen Rachen hinablief, warm, metallisch, klebrig. Also, das war jetzt doch ein bisschen heftig. Seine Knie gaben vollends nach, jemand öffnete rasch den Gurt um seinen Kopf, und er konnte endlich in sich zusammensinken, wurde aufgefangen und weggetragen, hinein in die Schwärze, die ringsherum aufstieg.

Doch es war schrecklich laut in der Dunkelheit.

Willkommen, riefen Tausende von Stimmen, und ihr Chor hallte nach: *komm, komm, komm . . .*

Er schlief, er träumte, er flog, er arbeitete, er schwamm, er kochte, er baute Maschinen zusammen, er zählte Geld, er unterschrieb Briefe, er installierte Kabel, er ging Treppen hinauf und hinab, hinab, hinab.

Was war nur los?

Das Paket muss nach Liverpool. Ich überweise das Geld am besten heute noch. Wie lautet das Passwort? Schmetterling.

Christopher krümmte sich, rollte sich zusammen, barg den Kopf in seinen Armen. Was war nur los?

Willkommen-komm-komm-komm . . .

Er lag in seinem Bett. Hatte er das alles nur geträumt? Aber da war ein Schmerz in seinem Kopf, im Rachen, tief drinnen, und im Hals schmeckte er Blut . . .

Er kommt auf die Tagung. Ankunft 14 Uhr 05 mit dem Flug aus Birmingham. Ich hole ihn ab. Ein zusätzliches Hotelzimmer ist gebucht. Vorhänge vorziehen – das mache ich. Injektor, Medikamente, Arretiervorrichtung, Implantat – alles liegt bereit. Ich verkünde auf der Tagung, dass er krank ist und sein Referat ausfällt. Ich ändere den Schichtplan des Hotels so ab, dass uns kein Einzeling stört.

Was war nur los? Was waren das für Gedanken, die durch seinen Geist dröhnten? Fremde Gedanken. Nicht seine Gedanken. Er hatte keinen Grund, so etwas zu denken. Er verstand nicht einmal, was diese Gedanken zu bedeuten hatten.

Sie flieht. Fang sie im Treppenhaus ab. Das ist sie. Pack sie. Gut. Sie schreit. Egal, ich habe Notfalldienst in der Polizeiwa-

*che, ich schicke mich. Ich gehe die Treppe ins Hotel hoch,
spreche mit den Leuten, beruhige sie. Sie glauben mir. Ich ver-
hafte mich, das erleichtert alle. Sie hat jetzt das Implantat und
liegt im Erstschock, keine Gefahr mehr von dieser Seite. Sie ist
willkommen-komm-komm-komm . . .*

Es waren nicht seine Gedanken. Also waren es *deren* Gedanken. Und so viele, so mächtige, so gewaltige! Wie Brecher eines aufgewühlten Ozeans rollten sie heran, schlugen über ihm
zusammen, rissen ihn mit sich.

Willkommen-komm-komm-komm . . .

Ein Chor aus Tausenden von Stimmen, doch es war kein
Chor aus Lauten, da hatte er sich geirrt, es war ein Chor von
Gedanken, Gefühlen, Wahrnehmungen.

Das Dunkel wich. Er öffnete die Augen und . . .

*. . . sah das Verkehrsgewühl am Trafalgar Square, Männer
und Frauen entlang eines mächtigen Konferenztisches, ein
fremdes Gesicht im Spiegel, das sich rasierte, eine chinesische
Zeitung, in der er jedes Wort verstand, ein Reagenzglas, in das
aus einer Pipette wasserklare Tropfen fielen, einen Zug, der
auf Gleis drei in die Victoria Station einfuhr, eine Hand, die
einen Scheck über 156.000 Pfund ausstellte, seine Mutter, die
im Wohnzimmer saß . . .*

Seine Mutter! Jetzt fiel es ihm wieder ein. Seine Eltern trugen den Chip, waren nicht mehr sie selbst, gehörten zu *denen*.

Willkommen-komm-komm-komm-komm-komm-komm . . .

Und er nun auch.

Er auch.

Auch.

Christopher. Mein Name ist Christopher.

Willkommen-komm-komm ...

Ein Name? Wessen Name? Was ist ein Name?

Willkommen-komm-komm ...

Etwas brach in ihm. Brach und weitete sich. Nicht mehr einer war er, sondern viele. Nicht mehr Christopher war er, sondern alle. Sah die ganze Welt zugleich, tat alles zugleich, schlief und wachte zugleich, aß und trank und fuhr Auto und steuerte Flugzeuge und entschied über Budgets, Gesetze, Neubauten, Erbschaften, Strafen, Einkäufe, Verkäufe – alles zugleich.

Es war kein bisschen schwierig, alles zugleich zu tun. Nicht, wenn man alle war und alle in sich trug und vergessen konnte, dass man einmal Christopher geheißen hatte.

Und hinter allem, was er war, lagen die Netze, die Daten, die Systeme. Er sah Kontobewegungen, hörte Telefonate, kannte alle Landkarten, Baupläne, Namenslisten, Flugbuchungen, Zeitungsartikel, alles zugleich, wenn er wollte.

Willkommen-komm-komm ...

Was hatte er denn einmal so schlimm daran gefunden, zu *denen* zu gehören?

Willkommen-komm-komm ...

Er wusste immer noch, dass er Christopher Kidd war. Meistens jedenfalls. Manchmal vergaß er es, verschmolz mit dem gewaltigen Geist des Kollektivs, dachte im Puls der kohärenten Gedanken mit und verstand, was von ihm erwartet wurde.

Willkommen-komm-komm ...

... doch immer wieder war es, als stolpere er innerlich, als verfinge er sich in etwas, das ihn aus dem Takt geraten ließ, und dann wusste er plötzlich wieder, dass er Christopher Kidd war und in einem dunklen Zimmer lag, aus dem man ihn erst freilassen würde, wenn er *funktionierte.*

Und dass er sich dagegen stemmte zu funktionieren.

Er versuchte herauszufinden, was das war, über das er stolperte, was ihn festhielt, was ihm Halt bot in dem übermächtigen Strom fremder Gedanken. Tagelang wälzte er sich und rätselte, und als er es schließlich herausfand, musste er lachen, was die Kohärenz befremdete, denn die Kohärenz lachte nicht, verstand gar nicht, was Lachen war.

Das, was ihm Halt bot, war nichts anderes als der Chip selbst!

Nach und nach begriff Christopher, dass er über eine einzigartige Gabe verfügte: Er war imstande, den Chip auszutricksen und damit seine Anbindung an die Kohärenz zu kontrollieren. Er war mit ihr verbunden, war Teil von ihr, doch zugleich konnte er sich mit einem Teil seiner Gedanken hinter einen Schutzwall zurückziehen, der unsichtbar war für die Kohärenz und uneinnehmbar.

Noch jedenfalls.

Trotz des übermächtigen Sogs der Kohärenz schaffte er es, er selbst zu bleiben, der Auflösung seines Geistes zu widerstehen.

Noch jedenfalls.

Und nachdem er die Schaltungen mit leisen, langsamen Gedanken wieder und wieder durchwandert und bis in die letzten Winkel abgetastet hatte, war er sich sicher, dass er zu etwas imstande sein würde, das für Bestandteile der Kohärenz nicht vorgesehen war: sich vollständig auszuklinken, wenn er wollte. Er würde mit einem Gedankenbefehl die Verbindung ins Feld kappen und den Chip stilllegen können, wenn er wollte.

Doch ihm war eines klar: Ab der Sekunde, in der er das tat, würden sie ihn jagen.

48 | Christophers Aufgabe in der Kohärenz war es, alle möglichen Computersysteme zu knacken und unauffällige Transaktionen zugunsten der Pläne der Kohärenz durchzuführen, etwas, das seiner Begabung entsprach und ihm nun, da er Zugriff auf das Wissen Tausender anderer hatte, noch leichter fiel als jemals zuvor. Er tat fast nichts anderes mehr, und da er über den Chip direkt an das Feld angeschlossen war, benötigte er nicht einmal mehr eine Tastatur. Er saß in der Schule, die Augen auf den Lehrer gerichtet, doch er hörte nicht zu, sondern durchraste mit seinen Gedanken das Internet, erkundete Server am anderen Ende der Welt, betastete deren Sicherheitssysteme, suchte nach Schlupflöchern, Angriffsmöglichkeiten, Zugängen. Stellte ihm der Lehrer eine Frage – was selten genug vorkam –, kostete es ihn nur einen Gedanken, die Erinnerungen anderer Mitglieder der Kohärenz abzurufen und die richtige Antwort zu geben.

Schule war unnötig, wenn man der Kohärenz angehörte. Man musste nichts lernen, man wusste schon alles, was die Kohärenz wusste. Christopher ging nur deswegen zur Schule, weil die Kohärenz noch Wert darauf legte, sich zu tarnen, unerkannt und unbemerkt zu bleiben. Deswegen übten alle ihre Mitglieder weiter ihre Berufe und sonstigen Tätigkeiten aus, führten nach außen hin ihr bisheriges Leben weiter: alles Tarnung.

Doch Christopher tarnte sich nicht nur gegenüber Mitschülern und Nachbarn, er tarnte sich auch gegenüber der Kohärenz selbst. Im Schutz seiner unsichtbaren Schutzmauer dachte er darüber nach, was er tun konnte, schmiedete langsam und behutsam Pläne.

Das war nicht leicht, denn alle derartigen Gedanken mussten leise und schwach bleiben, die Vorbereitungen, die zu treffen waren, mussten in absoluter Unauffälligkeit getroffen werden. Bei alldem die Kontrolle über den Chip aufrechtzuerhalten, war ein Drahtseilakt, war, als trüge man Pudding mit Händen.

Und vor allem galt es, auf den richtigen Moment zu warten.

Er hätte gerne *geduldig* gewartet, doch er spürte, dass seine Widerstandskraft mit jedem Tag schwand, dass die Verlockung, aufzugeben und in der machtvollen Gesamtheit der Kohärenz aufzugehen, ständig zunahm. Jedes Mal wenn er mithilfe der geballten Geisteskraft der Kohärenz über eine Zugangssperre triumphierte, sagte er sich einen Moment lang, dass es doch das war, was er immer gesucht hatte. Dass er nun die Systeme auf eine Weise beherrschte, wie er es sich immer erträumt hatte und wie er es auf sich allein gestellt niemals gekonnt hätte. Wozu dem entfliehen? Wozu Widerstand leisten? War es nicht kindisch, albern, einfältig, darauf zu beharren, er selbst zu bleiben, Christopher Kidd, wo er doch nur endgültig loszulassen brauchte, um, nein, nicht in der Kohärenz *aufzugehen,* sondern sie tatsächlich zu *sein,* vieltausendfach größer und intelligenter zu sein, als er allein es war?

Jedes Mal wenn er über ein System triumphierte, kamen diese Gedanken, und sie kamen jedes Mal drängender. Dann war für Stunden alles, was er im Schutz seines Gedankenwalls denken konnte, nur: *Wozu die Mühe? Wozu die Mühe?* Und immer öfter fand er sich dicht davor, den Wall einfach niederzureißen und endgültig eins mit der Kohärenz zu werden, und er hätte nicht erklären können, warum er es nicht tat. *Noch nicht*, sagte er sich nur und *ich warte noch*.

Aber worauf?

So war es kein Wunder, dass er den richtigen Moment zu handeln um ein Haar verpasst hätte.

Er war an jenem Tag in London unterwegs. Für Schüler seiner Jahrgangsstufe war ein Berufseignungstest vorgeschrieben, und auch wenn der für Christopher und die Kohärenz belanglos war, hatte er daran teilgenommen, weil alles andere unnötig Aufmerksamkeit erregt hätte. Er war schon wieder auf dem Heimweg, stand in der U-Bahn-Station und betrachtete den Linienplan, während er auf den nächsten Zug wartete, als ihn urplötzlich der Gedanke durchzuckte: Dies war er, der günstige Moment, auf den er gewartet hatte!

Sollte er ihn nutzen? Er zögerte eine Sekunde lang – eine Sekunde, in der ihm klar wurde, dass ihn ebendieses Zögern bereits in Zugzwang gebracht hatte: Das damit verbundene zwiespältige Gefühl, die Anspannung zwischen dem Impuls zu handeln und dem Zurückschrecken davor war zu stark gewesen, als dass sie sich hätte verbergen lassen; zweifellos hatte sich der Kohärenz schon mitgeteilt, dass etwas mit ihm nicht stimmte.

Also blieb ihm keine Wahl. In dem Moment, in dem der U-Bahn-Zug heranschoss, schaltete Christopher seinen Chip ab.

Der Zug hielt. Die Türen sprangen auf, Menschen drängten auf den Bahnsteig, umströmten ihn; sie telefonierten, redeten, hatten ernste Gesichter aufgesetzt, waren in Eile. Christopher stieg ein, blieb dicht bei der Tür stehen, klammerte sich an einen Haltegriff.

Die dröhnende Stille in seinem Kopf war fast nicht zu ertragen.

Damit hatte er nicht gerechnet. Ihm wurde schwindlig. So musste es sich anfühlen, wenn man betrunken war, oder? Er hatte das Gefühl zu schrumpfen, auf einen Punkt zusammenzuschnurren. Er hörte nichts mehr außer einem allumfassenden Dröhnen, das ihn umfing, erfüllte, in ihm widerhallte.

Seine Gedanken bewegten sich auf einmal zäh, schwerfällig, mühsam. Aber er musste jetzt denken, musste sich an alle Einzelheiten des Plans erinnern, den er entwickelt hatte.

Wenn ein Chip erlosch, ging die Kohärenz davon aus, dass dessen Träger tot war. Das kam bei der Anzahl ihrer Mitglieder natürlich vor und war an sich nichts Alarmierendes, aber jeder Todesfall wurde trotzdem eingehend untersucht, vor allem, wenn er nicht absehbar gewesen war.

Die Kohärenz gab niemals auf, ehe sie nicht absolute Gewissheit darüber hatte, unter welchen Umständen und auf welche Weise der betreffende Chipträger gestorben war. Insbesondere galt es sicherzustellen, dass der Ausfall nicht durch einen feindlichen Angriff bewirkt worden war, denn in einem solchen Fall mussten entsprechende Verteidigungsmaßnahmen getroffen werden.

Deswegen war die Kohärenz zweifellos bereits dabei, sein Verschwinden zu untersuchen. In diesem Augenblick ließen Dutzende ihrer Mitglieder alles liegen und stehen und machten sich auf den Weg: Zu der U-Bahn-Station, in der das Signal von Christophers Chip verstummt war, zu anderen U-Bahn-Stationen, zu Polizeiwachen und Krankenhäusern, um zu erfahren, ob es einen Unfall gegeben hatte oder ein Verbrechen. Zugleich würde die Kohärenz das Internet nach Hinweisen durchforsten, die Aufnahmen der Überwachungskameras abfragen, den Datenverkehr der Polizei und Geheimdienste belauschen und jedes existierende System in Alarmbereitschaft versetzen, sobald sie wusste – und wahrscheinlich wusste sie es in diesem Moment bereits –, dass er nicht tot, sondern untergetaucht war.

Sein einziger Vorsprung bestand darin, dass er sich erinnerte, wo Kameras standen und was sie sahen und wo sich im letzten Moment, ehe er die Anbindung an die Kohärenz gekappt hatte, ihre Mitglieder aufgehalten hatten. Er konnte darauf hoffen, keinem von ihnen in die Arme zu laufen.

Das Schwindelgefühl wich allmählich wieder, auch wenn sich Christophers Hirn immer noch anfühlte wie betäubt. Er schaffte es, an der richtigen Station umzusteigen und dabei den Überwachungskameras am Bahnsteig so weit wie möglich auszuweichen. Erst als er im nächsten Zug stand, kam ihm zu Bewusstsein, dass er den Atem angehalten hatte. Einen Moment lang war die Versuchung übermächtig, sich wieder in das Feld einzuklinken, nur für ein paar winzige Sekunden, nur um zu wissen, was los war.

Aber das durfte er natürlich nicht tun, unter keinen Umständen. Nicht nur, dass er die Kohärenz damit sofort auf seine Spur gebracht hätte, sie würde bei einem solchen Kontakt auch unverzüglich und mit aller Macht versuchen, ihn wieder einzugliedern. Ob sein Schutzwall einem solchen Angriff standhalten würde, war zumindest fraglich.

Haltestelle Knightsbridge, Stadtbezirk Belgravia. Er stieg aus, nahm die Treppen an die Oberfläche, versuchte, sich zu orientieren, und musste wieder dem Impuls widerstehen, einfach mal schnell bei Google eine Karte der Umgebung abzurufen.

So irrte er eine kostbare halbe Stunde umher, bis er endlich vor dem Gebäude stand, das er gesucht hatte.

Es war ein großes Anwesen, stuckverziert, von alten Bäumen umstanden und von einem hohen schwarzen schmiedeeisernen Zaun umschlossen. Imposante Säulen stützten das Vordach über der Eingangstreppe. Und natürlich wimmelte es von Überwachungskameras.

Allerdings gehörten sie nicht zum staatlichen Überwachungssystem, sondern nur zur Sicherheitsanlage des Anwesens. Christopher wusste, dass die Kohärenz keinen Zugriff auf diese Kameras hatte; tatsächlich existierte nicht einmal eine Leitung nach draußen. Das war es, worauf er seine Hoffnungen gründete.

Jetzt allerdings, da er hier stand, auf der gegenüberliegenden Straßenseite, und sich einsam und verletzlich fühlte angesichts der abweisenden Architektur, musste er doch erst tief durchatmen. Würde das gelingen, was er vorhatte? Auf einmal war er sich nicht mehr so sicher wie all die Wochen zuvor, in denen er seinen Plan entwickelt hatte.

Doch was half es? Er hatte nur diesen einen Versuch. Tatsächlich trug er nicht einmal mehr genug Geld für die U-Bahn in der Tasche. Er hätte mit seiner Kreditkarte zahlen müssen – oder mit seinem Fingerabdruck, wie es neuerdings in Mode kam –, und das wäre das Ende seiner Flucht aus der Kohärenz gewesen.

Er konnte es sich nicht leisten zu zögern, und es brachte nichts, über seine Chancen nachzugrübeln. Es musste gelingen, er hatte keine andere Wahl.

49 | Er überquerte die Straße, stieg die vier Treppenstufen aus uraltem Marmor empor, stemmte die schwere Eichentür auf und fand sich in einem abgesicherten Vorraum wieder. Hinter einer Panzerglasscheibe saß ein Wächter in die Lektüre seiner Zeitung vertieft.

Christopher trat an die Sprechanlage.

»Hallo.«

Keine Reaktion. War er unsichtbar geworden, oder was?

Er versuchte es noch einmal.

Der Mann, der dünnes Haar hatte und Schultern wie ein in die Jahre gekommener Gewichtheber, hob nicht einmal den Kopf. »Was willst du?«

»Ich möchte Mr Bryson sprechen«, sagte Christopher.

Jetzt sah der Pförtner hoch, ein ungläubiges Grinsen im Gesicht. »Ach ja? Darf's sonst noch was sein?«

»Nein, das ist alles«, erwiderte Christopher.

Das Grinsen wich sichtlicher Genervtheit. »Also, hör mal, Junge, da ich nicht annehme, dass du einen *Termin* bei Mr Bryson hast, schlage ich vor, du verziehst dich einfach schnell und unauffällig wieder, in Ordnung*?*«

»Und ich schlage vor, Sie rufen Mr Bryson einfach an und sagen ihm, dass *Computer Kid* ihn sprechen will«, erwiderte Christopher. »Sie werden sehen, dass es dann auch ohne Termin geht.«

Der Wachmann kniff die Augen zusammen. »Mr Bryson ist nicht da«, behauptete er. »Er ist zu Dreharbeiten in Marokko.«

Das wusste Christopher zum Glück besser. »Mr Bryson hat gestern Nachmittag um 16:36 Uhr die Einreisekontrolle von Heathrow passiert. Ich glaube schon, dass er da ist.«

Der Mann stutzte, wirkte aber immer noch nicht so, als würde er sich je vom Fleck rühren. Also holte Christopher tief Luft und setzte hinzu: »Ich kann ihn auch selber anrufen, aber wenn ich das tun muss, sind Sie Ihren Job los, das verspreche ich Ihnen.« Das war geblufft, weil er kein Mobiltelefon mehr bei sich trug, seit er den Chip besaß. Doch das konnte der Kerl ja nicht wissen.

Der Wachmann drückte den Knopf, der die Zugangstür zur Halle öffnete. »Also gut. Komm rein. Ich ruf ihn an. Aber wenn du mich verarscht hast, verpass ich dir eine Tracht Prügel, das verspreche ich *dir*.«

»Das riskiere ich«, sagte Christopher mit mehr Selbstsicherheit, als er verspürte.

Es kam nicht zu der Tracht Prügel. Stattdessen führte ihn kurz darauf ein anderer, geringfügig freundlicherer Sicherheitsmann über große Treppen und durch lange Flure bis in Brysons Arbeitszimmer.

Na ja – jedenfalls in das, was der eigenwillige Unternehmer unter seinem Arbeitszimmer verstand.

Es war ein riesiger Raum unter dem Dach, in dem man problemlos hätte Badminton oder dergleichen spielen können, wenn nicht überall Kübel mit tropischen Pflanzen gestanden hätten. Aber wahrscheinlich hätte einen der fantastische Ausblick über die Dächer Londons, den man durch die riesigen Fenster in alle Richtungen hatte, ohnehin zu sehr abgelenkt.

Einen Schreibtisch gab es nicht. Sir Richard Bryson saß auf einem schneeweißen runden Teppich am anderen Ende des Raumes, hatte ein paar Stapel Papier um sich herum ausgebreitet, zwei Handys neben sich und ein dickes, vollgekritzeltes Notizbuch im Schoß: Das war alles, was er brauchte, um die Geschicke seines Wirtschaftsimperiums zu steuern, das so unterschiedliche Felder wie den Handel mit seltenen Metallen, eine Restaurantkette, diverse Hotels sowie jene Filmproduktionsgesellschaft umfasste, die ihn berühmt gemacht hatte.

»*Computer Kid!*«, begrüßte ihn der drahtige, grauhaarige Mann, der mit seinem Spitzbart und seinem ledernen Wams etwas von einem Piraten an sich hatte. »Das ist ja sozusagen eine Ehre. Komm, setz dich zu mir. Was willst du? Dass ich dein Leben verfilme, hoffentlich.« Zu dem Wachmann sagte er: »Danke. Sie können gehen.«

Christopher ließ sich Bryson gegenüber auf den Teppich sinken, schwieg aber weiterhin. Der Wachmann war noch im Raum.

»Also?«, hakte Bryson nach, als die Tür zu war.

»Ich muss außer Landes fliehen«, sagte Christopher. »So schnell wie möglich.«

Die ausdrucksvollen Augenbrauen des Unternehmers gingen nach oben. »Außer Landes fliehen? Wenn's weiter nichts ist. Was hast du denn angestellt?«

»Nichts.«

Bryson stutzte, grinste. »Okay. Blöde Frage, geb ich zu. Wohin soll es gehen?«

»Nach Mexiko. Ich wollte Sie bitten, mich an Bord Ihres Jets zu schmuggeln und nach Mexico City zu bringen«, erklärte Christopher unumwunden.

In Brysons Gesicht arbeitete es. »Es ist dir klar, dass so ein

256

Flug nicht billig ist? Von den damit verbundenen Gesetzesübertretungen ganz zu schweigen. Da muss mir schon die Frage gestattet sein, was ich davon habe. Endlich die Zusage zum Film? Denn das mit der Milliarde damals war nett von dir, aber ehrlich gesagt ist mir die zu spät aufgefallen, als dass ich etwas von dem Geld hätte ausgeben können.« Er grinste flüchtig. »Ich würde gern behaupten können, es hätte daran gelegen, dass sie zwischen all meinen anderen Milliarden nicht aufgefallen ist, aber wenn ich ehrlich bin, lag es eher daran, dass Buchhaltung nicht meine Stärke ist.«

Christopher faltete seine Hände. »Kein Film. Aber Sie bekommen von mir eine Aufstellung, welche Ihrer Angestellten Sie über fingierte Rechnungen und Scheinfirmen betrügen«, sagte er. »Die Liste ist zwei Seiten lang. Ich werde sie Ihnen aushändigen, sobald wir in Mexiko sind.«

Brysons gute Laune war wie weggeblasen. »Das sind schwerwiegende Anschuldigungen!«

»Sie stimmen. Ich werde Ihnen die Höhe der hinterzogenen Beträge aufschreiben und die Konten, die dabei im Spiel waren.«

»Und wo befindet sich diese Liste im Moment?«

Christopher tippte sich an die Schläfe. »Hier.«

Sir Richard Bryson musterte ihn eine Weile grübelnd, dann seufzte er. »Willst du nicht lieber bleiben und einen guten Job in meinem Konzern?«

»Ein andermal vielleicht«, erwiderte Christopher höflich.

Sir Richard Bryson war kein Mann, der lange zögerte, wenn er einmal einen Entschluss gefasst hatte. Er griff nach einem seiner Telefone, wählte eine Nummer und sagte: »Ich bin's. Terry, würden Sie bitte den Jet startklar machen für einen Flug nach Mexiko? So schnell wie möglich. Und, ach ja . . . treffen Sie die üblichen Vorkehrungen, um einen besonderen Gast diskret an Bord zu bringen, okay?«

Zwei Stunden später waren sie über dem Atlantik. Als sie außer Reichweite der allgemeinen Kommunikationsnetze kamen, spürte Christopher, wie ein Druck auf die Schnittstelle in seinem Kopf nachließ, dessen er sich bis zu diesem Moment überhaupt nicht bewusst gewesen war. Zum ersten Mal wagte er zu hoffen, dass er es schaffen würde.

50 | Christopher sah auf, musste blinzeln. Seine Augen brannten. Von dem Rauch des Feuers. Bestimmt kam es von dem Rauch.

Wie spät war es? Mindestens drei Uhr nachts, oder? Aber soweit er sah, war niemand gegangen. Alle saßen sie noch da, starrten ihn an, alle Facetten von Schock, Ungläubigkeit bis hin zu Abscheu auf den Gesichtern. Schweigen erfüllte die Runde, so tief, dass man darin zu versinken glaubte.

Christopher hätte sich gern irgendwo festgehalten. Aber da war nichts, niemand.

Er konnte nicht mehr.

Aber wenigstens war es nun vorbei. Wenigstens hatte er jetzt alles gesagt, endlich.

Sein Blick traf den Serenitys. Im Schein des Feuers wirkten ihre Augen tiefschwarz und riesig. Christopher las etwas darin, das er nicht gleich deuten konnte. Da war Entsetzen und Furcht, aber außerdem noch etwas . . . Schließlich verstand er. Es war Mitleid.

Jones war der Erste, der sprach. Er räusperte sich mehrmals, wie um seine Stimme zu testen. »Nur damit wir das besser verstehen«, sagte er bedächtig, »woher hattest du die Informationen, die du Bryson gegeben hast? Oder stimmte diese Geschichte gar nicht?«

»Doch«, erwiderte Christopher müde. »Die Leute, deren Namen ich ihm nach der Landung in Mexiko gegeben habe, waren alles Upgrader. Solange ich selber Teil der Kohärenz war, *war* ich auch sie. Ich wusste, was sie taten, wie sie es taten, warum sie es taten. Ich musste mich nur erinnern, das war alles.«

259

Jones nickte. »Und deswegen wusstest du auch, dass Richard Bryson *nicht* zur Kohärenz gehörte.«

»Genau.«

»Was ich erstaunlich finde, offen gesagt. Wäre jemand wie er nicht viel nützlicher für die Zwecke dieses . . . Gehirnverbunds?«

Christopher rieb sich den Nacken. »Die Kohärenz hat – zumindest solange ich ein Teil davon war – die Strategie verfolgt, zuerst die Umgebung einer solchen zentralen Figur aufzunehmen und dann erst den Betreffenden selbst.«

Er war müde, so müde. Am liebsten hätte er sich einfach auf den Boden gelegt, sich zusammengerollt und geschlafen. Es war doch alles gesagt, glaubten sie ihm denn immer noch nicht? »Man muss jemanden nach der Implantation des Chips etwa eine Woche lang isolieren und bewachen, ehe er mit der Kohärenz im Takt ist. Das geht bei solchen Leuten nicht so einfach.«

Dr. Connery hob die Hand. »Wie viele Mitglieder hat die Kohärenz?«

»An dem Tag, als ich mich ausgeklinkt habe, fünfzigtausend.« Um exakt zu sein 53.412, aber so genau wollte er es vermutlich nicht wissen. »Und bei dem Kontakt vorgestern mehr als hunderttausend.«

Dr. Connery hob die Augenbrauen. »Das sind tatsächlich viele.«

»Tendenz steigend«, ergänzte jemand.

Christopher hob den Kopf, sah in die Runde. Nein. Sie hatten es noch nicht begriffen.

Es war also doch noch nicht alles gesagt.

Er räusperte sich. »Ich fürchte, Sie schätzen das Potenzial der Kohärenz falsch ein. Und das, was daraus entstehen kann.«

Jeremiah Jones schüttelte den Kopf. »Oh, das denke ich nicht. Ich habe mich gerade gefragt, wie viele Mitglieder eine Organisation wie die Mafia haben mag. Sicher auch so viele, ungefähr. Wenn man nun bedenkt, dass die Kohärenz, verglichen damit, ungleich besser organisiert ist, erkennt man –«

»Nein«, unterbrach Christopher ihn. »Sie haben es noch nicht verstanden.«

Jones war es sichtlich nicht gewöhnt, dass man so etwas zu ihm sagte. Er verzog das Gesicht und erwiderte säuerlich: »Dann erklär es uns.«

Christopher bedauerte seinen harschen Ton. Das war unhöflich gewesen und dumm obendrein; immerhin war er auf die Hilfe dieses Mannes angewiesen.

»Ich will Ihnen etwas vorrechnen«, begann er so behutsam wie möglich. »Es ist eine theoretische Berechnung, aber sie zeigt, denke ich, worauf die Entwicklung hinauslaufen wird.«

Sie sahen ihn alle gespannt an. Er legte sich die Zahlen zurecht. Simples Kopfrechnen.

»Angenommen, es gäbe am Anfang nur zwei Menschen, die über eine Gehirnschnittstelle direkt miteinander verbunden sind. Nur zwei, die sozusagen die kleinstmögliche Kohärenz bilden. Zwei Personen genügen, um den Chip einer weiteren Person einzupflanzen. Danach dauert es eine Woche, bis diese Person funktionierender Teil der Kohärenz ist – im Schnitt, wohlgemerkt. Solange die Kohärenz noch nicht viele Mitglieder hat, dauert es länger, doch je größer sie wird, desto schneller schwingen sich neu angeschlossene Gehirne ein.«

»Ja, das haben wir kapiert«, erklärte Dr. Connery. »Worauf willst du hinaus?«

Christopher beugte sich vor, stützte sich mit den Ellbogen auf die Oberschenkel. »Angenommen, es gäbe heute diese kleinstmögliche Kohärenz, und sie würde beschließen, so schnell wie nur irgend möglich zu wachsen. Was würde passieren? Sie würden zwei Wochen brauchen, um zwei weitere Mitglieder aufzunehmen. Diese neuen Mitglieder, das ist wichtig, sind sofort nach dem Einschwingen einsatzbereit. Sie benötigen keine Ausbildung, müssen sich nicht eingewöhnen, nichts dergleichen – sie können unmittelbar auf die Erfahrungen und das Wissen der anderen zugreifen, sie verfügen über alle Fähigkeiten, die sich die anderen noch selbst aneignen mussten. Sie können also sofort ihrerseits neue Mitglieder aufnehmen.«

»Oh«, machte jemand.

»Nach weiteren zwei Wochen – also in vier Wochen – umfasst die Kohärenz bereits acht Leute. Nach sechs Wochen sechzehn. Nach acht Wochen zweiunddreißig. Und so weiter.«

Sie starrten ihn an. In manchen Gesichtern zeichnete sich jenes Grauen ab, das mit dem Verstehen dieser Entwicklung einherging. Aber nicht in allen. Einer sagte: »Acht Wochen, das sind fast zwei Monate. Wenn es so lange dauert, um zweiunddreißig Mitglieder aufzunehmen, muss diese Kohärenz schon eine ganze Weile existieren – oder seh ich das falsch?«

»Ich fürchte, du siehst das falsch, Wallace«, sagte Jeremiah

Jones leise. »Ich fürchte, das geht jetzt weiter wie in der berühmten Geschichte vom Reis und dem Schachbrett. Schade, dass ich meinen Taschenrechner nicht griffbereit habe . . .«

»Nach sechzehn Wochen wären es fünfhundertzwölf Mitglieder, nach sechsundzwanzig Wochen – das ist ein halbes Jahr – bereits 16.384 Mitglieder«, rechnete Christopher vor. »Nach einem Jahr, nach zweiundfünfzig Wochen also, wären es rechnerisch hundertvierunddreißig Millionen Mitglieder, sechs Wochen später mehr als eine Milliarde, und nach insgesamt einem Jahr und zehn Wochen überstiege die Zahl der möglichen Mitglieder bereits die Zahl der Menschen auf Erden, mit anderen Worten, dann wären *sämtliche* lebenden Menschen Teil der Kohärenz.«

Es war, als hielte jeder in der Gruppe um das Feuer unwillkürlich die Luft an.

»Nach einem Jahr und zehn Wochen?«, wiederholte schließlich ein jüngerer Mann. »Das muss ich selber nachrechnen. Das glaub ich einfach nicht.«

»Das ist die Reihe der Zweierpotenzen«, sagte Christopher. »Und es ging mir nur darum, das Potenzial der Entwicklung zu zeigen. In Wirklichkeit geht es nicht so schnell, weil die Kohärenz noch eine Menge anderer Dinge zu tun hat und viele andere Pläne verfolgt. Aber feststeht, dass die Kohärenz wachsen will – ja, tatsächlich ist sie davon überzeugt, dass sie so schnell wie möglich wachsen *muss,* um auf Dauer bestehen zu können. Und«, fuhr Christopher fort, obwohl ihm das Sprechen auf einmal schwerfiel, »feststeht auch, dass die Kohärenz unbesiegbar ist. Sie sieht durch Tausende von Augen, handelt mit Tausenden von Händen, und sie ist unendlich viel intelligenter als jeder einzelne Mensch. Niemand kann sie aufhalten.«

Er hätte sich gern irgendwo angelehnt, war bis ins Mark erschöpft. »Im Grunde ist es auch egal, ob es noch ein Jahr dauert oder drei. Wir werden es auf jeden Fall erleben. Die Tage der Menschheit, wie wir sie kennen, sind gezählt.«

Auserwählt

51 | Der Tag danach fühlte sich an wie der erste Tag nach einer überstandenen Krankheit, wie ein Erwachen nach einer Nacht, in der das Fieber seinen Höhepunkt überschritten hatte.

Christopher fröstelte trotz des dicken Schlafsacks. Er stemmte sich hoch, sah sich um und wünschte sich sofort, er hätte es nicht getan: Im Licht des hellen Morgens waren die großen grauen Schimmelflecken nicht zu übersehen, die die Zeltplane zierten. Außerdem drang von den Latrinen ein unangenehmer Geruch herüber.

Er hatte das ganze Gästezelt für sich. Wo Kyle und Serenity wohl untergebracht waren? Bei ihrem Vater vermutlich.

Ihm war das nur recht. Christopher verspürte im Moment keine gesteigerte Lust, den beiden zu begegnen. Oder überhaupt irgendjemandem. Wahrscheinlich saßen sowieso schon alle beisammen und redeten über ihn. Ihn, das Monster. Den Jungen mit dem Chip im Kopf.

Er ließ sich zurücksinken, starrte an die Decke. Sonnenlicht blinzelte durch irgendeinen Spalt, warf helle, verschlungene

Muster auf die vergammelte Zeltplane. Von draußen hörte man die Geräusche des Lagers – Stimmen, Gelächter, das Klirren des metallenen Geschirrs.

Es wäre Zeit gewesen aufzustehen.

Aber aus irgendeinem Grund brachte er das nicht über sich.

Heute Morgen kam es ihm wie ein Fehler vor, ihnen alles erzählt zu haben. Hatte er damit nicht alles aus der Hand gegeben, sich völlig ausgeliefert? Jetzt konnten sie mit ihm umspringen, wie sie wollten.

Okay, theoretisch konnte er drohen, zu gehen und die Änderung im Satelliten-Überwachungsprogramm rückgängig zu machen. Teufel, dazu brauchte er nicht einmal einen Computer; es würde genügen, bei den entsprechenden Stellen anzurufen und ihnen einen heißen Tipp zu geben!

Aber das würde er in keinem Fall tun, und sie würden ihm diese Drohung auch nicht abnehmen. Insofern war das keine Trumpfkarte mehr.

War es das, was ihn lähmte? Diese Machtlosigkeit? Das Gefühl, sich ausgeliefert zu haben?

Nein, sagte er sich nach einigem Grübeln. Es war etwas anderes.

In den Wochen, die hinter ihm lagen, hatte er stets ein Ziel vor Augen gehabt: dieses Camp zu erreichen, die Gruppe um Jeremiah Jones, in der Dr. Connery Zuflucht gesucht hatte. In den Monaten davor hatte er auf der Lauer gelegen, um den richtigen Moment zur Flucht nicht zu verpassen.

Und nun? Nun hatte er kein Ziel mehr. Nun war er da, wo er

hingewollt hatte. Die Flucht war zu Ende. Wenn er jetzt noch den Chip loswurde, blieb nichts mehr zu tun.

Nichts mehr – außer zu warten, bis die Kohärenz sie irgendwann schließlich doch alle einholte.

52 | Er war noch einmal eingenickt. Irgendetwas ließ ihn mit pochendem Herzen hochfahren, sprungbereit horchen . . . Nichts. Ein wirrer Traum, in dem die Kohärenz eine Rolle gespielt hatte. Und Serenity, seltsamerweise.

Er rieb sich den Schlaf aus den Augen. Okay, die Kohärenz würde sie eines Tages alle schlucken. Aber zumindest bis dahin ging das Leben weiter. Und das Leben hatte nun einmal etwas damit zu tun, dass man morgens aufstand, sich wusch, frühstückte und dergleichen.

Christopher kroch aus dem Schlafsack, zog seine Jeans über. Jemand hatte ihm ein Handtuch hingelegt. Groß, allerdings auch kratzig. Weichspüler war wohl eher unüblich in der Wildnis.

Egal. Zweifellos würde er sich noch an ganz andere Dinge gewöhnen müssen.

Er trat ins Freie. Wie spät mochte es sein? Er hatte keine Ahnung, und wo seine Uhr abgeblieben war, wusste er auch nicht. Früh war es jedenfalls nicht mehr, das sah selbst er mit einem Blick an den Himmel.

Im Camp herrschte geschäftiges Treiben. Wobei er nur hier und da Bewegungen sah, Geräusche und Stimmen hörte. Die anderen Zelte und die Wohnwagen standen zu tief im Gebüsch, man sah nur hier ein Stück Zeltplane und da eine Chromleiste, die in einem schmalen Streifen Sonnenlicht blinkte . . . Hatten die keine Angst vor irgendwelchen Wildtieren? Bären, die sich nachts zwischen den Zelten herumtrieben oder so was?

Gewöhnungsbedürftig.

Ein Abstecher zu den Latrinen, so kurz wie möglich. Weit waren die ja nicht weg; leider.

Und nun? Eine Frau kam einen Trampelpfad vom See herauf, ein Handtuch um den Nacken und eine Bürste in der Hand. Alles klar. Es gab noch einen zweiten Pfad, der wie der erste im Uferdickicht verschwand. Wahrscheinlich trafen die sich mehr oder weniger an derselben Stelle am Ufer.

Also, los, auf in das zünftige neue Dasein als Naturbursche!

Auf dem Weg hinunter zum Wasser sah er sich um, blieb unwillkürlich stehen. Wow. Das war schon was anderes als ein Badezimmer. Der See war riesig, lag ruhig und dunkel vor ihm, die Wasseroberfläche hier und da mit silbernem Gekräusel verziert. All das war eingebettet in Wald, so weit das Auge reichte – und das reichte weit; man sah bis zu fernen Gipfeln, auf denen sich Spuren von Schnee gehalten hatten. Wieder kamen sie ihm in den Sinn, die Geschichten von den harten Wintern in Montana. Seen wie dieser hier waren vermutlich monatelang zugefroren, und was dann?

Christopher schob einen Ast beiseite, folgte dem Pfad ins Halbdunkel der Uferböschung und sagte sich, dass es wenig Sinn hatte, sich darüber jetzt schon den Kopf zu zerbrechen. Irgendwie musste es gehen; die Leute um Jeremiah Jones zelteten sicher nicht das erste Jahr in den Wäldern. Er würde zweifellos herausfinden, wie –

Christopher blieb abrupt stehen. Da unten am Ufer war jemand. Eine Frau. Ein Mädchen.

Mit nacktem Oberkörper. Er erhaschte einen Blick auf eine blasse Brust, gesprenkelt von ein paar Sommersprossen.

Oh nein, wie peinlich! Christopher drehte sich hastig weg, trat einen Schritt zurück, hinter einen Baum. Was jetzt? Er hatte doch nicht ahnen können . . . Ob sie ihn bemerkt hatte? Wer war das überhaupt?

Er riskierte noch einen Blick. Jetzt richtete sie sich auf, streifte ihr langes, widerspenstiges Haar nach hinten, saß da wie eine Fee aus dem Märchen in dem warmen, flirrenden Morgenlicht.

Es war niemand anders als Serenity. Auch das noch!

Christopher zuckte zurück hinter den Baum und merkte, dass er plötzlich Schwierigkeiten mit dem Atmen hatte. Sie hatte ihn doch hoffentlich, hoffentlich nicht bemerkt?

Er schaute sicherheitshalber noch einmal nach. Sie war nach wie vor vollauf beschäftigt, all ihre Haare in einen einzigen Gummi zu zwängen. Seltsam, er war nie auf die Idee gekommen, dass sie unter den Schlabbersachen, die sie trug, so toll aussehen könnte.

Er versuchte, kein Geräusch zu machen, als er seinen Fuß zurück auf den Pfad setzte, und er versuchte, sich auf dem Rückweg zu beeilen. Dabei entdeckte er das Schild, das – eigentlich unübersehbar – neben der Stelle in den Boden gepflockt war, an der der Trampelpfad zwischen Bäume und Büsche verschwand. »Ladys« stand darauf.

Hatte das vorhin wirklich auch schon da gestanden?

Gott, er war so ein Trampel. Zum Glück sah ihn gerade weit und breit niemand herauskommen. Christopher huschte hinüber zu dem anderen Pfad, vorbei an dem Schild »Gentlemen«.

Mann, Mann – da knackte er ausgetüftelte Sicherheitssysteme, kam aber nicht auf die Idee, dass die Waschgelegenheiten für Männer und Frauen getrennt sein könnten!

Das *real life* überforderte ihn manchmal einfach.

Und irgendwie war das Leben hier draußen in der Natur ganz besonders *real*.

Auf dieser Seite war jedenfalls niemand. Das Ufer war breiter als drüben, allerdings an manchen Stellen zertrampelt und aufgeweicht; man musste aufpassen, wohin man trat.

Christopher hockte sich hin, hielt die Hand ins Wasser. Es fühlte sich weich an und nicht so kalt, wie er befürchtet hatte. Auf einem Stein mit einer Kuhle lag ein Stück Seife.

Er zog sein Sweatshirt aus und wusch sich, unbeholfen zuerst. Trotzdem fühlte es sich nicht schlecht an. Eigentlich sogar gut. Ungewohnt. Irgendwie . . . urwüchsig.

Während er sich abtrocknete, sah er hinaus auf den See und fragte sich, wie das mit dem Duschen ging. Gab es irgendwo Duschen? Oder badete man einfach im See? Vermutlich. Urwüchsig eben.

Er ließ das Handtuch sinken, fröstelte unter einem kühlen Wind, der die Blätter ringsum zum Rascheln brachte, und da war es wieder – dieses Gefühl von Überforderung. Konnte er das wirklich, in der freien Natur leben? Er war mit geheizten Wohnungen, fließend warmem Wasser, funktionierenden Kühlschränken und bequemen Möbeln aufgewachsen. Und abschließbaren Badezimmern, nicht zu vergessen.

Abschließbar und insektenfrei. Er schnippte einen dicken schwarzen Käfer fort, der sich unbeirrbar auf sein Knie zubewegte.

Dabei hatte er es gewusst. Jeremiah Jones predigte in seinen Büchern den Weg zurück zur Natur: So sah das in der Praxis aus.

Hinter ihm knackte etwas. Christopher wandte den Kopf, sah aber niemanden. Wobei es gar nicht so leicht war, von hier aus jemanden auszumachen, der im Unterholz stand und sich nicht rührte.

Er musste an Serenity denken. Das Bild, wie sie sich halb nackt am Ufer reckte und streckte und mit hoch erhobenen Armen ihr Haar zusammenband, ging ihm nicht aus dem Kopf.

Vielleicht hatte sie ihn tatsächlich nicht bemerkt.

Hoffentlich.

Christopher schnappte sein Sweatshirt. Auf jeden Fall hatte er jetzt Hunger, nein, richtigen Kohldampf. Musste an diesem urwüchsigen Naturburschenleben liegen.

53 | Serenity hatte ihre Waschsachen eigentlich ins Zelt zurückbringen wollen, aber der Duft von Kaffee zog sie unwiderstehlich in Richtung Feuerplatz. Warum auch nicht. Ihr Handtuch konnte ihr gut als Sitzunterlage dienen.

Dad saß mit dem Rücken zum See auf einem der Baumstämme, eine Blechtasse in der Hand, und starrte grübelnd in die Flammen. Als er seine Tochter kommen sah, hellte ein Lächeln sein Gesicht auf; er klopfte einladend mit der Hand auf den Platz neben sich.

»Gut geschlafen?«, fragte er, als sie sich setzte.

»Wie ein Stein«, sagte Serenity.

»Dein Bruder ist schon mit ein paar Leuten auf die Jagd. Ich hoffe, wir waren nicht zu laut, als wir aufgestanden sind.«

»Ich hab euch nicht mal gehört.« Dad bewohnte ein altmodisches Hauszelt. Kyle und er hatten im geräumigen Vorzelt geschlafen; als Serenity heute Morgen den Reißverschluss des Innenzeltes aufgezogen hatte, waren beide Liegen verlassen gewesen.

»Und Christopher – hast du den heute zufällig schon gesehen?«

»Nein, wieso?«

»Weil er nicht in seinem Zelt ist«, sagte Dad. »Und ich mit ihm reden muss.«

»Hast du Angst, er ist abgehauen?« Der Kaffee köchelte in einem großen Topf, der auf einem Gitter im Feuer stand. Serenity nahm sich eine saubere Tasse von einem blau gepunkteten Emailletablett und griff nach der Schöpfkelle.

»Nein, er wird schon irgendwann auftauchen.« Dad nippte an seinem Kaffee. »Ich dachte nur. Hätte ja sein können.«

273

Serenity schöpfte behutsam die Flüssigkeit an der Oberfläche ab, um nichts von dem Kaffeepulver abzukriegen, das sich auf dem Boden des Topfes abgesetzt hatte.

»Weißt du, woran ich gerade denken muss?«, sagte sie leise. »An früher. An die Ausflüge, die wir gemacht haben. Ich habe dir und Mom zugeschaut, wie ihr euren Kaffee gekocht habt, genau so, einfach Pulver ins Wasser . . . Ich hab ja noch keinen getrunken, aber ich habe mir gesagt, wenn ich mal groß bin, werd ich das auch so machen.« Sie sah auf die geblümte Tasse hinab. »Und jetzt mache ich es zum ersten Mal so.«

Dad betrachtete sie mit einem Ausdruck, der zwischen Wehmut und Schmerz lag. »Ja«, sagte er. »Jetzt bist du ja auch groß.«

Auf einmal drängten sich eine Million Fragen in ihr, so viele, dass sie keine davon stellen konnte. Ob er sie manchmal vermisste. Ob im Winter immer noch Rehe bis ans Haus kamen. Was aus ihrem alten Zimmer geworden war . . .

»Was ist denn jetzt mit eurer Siedlung?«, fragte sie schließlich. »Wer kümmert sich darum?«

Dad schüttelte den Kopf. »Niemand. Wir haben die Tiere freigelassen oder weggegeben, und die Felder . . . Tja. Die bleiben sich selbst überlassen. Keine Saat, keine Ernte. Selbst wenn es uns gelingen sollte, unsere Namen reinzuwaschen, werden wir ganz von vorn anfangen müssen.« Jetzt sprach Erbitterung aus seiner Stimme. Und Zorn, mühsam in Zaum gehaltener Zorn.

Serenity erschauerte unwillkürlich. Die schönen Erinnerungen verschwanden, als hätte jemand sie ausgeknipst, und machten der unerfreulichen Gegenwart Platz. »Wie wollt ihr da jemals wieder herauskommen? In den Zeitungen und im Fernsehen haben sie euch praktisch schon verurteilt. Die Behörden suchen euch, die Polizei, das FBI . . .«

»Ich weiß. Mein Anwalt kümmert sich darum – David Silverman, vielleicht erinnerst du dich noch an ihn –, und ich habe außerdem eine zweite Kanzlei engagiert. Aber ehrlich gesagt wird das Geld allmählich knapp. Sie haben meine Konten eingefroren, wie man das eben so macht mit Terroristen . . .« Ihm fiel etwas ein. Er beugte sich nach hinten und holte einen großen Korb hervor. »Hier. Du wirst Hunger haben, nehme ich an.«

»Ehrlich gesagt vergeht mir der Appetit gerade.« Serenity beugte sich vor und schaute in den Korb. Ein angeschnittener Laib Brot, zwei Gläser Marmelade, eine armselige Packung Scheibenkäse und ein . . . Was war das? Fleisch. Ein kolossales Stück Braten, in ein Tuch gewickelt. »Ohne Geld, wie kommt ihr denn da über die Runden?«

»Ich hab nicht gesagt, dass wir *kein* Geld mehr haben. Wir haben nur nicht mehr *viel*.« Er hob die Schultern. »Wir leben hauptsächlich von dem, was die Natur uns bietet. Wir fischen, wir jagen, wir sammeln Kräuter und Wurzeln. Nicht abwechslungsreich, aber wir werden nicht verhungern.«

»Nein, werden wir nicht«, ließ sich eine weitere Stimme vernehmen. Es war Dr. Connery, der zu ihnen stieß. Er hatte einen Apfel in der Hand und biss hinein. »Dein Vater unterschlägt«, sagte er kauend, »dass er überall Freunde hat, die trotz allem an ihn glauben und ihn unterstützen. Absolut beeindruckend.

Eure Lotsen gestern haben von jemandem in dem Supermarkt, wo ihr euch getroffen habt, kistenweise Gemüse, Obst und so weiter mitbekommen. Einfach so.«

»Die hätten das dort weggeworfen.« Dad schüttelte den Kopf. »Das muss man sich mal vorstellen. Dabei war das meiste noch gut.«

»Also, du kannst auch einen Apfel haben, will ich damit sagen«, erklärte Dr. Connery und wies hinter sich in Richtung des Küchenzelts. »Oder was du sonst möchtest. Ist alles im Kühlschrank.« Er deutete zum Himmel. »Sicherheitshalber. Wird ein heißer Tag heute.«

»Danke«, sagte Serenity. Von Obst am Morgen bekam sie erfahrungsgemäß Schluckauf. »Ich bleib bei Marmeladebrot.«

Sie war gerade dabei, sich eine Scheibe zu nehmen, als Christopher auftauchte, so behutsam, als sei er nicht sicher, ob er willkommen war. Ein paar Haarsträhnen klebten ihm feucht an den Schläfen. Ihr Vater hätte sich keine Sorgen machen müssen. Er war einfach nur am See gewesen, sich waschen.

Serenity sagte nur rasch »Guten Morgen« und widmete sich dann ihrem Brot, als erfordere es all ihre Aufmerksamkeit, Pflaumenmarmelade darauf zu verstreichen.

Plötzlich wusste sie nicht, wie sie ihm begegnen sollte. Sie musste immer noch daran denken, was sie gestern Abend gehört hatte. Was hatte er durchgemacht – welchem Albtraum war er entronnen! Und sie hatte ihn für arrogant gehalten. Für einen schrägen Vogel. Für einen, der versuchte, *supercool* zu wirken.

Sie schämte sich entsetzlich, wenn sie daran dachte, wie sie ihn behandelt hatte und wie ruhig er trotz allem geblieben war. An seiner Stelle hätte sie vermutlich vor lauter Panik um sich geschlagen.

Sie hatte Christopher schwer unrecht getan. Vorwiegend in Gedanken, aber trotzdem.

Zum Glück schien auch er ihren Blick zu meiden, und dann übernahm ohnehin Dad das Gespräch. Erst ging es um Dinge wie Kaffee und was er frühstücken wollte, und als Christopher einen Teller mit zwei Käsebroten in Händen hielt – Kaffee wollte er keinen –, fragte Dad, ob er sich schon imstande fühle, die eine oder andere Frage zu diskutieren.

»Klar«, sagte Christopher und nahm den ersten Bissen.

»Du hast gestern Abend ein paar Dinge angedeutet«, begann Dad, »die ich genauer verstehen möchte. Zum Beispiel, warum ausgerechnet wir als Terroristen verfolgt werden. Nach dem, was du erzählt hast, klang es fast so, als stecke da ebenfalls diese . . . *Kohärenz* dahinter?«

Christopher nickte kauend, als verstünde sich das von selbst. »Natürlich. Sie kontrolliert alle wichtigen Polizeikräfte auf der Welt. Auch das amerikanische Heimatschutzministerium.«

»Puh«, machte Dr. Connery. Er warf seinen Apfelbutzen ins Feuer.

»Okay«, fuhr Serenitys Dad gedehnt fort. »Mag so sein. Dann bleibt trotzdem die Frage, was für ein Interesse sie an uns hat?«

Christophers Augenbrauen hoben sich zu einem verwunderten Gesichtsausdruck. »Na, Sie bieten ihm Unterschlupf!« Er wies auf Dr. Connery. »Er hat mit seiner Kopplung von Neuro-

277

nen und elektronischen Schaltkreisen doch erst die entscheidende Grundlage für das Entstehen der Kohärenz geschaffen.
Sie will ihn aufnehmen, um mithilfe seines Fachwissens noch
schneller und sicherer zu expandicren.«

54 | Dr. Connerys Augen schienen einen Moment lang anzuschwellen, dann legte er die rechte Hand davor und murmelte etwas Unverständliches.

Dad sagte nichts. Er sah so aus, als müsse er die Information erst einmal verarbeiten.

»Tut mir leid«, meldete sich Dr. Connery schließlich zu Wort. Er wirkte mit einem Mal um Jahre gealtert. »Wenn ich das gewusst hätte, hätte ich nie im Leben . . . Natürlich werde ich gehen. Unter diesen Umständen kann ich es nicht verantworten . . .«

»Unsinn«, unterbrach Dad ihn. »Erstens lassen wir niemanden im Stich, und zweitens bezweifle ich, dass das noch etwas ändern würde. Sie haben für die Öffentlichkeit eine Lügengeschichte aufgebaut, die können sie nicht so einfach widerrufen . . .« Er hielt inne, runzelte die Stirn. »Wobei ich mich frage, woher die das wussten. Dass du bei uns bist, meine ich. Das wussten wir ja bis gestern selber nicht mal.«

Dr. Connery hob den Kopf, blinzelte. »Keine Ahnung. Ich habe mir alle Mühe gegeben, meine Spuren zu verwischen, das kannst du mir glauben. Bis auf das mit dem Buch.« Er überlegte. »Warte. Ich habe meine Schwester ein paarmal angerufen. Ich musste ihr ein paar Sachen sagen, die ich nicht in dem Brief schreiben wollte. Und auch wenn wir immer verschiedene Wege gegangen sind, bleibt sie doch meine Schwester.« Er schüttelte ratlos den Kopf. »Aber ich habe immer von Telefonzellen aus telefoniert, weit weg von der Siedlung, und ich habe mit keinem Wort verraten, wo ich stecke; bestimmt nicht! Außer, dass ich in den USA bin, aber das kann man ja wohl kaum als Spur bezeichnen.«

Christopher gab einen Knurrlaut von sich. »Die Kohärenz weiß es«, sagte er, so unwillig, als müsste das offensichtlich sein, »weil *ich* es wusste. In dem Moment, in dem sie jemanden aufnimmt, hat sie Zugriff auf alles, was man weiß. In meinem Fall nur auf *fast* alles, aber das hat gereicht.«

Einen Augenblick lang schwiegen sie alle, ein ratloses Schweigen. Irgendwo keckerte ein Vogel; es klang, als lache er sie aus. Serenity fühlte das Entsetzen zurückkehren, das sie gestern Abend gespürt hatte, während Christopher seine Geschichte erzählt hatte und es immer schlimmer und noch schlimmer gekommen war.

Nur dass sich das Entsetzen diesmal so anfühlte, als wolle es nie wieder weichen.

Dad griff nach seiner Kaffeetasse, und Serenity entging nicht, dass seine Hand bebte, kaum merklich, aber doch zu erkennen, wenn man genau hinsah.

Sie biss sich auf die Unterlippe und schmeckte Blut. Je mehr sie über die Kohärenz erfuhr, desto aussichtsloser erschien es, sich ihr entgegenstellen zu wollen.

»Okay«, sagte Dad schließlich grimmig. »Damit wäre das geklärt.« Sein Blick wanderte in die Ferne, über die waldbedeckten Berghänge ringsum, ihre Zuflucht. »Und damit wären die Beschuldigungen gegen uns auch geklärt. Missverständnisse sind das nicht.«

»Nein«, bestätigte Christopher. »Das ist alles geplant. Absicht. Und vermutlich haben sie zwei Fliegen mit einer Klappe geschlagen, denn ich nehme mal an, dass sie diese Daten, die verloren gegangen sind, sowieso aus der Welt schaffen wollten.«

»Was für Daten waren das?«

Christopher hob die Schultern. »Keine Ahnung. Ich bin zu spät gekommen, um das rauszufinden.«

»Das heißt, irgendwelche Informationen, die der Kohärenz hätten gefährlich werden können?«

»So was in der Art«, bestätigte Christopher.

Dad starrte in seine Kaffeetasse, als sei sie ein Orakel. »Mit anderen Worten: Wir werden auf juristischem Weg überhaupt nichts erreichen.«

»Keine Chance.«

»Weil unser eigentlicher Gegner die Kohärenz ist.«

»Genau.«

Dr. Connery gab ein unartikuliertes Ächzen von sich.

»Okay. So weit klar.« Dad fuhr sich mit der freien Hand über das Gesicht. »Dann lass mal überlegen. Dieses Interface in deinem Gehirn, dieses . . . Wie sollen wir es nennen?«

»Ich nenne es einfach *den Chip*«, sagte Christopher.

»Okay. Der Chip also. Wie machst du das eigentlich, wenn du schläfst? Wie behältst du ihn da unter Kontrolle?«

»Das ist kein Problem. Der Chip ist zurzeit ausgeschaltet. Oder besser gesagt, er ist inaktiv, in einer Art Stand-by-Modus. Ich kann das Feld spüren, wenn es da ist, bleibe aber trotzdem unsichtbar für die Kohärenz. Solange der Chip ausgeschaltet ist, scheint sie mich nicht finden zu können. Und ihn von außen zu aktivieren, ist offenbar auch nicht möglich.«

»Dieses *Feld* . . . was ist das genau?«

»Das technische System, mit dessen Hilfe die Chips untereinander kommunizieren. Es basiert auf den Mobilfunknetzen.«

»Ist es eine normale Eigenschaft dieser Chips, abschaltbar zu sein?«

Christopher griff nach seinem zweiten Käsebrot. »Ich glaube, nein. Ich weiß es nicht genau. Als ich noch Teil der Kohärenz war, wusste ich natürlich, wie die Chips konstruiert sind, wie sie funktionieren und so weiter, aber jetzt erinnere ich mich nicht mehr an alles.«

»Ich frage mich eben«, meinte Dad, »ob man andere . . . Upgrader? So hast du sie genannt, nicht wahr?«

»So nennen sie sich selber.«

»Okay. Könnte man Upgrader dazu bringen, ihre Chips abzuschalten?«

Christopher dachte einen Moment nach. »Ich glaube nicht. Nein. Ich konnte das, weil ich . . . Also, man braucht auf jeden Fall gewisse Hackerfähigkeiten. Man muss komplexe Maschinen kontrollieren können, verstehen, wie sie funktionieren und so . . .« Er hielt inne, starrte einen Moment ins Leere, dann schüttelte er den Kopf. »Mein Chip ist abschaltbar, weil er beschädigt ist. So fühlt es sich jedenfalls an. Ich meine, was wäre auch der Sinn eines abschaltbaren Chips? Wenn es was gibt, was die Kohärenz um jeden Preis verhindern will, dann, dass sich ihre Teile ausklinken.«

Dads Augenbrauen hoben sich. In seinen Augen glomm ein Funke, der Serenity bekannt vorkam. So sah es aus, wenn Dad gerade ein Gedanke gekommen war, den er für bedeutsam hielt.

»Das finde ich einen bemerkenswerten Zufall«, erklärte er. »Dass ausgerechnet dein Chip anders ist als alle anderen. Findest du das nicht auch eigenartig?«

Christopher stellte seinen Teller beiseite. »Doch. Schon seltsam. Und?«

»Ich hab manchmal so Probleme mit Zufällen.«

»Wenn das Ding draußen ist, können Sie es sich ja mal genauer anschauen.«

Auf dieses Stichwort hin beugte sich Dr. Connery vor. »Darüber haben Dr. Lundkvist und ich uns übrigens gestern Nacht noch Gedanken gemacht. Wir können ein medizinisches Einsatzfahrzeug der Bergrettung bekommen – leihweise, versteht sich –, das auch für schwierigere Operationen ausgerüstet ist. Eigentlich ist es ein OP in einem Container. Er steht auf einem Transportfahrzeug, kann aber genauso von einem Hubschrauber transportiert werden. Wir sind zwei Ärzte, beide mit hinreichender Erfahrung, was Operationen anbelangt – aber trotzdem bleibt dieser Eingriff riskant, das muss dir klar sein. Doch grundsätzlich möglich wäre er.«

Christopher knetete seine Hände. »Da muss ich eben durch.«

Serenitys Vater blickte erst Dr. Connery, dann Christopher nachdenklich an und sagte dann: »Ich schlage vor, es *nicht* zu tun.«

»Was?«

»Den Chip zu entfernen.«

Christopher zog den Kopf ein. Einen Moment lang wirkte er wie ein in die Enge getriebenes Tier. »Wieso nicht?«

»Wüsste ich auch gern«, stimmte ihm ein äußerst verdutzt dreinblickender Dr. Connery bei.

Vater faltete die Hände. Serenity kannte auch diese Geste. Das tat er immer, wenn er Leute überzeugen wollte, von denen er annahm, dass sie sich schwer überzeugen lassen würden.

Er sah Christopher an, als nehme er ihn ins Visier. »Nach allem, was wir wissen, bist du der einzige Mensch mit einem Interface-Chip, der diesen abschalten kann und damit kontrollierten Zugang zur Kohärenz hat. Außerdem bist du der Einzige, der die Kohärenz jemals verlassen hat, sie also von innen kennt. Und du bist ein Hacker, und zwar nicht irgendeiner, sondern *Computer Kid*. Eine Legende, mit anderen Worten.«

Christopher starrte ihn an, sagte aber nichts.

»In gewisser Weise«, fuhr Vater fort, »kann man sagen, dass du vom Schicksal auserwählt bist. Und wozu, wenn nicht dazu, die Menschheit zu retten?«

55 | Serenity hielt den Atem an, weil sich irgendetwas in ihrem Brustkorb zu bewegen schien. So, als mache ihr Herz auf einmal wilde Sprünge.

Ja. Ihr Vater hatte recht. Es konnte nicht anders sein. Wenn man die Geschichte so betrachtete, war es, als fielen alle Teile eines riesigen Puzzles von selber an die richtigen Stellen.

Doch Christopher blies die Backen auf und meinte nur: »Toller Spruch. Aber eher einer für einen Fantasyroman.«

Dad musterte ihn. »Du glaubst nicht an so etwas wie Bestimmung, heißt das.«

»Es ist egal, ob ich an Bestimmung glaube oder nicht – es ist in jedem Fall aussichtslos.« Christophers Blick war düster. »Was soll ich denn gegen die Kohärenz ausrichten? Ich bin froh, dass ich ihr entkommen bin. Das war schwer genug. Wäre sie damals schon gewarnt gewesen, hätte ich nicht mal das geschafft. Aber mehr als das . . . Das ist utopisch.«

»Es ist niemals egal, was man glaubt«, sagte ihr Dad sanft. »Und ich meine das nicht im religiösen Sinn. Was man für möglich hält und was nicht, bestimmt, was man erreichen kann oder eben nicht.«

Christopher schüttelte den Kopf, eine trotzige Geste. »Ich habe schlicht und einfach einen Chip im Schädel, der nicht so funktioniert, wie er soll. Mit anderen Worten: der kaputt ist. Und wer weiß, mit was für Risiken das verbunden ist.« Er holte tief Luft. »Ich will das Ding los sein und fertig.«

Serenity merkte auf einmal, dass sie nach der Schöpfkelle gegriffen hatte, aber warum eigentlich? Sie ließ den Griff wieder los. Ihre Hand bebte.

Ihr Herz auch. Das Gespräch nahm die ganz falsche Richtung.

Sie hatte das Gefühl, etwas sagen zu müssen.

Sie wusste nur nicht, was.

Dr. Connery beugte sich vor, die Arme verschränkt. »Vielleicht«, schlug er vor, »sind es ja deine ... hmm, *anderweitigen* Fähigkeiten, die dich für den Widerstand prädestinieren. Du bist der Welt berühmtester Hacker: Vielleicht kannst du einen Virus entwickeln, der die Kohärenz zerstört?«

Christopher sah ihn an, wie man jemanden ansieht, der gerade etwas unfassbar Dämliches gesagt hat.

»Einen *Virus?*«, wiederholte er.

»Einen Computervirus natürlich.« Dr. Connery hob die Hände. »Nur so eine Idee. In Filmen machen sie das immer, wenn mal wieder ein Computer die Weltherrschaft an sich reißt.«

Christopher schüttelte unwillig den Kopf. »Das ist ... Quatsch, entschuldigen Sie. Das hier ist doch etwas total anderes. Die Kohärenz ist kein Computer, sie ist ein Verbund von *Gehirnen*. Was soll ein Virus da ausrichten?«

»Aber Computer spielen eine wesentliche Rolle bei alldem. Netzwerke, das Internet, die Chips ...«

»Schon, aber das sind alles nur Hilfsmittel.«

»Und wenn man die stört?«

»Werden die Störungen umgangen. Das Internet ist vom Prinzip her ein *fail-safe*-System. Es ist so konstruiert, dass es auch dann noch funktioniert, wenn Teile davon ausfallen.«

»Verstehe«, winkte Dr. Connery ab. »Das sind natürlich alles Vorschläge eines Laien, ins Unreine gedacht ... Ich wollte nur

286

sagen, irgendeine Möglichkeit, die Kohärenz mitten ins Herz zu treffen, muss es doch geben!«

Serenity überlief es kalt, als sie sah, mit welchem Gesichtsausdruck Christopher den Kopf schüttelte, und wie langsam und mit welch entsetzlicher Endgültigkeit.

»Die Kohärenz«, sagte er düster, »hat kein Herz, Dr. Connery. Sie hat keinen Anführer und kein Zentrum. Das ist das Problem: Es gibt keinen Bösewicht, den man besiegen könnte. Das, was da heranwächst, ist unverwundbar.«

56 | Er schockte sie. Das war Christopher klar. Die beiden Männer trugen es mit Fassung, aber Serenity nicht. Er erschrak fast, als er ihren Gesichtsausdruck sah. Zitterte sie etwa?

Oder war sie im Begriff, ihm an den Hals zu springen?

»Das ist nicht dein Ernst, oder?«, brach es aus ihr heraus. »Gestern Abend hast du uns vorgerechnet, dass uns diese verdammte Kohärenz bis nächstes Jahr alle aufgesaugt haben kann – und jetzt willst du einfach nur dasitzen und *nichts* tun?«

Christopher duckte sich unwillkürlich. »Aber was *soll* ich denn tun?«

»Weiß ich nicht«, fauchte sie. »Irgendwas eben!«

»Aber ich weiß es auch nicht!«, rief Christopher. »Ich habe keine Ahnung, was man dagegen unternehmen könnte!«

In ihrem Gesicht zuckte es, eine Träne rann silbern ihre Wange hinab, über all die vielen feingoldenen Sommersprossen hinweg. »Aber ich will nicht so enden!«, schluchzte sie. »Verstehst du das denn nicht? *Ich will nicht so enden!*«

Christopher sah sie bestürzt an. Nein, er wollte auch nicht, dass sie so endete.

Aber was sollte er tun?

Das geriet allmählich alles außer Kontrolle. Eigentlich hatte er Serenity Jones nur ausfindig gemacht, um mit ihrem Vater in Kontakt zu kommen. Damals war das nur ein Name gewesen, der, weil er so ungewöhnlich war, die Suche im Internet enorm erleichtert hatte.

Und nun, ein paar Tage später, war ihm plötzlich nicht mehr egal, was aus ihr wurde.

Er nahm seinen Teller wieder auf, ganz sinnlos, suchte nach Worten. »Du darfst dir nicht vorstellen, dass das so etwas wie . . . Also, es ist kein *Ende* in dem Sinn. Ich meine, nicht wie Sterben oder so. Selbst wenn man in der Kohärenz aufgeht, ist man immer noch *da*.«

Himmel, wie konnte man diesen Zustand beschreiben? Überhaupt nicht.

Er musterte sie. In ihren Augen las er nur Fassungslosigkeit. Und auch ihr Vater und Dr. Connery sahen nicht so aus, als verstünden sie, wovon er redete.

»Das ist schwer zu erklären. Es ist nicht so, als würde man mit einem Haufen anderer Leute zusammengesperrt. Man ist mit allen verbunden, ja, man sieht durch ihre Augen, hört durch ihre Ohren und so weiter . . . aber auf eine seltsame Weise hat man trotzdem das Gefühl, nur eine einzige Person zu sein. Die Kohärenz eben. Du *wirst* zur Kohärenz. *Jeder* wird zur Kohärenz. Man ist allein und viele zugleich . . .« Das klang alles bizarr, sogar in seinen eigenen Ohren. Bestenfalls wie fader Trost. »Jedenfalls ist es kein *Ende*.«

Serenity musterte ihn mit ihren gelbbraunen Augen, die aussahen wie Edelsteine. »Na toll«, sagte sie. »Das heißt, wenn eines Tages alle Menschen in der Kohärenz aufgegangen sind, gibt es nur noch einen einzigen Geist, der durch alle Augen sieht und durch alle Ohren hört und so weiter, der aber trotzdem absolut *einsam* ist. Wenn das kein Ende ist, dann weiß ich auch nicht.«

Christopher seufzte. Das war ja alles richtig. Aber sie tat gerade so, als sei das seine *Schuld!*

»Der Punkt ist«, versuchte er es noch einmal, »dass ich *keine blasse Ahnung* habe, wie man diese Entwicklung aufhalten könnte. Schon dass ich der Kohärenz entkommen bin, ist ein Wunder. Ich hatte ungeheuer viel Glück, und ein zweites Mal würde ich es garantiert nicht schaffen.« Er hob die Hände, ließ sie fallen. »Ich weiß nicht, was man tun kann. Schlicht und einfach.«

Serenitys Vater mischte sich wieder ein. »Das musst du auch nicht«, erklärte er. »Wichtig ist erst einmal, trotz allem nicht aufzugeben.«

»Ich habe nicht aufgegeben.« Er wunderte sich selbst, wie scharf seine Stimme auf einmal klang. »Ich habe nur die Realität akzeptiert.«

Jeremiah Jones schüttelte bedächtig den kahlen Schädel. »Das darf man manchmal nicht. Denn sobald man überzeugt ist, dass es für ein Problem keine Lösung gibt, wird man auch keine finden – selbst wenn doch eine existieren sollte.«

Christopher hätte fast mit den Augen gerollt. Mann! Da bliesen sie ihm immer ins Ohr von wegen »Computer Kid« und »Legende« und »bester Hacker der Welt«, aber im Grunde hielten sie ihn doch nur für einen dummen Teenager, oder?

Er stellte den Teller zurück auf den Boden. »Ich war ziemlich lange unterwegs«, erklärte er, »und ich habe eine Menge Zeit gehabt nachzudenken. Glauben Sie, ich habe nur Kreuzworträtsel gelöst?«

Jones lächelte milde. »Ich glaube, dass du unter Schock gestanden hast. Ich jedenfalls wäre nach derartigen Erlebnissen völlig gelähmt gewesen – wäre es immer noch.« Er hob die

Hand, ballte sie zur Faust. »Aber ich bin überzeugt davon, dass du eine Lösung finden kannst, sobald du den *Entschluss* dazu fasst. Sobald du *glauben* kannst, dass es eine Lösung gibt, wirst du sie auch finden. Und ich gehe ja nicht davon aus, dass du die Kohärenz *allein* besiegen sollst, während wir uns gemütlich zurücklehnen und darauf warten, dass wir dir applaudieren können. Ich stelle mir das durchaus als gemeinsame Aktion vor. Schließlich ist die Kohärenz auch hinter *uns* her.«

Christopher wollte etwas erwidern, etwas Harsches, Entschiedenes, und dann aufstehen und gehen, doch in dem Augenblick beugte sich Serenity vor, legte ihm ihre Hand auf den Arm und sagte: »Bitte!«

Ungefähr einen Herzschlag lang standen alle seine Gedanken einfach still.

Und ehe sie wieder in Gang gekommen waren, hörte er sich sagen: »Okay.«

57 | Serenity zuckte zusammen, als Christopher ruckartig seinen Arm wegzog, aufstand und sagte: »Ich muss nachdenken.« Dann drehte er sich um und stapfte davon.

Hilflos blickte sie ihren Vater an. »Was war das jetzt?«

Dad hob die Schultern. »Er hat ›okay‹ gesagt. Lass ihn.«

Sie sah Christopher nach. Er wirkte auf einmal wie ein Schlafwandler.

Dr. Connery war ihrem Blick gefolgt. »Er ist etwas Besonderes«, sagte er leise. »Das habe ich schon damals gedacht, als er zusammen mit seinem Vater bei mir im Labor gesessen hat. Er konnte alles um sich herum ausblenden, wenn er ins Programmieren versunken war. Einmal hat jemand einen Wagen mit fünf Dutzend Zellproben umgeworfen, ein Krach, als ob eine Glasfabrik in sich zusammenfällt. Er hat das nicht einmal mitbekommen.«

»An irgendetwas muss es ja liegen«, sagte Dad. »Dass er ein so guter Hacker ist, meine ich. Ohne ein außergewöhnliches Konzentrationsvermögen geht so etwas sicher nicht.«

Serenity sah auf ihre Hand hinab, die Hand, mit der sie Christopher angefasst hatte. Was hatte sie erwartet, dass er tun würde? Sie wusste es nicht. Im Grunde ließ das, was er erzählt hatte, überhaupt keinen Spielraum, keinen Ausweg, kein Entkommen. Ihr war nur wieder eingefallen, wie er sie vor den angreifenden Hubschraubern gerettet hatte, und einen Moment lang hatte sie geglaubt, er sei ein Superman, jemand, der über Fähigkeiten verfügte, die sonst niemand besaß.

Doch was das sein sollte, das wusste sie auch nicht.

Außerdem waren Hubschrauber *eine* Sache – eine relativ

überschaubare Gefahr –, die Kohärenz dagegen, dieses seltsame, kaum vorstellbare Gebilde aus miteinander verbundenen Gehirnen, die dieselben Gedanken teilen konnten . . . Das war etwas völlig anderes.

Vom Versorgungszelt her waren auf einmal aufgeregte Stimmen zu hören. Serenity sah hoch. Rus kam zu ihnen ans Feuer.

»Ist etwas passiert?« Dad stand auf.

Rus nickte. »Der Stromgenerator ist mal wieder ausgefallen. Und diesmal scheint gutes Zureden nicht zu helfen.«

»Großartig«, sagte Dad. Es klang beinahe begeistert.

Serenity folgte den beiden Männern hinüber zum Versorgungszelt, wo die Geräte aufgestellt waren. Dort bildeten schon eine ganze Anzahl Leute einen lockeren Kreis um einen dicklichen Mann mit Halbglatze, der mitten auf dem Boden saß, die Einzelteile des zerlegten Generators um sich herum.

»Wie sieht's aus, Nick?«, fragte Dad den Mann, der eine Jacke mit ungefähr hundert Taschen voller Werkzeuge trug.

Nick blickte von einem Bauteil zum anderen, als hoffe er, eines davon werde ihm die richtige Antwort zuflüstern, machte ein paar zischelnde Geräusche mit dem Mund, ehe er sagte: »Also, da werde ich ein schönes Stück fahren müssen, um die Ersatzteile zu kriegen.«

Dad nickte und sah nicht aus, als störe ihn das auch nur im Geringsten. »Okay«, entschied er. »Dann fahr mal. Wir kommen hier schon eine Weile zurecht. Oder?«, fragte er, an die Umstehenden gewandt.

Einer aus der Runde grinste schief und meinte: »Na klar. Das gefällt dir natürlich wieder.«

Jetzt erst begriff Serenity, dass ihrem Vater diese Situation tatsächlich gefiel. Für einen Moment fragte sie sich, ob es daran lag, dass er nach Christophers Enthüllungen erleichtert war, es mit einem handfesten Problem zu tun zu haben, das er in Angriff nehmen und lösen konnte.

Aber es war noch mehr als das. Serenity erinnerte sich, wie er ihr einmal von den ersten Camps erzählt hatte, die um ihn herum entstanden waren. Für Dad waren das Experimente gewesen: Er hatte herausfinden wollen, wie viel Technik man weglassen konnte, ohne deswegen schlecht zu leben. Er hatte herausfinden wollen, wie es sich anfühlte, auf den gewohnten Komfort, die gewohnten Hilfsmittel zu verzichten. Wie man ohne das alles zurechtkam.

Anfangs hatte er Freunde eingeladen, ihn bei diesen Experimenten zu begleiten, oder Studenten, mit denen er guten Kontakt hatte. Dann hatte er über seine Erfahrungen geschrieben – Artikel zuerst, später Bücher –, und nach und nach waren immer mehr Leute aufgetaucht, um mitzumachen.

»Wir übertreiben es mit der Technik«, hatte er ihr damals erklärt. »Technik an sich ist nichts Schlechtes, verstehst du? Schlecht ist, wenn wir uns davon abhängig machen. Schlecht ist, wenn wir zulassen zu verweichlichen, weil wir Dinge auf technischem Wege erledigen, die wir besser selber machen würden, mit eigenen Händen oder aus eigener Kraft. Schlecht ist, wenn wir Maschinen benutzen, um uns nicht anstrengen zu müssen – und wenn wir so verrückt sind, danach ins Fitnessstudio zu fahren, um uns *dort* anzustrengen!«

Von Anfang an hatte er den Kontakt zu Historikern gesucht, die die Lebensweise früherer Jahrhunderte erforschten, und zu Indianern, von denen manche altes Handwerk noch beherrschten. Er hatte klargestellt, dass es ihm nicht darum ging, nette Campingwochenenden zu verbringen, sondern um die Herausforderung des Verzichts. Leute, die das schon draufhatten – Überlebensspezialisten, die nur ein Messer und einen Feuerstein brauchten, um beliebig lange in der Wildnis zu überleben –, duldete er nur als Lehrkräfte. Dad wollte, dass sich ganz normale Großstädter, Schreibtischarbeiter und Couch-Potatoes dieser Erfahrung stellten.

»Technik ist wie eine warme Decke«, lautete einer seiner Sprüche, den Serenity allerdings nicht von ihm gehört, sondern in einem seiner frühen Artikel gelesen hatte. »Es ist ungesund, sich zu warm zuzudecken.«

Nun, ein Stück dieser Decke war ihnen durch den Ausfall des Generators jetzt jedenfalls weggezogen worden.

Bloß wurde dadurch nicht Kälte zum Problem, sondern Wärme. Denn die wichtigsten Geräte, die auf Strom angewiesen waren, waren die Kühlschränke.

Für einen solchen Notfall, erfuhr Serenity, hatte man in den Tiefkühlfächern große Blöcke Eis aufbewahrt. Dieses Eis verteilte man jetzt eilig auf die Lebensmittel, um sie länger frisch zu halten. Doch schon als Nick Giordano ins Auto stieg, war klar, dass das nicht reichen würde.

Die Gruppe, die sich im Versorgungszelt eingefunden hatte,

beratschlagte kurz und beschloss dann, dass sie heute einfach alle vom Verderb bedrohten Lebensmittel zubereiten und aufessen würden. Offenbar war es nicht das erste Mal, dass sie auf solch eine Lösung kamen. Und offenbar hob dieses Vorhaben die allgemeine Stimmung: Auf einmal war sogar die Rede davon, dass es heute Abend ein großes Fest geben würde.

Ein Fest? Serenity hatte das Gefühl, neben sich zu stehen. Da rechnete Christopher diesen Leuten das Ende der Welt aus, und sie hatten nichts anderes zu tun, als *Feste zu feiern?* War das deren Ernst?

War es. Eine verknittert wirkende Frau mit tiefer, rauchiger Stimme, die Irene hieß und das Kommando über die Küche innehatte, tauchte auf, drückte Serenity ein gigantisches Messer in die Hand und sagte: »Du kannst dich um das Gemüse verdient machen.«

Gemüse? Was für Gemüse? Serenity entdeckte schließlich draußen vor dem Zelt eine Kiste, randvoll mit Grünzeug, und daneben ein schlankes Mädchen von vielleicht siebzehn, achtzehn Jahren, mit langen schwarzen Haaren. Sie saß im Schneidersitz auf dem Boden, ein Holzbrett vor sich, auf dem sie emsig mit einem ebenso großen Messer hantierte. Sie hatte schmale, hohe Wangenknochen, leicht olivfarbene Haut und Ansätze von Schlitzaugen.

Und sie war atemberaubend schön.

Serenity trat zögernd neben sie und sagte: »Hi. Ich heiße Serenity.«

Das Mädchen sah hoch, ohne den Möhren, die sie in Scheiben schnitt, eine Verschnaufpause zu gönnen. »Hi. Ich bin Mad.«

»Mad?«, wiederholte Serenity verdutzt.

»Eigentlich Madonna. Wie die Sängerin.«

»Ist das nicht ein eher ungewöhnlicher Name für eine . . .« Serenity sprach nicht weiter. Am liebsten hätte sie sich die Zunge abgebissen.

»Für eine Indianerin?«, fuhr das Mädchen unbeschwert fort. »Ja, nicht gerade traditionell, stimmt. Aber meine Mutter ist eben ein Fan. Und ich muss es ausbaden. Madonna Two Eagles . . . Ich bitte dich: Ist das ein Name?«

»Jedenfalls keiner, den man leicht wieder vergisst.« Serenity grinste und ließ sich neben ihr nieder. »Ich heiße Serenity, weil ich als Baby so still und ernsthaft war.«

Sie sahen einander an, mussten gleichzeitig losprusten vor Lachen.

»Willkommen im Club«, meinte Madonna.

Es wurde richtiggehend lustig. Sie und Madonna schnitten gewaltige Mengen von Möhren in Stifte, Lauch in Ringe, Paprika in Streifen und Zucchini in Würfel, je nachdem, was Irene verlangte, und redeten dabei über Gott und die Welt. Es war, als kannten sie sich schon ewig.

Und es war, als sei die Kohärenz nichts weiter als eine gruselige Geschichte.

58 | Schließlich fand Christopher einen Hügel, von dem aus er auf den See und das Camp sehen konnte und seine Ruhe hatte. Nachdenken. Er musste dringend nachdenken.

Es war ein Fehler gewesen, sich die ganze Zeit nur darauf zu konzentrieren, wie er Dr. Connery aufstöbern konnte, und nicht auch mal ein paar Gedanken daran zu verschwenden, was er *danach* eigentlich machen wollte.

Jetzt saß er hier, in einem Camp am Ende der Welt, zwischen zwei Dutzend Leuten, die ihm fremd waren und denen er vorkommen musste wie ein Monstrum. Und er hatte keine Ahnung, wie es weitergehen sollte.

Die Kohärenz besiegen. Die Menschheit retten. Wow. Klasse Idee.

Bloß leider absolut undurchführbar.

Schon dass sie überhaupt auf diesen Gedanken gekommen waren, zeigte, dass sie nicht wirklich verstanden, womit sie es hier zu tun hatten. Obwohl er sich den Mund fusselig geredet hatte. Alles für die Katz. Er hätte es genauso gut bleiben lassen können.

Dabei hatte er sich wirklich bemüht, es ihnen so genau wie möglich zu erklären. Aber trotzdem schienen sie immer noch zu denken, es mit einer Art Mafia-Bande zu tun zu haben. Mit einer Art Geheimdienst, dessen Agenten über Kopftelefon miteinander kommunizierten.

Und genau das war die Kohärenz eben nicht. Die Kohärenz war ein einziger Geist, verteilt auf zahllose Gehirne. Die Upgrader saßen in allen wichtigen Behörden, Firmen, Banken und militärischen Kommandostellen, sahen aus wie ganz normale Leute, doch sie handelten als Einheit, so, als wären sie ein und dieselbe Person. Das war es, was man verstehen musste.

Er hielt inne, starrte auf den moosbedeckten Felsen, auf dem er saß, zupfte ein paar der Pflanzen aus. Seltsam. Vor wenigen Wochen war er noch Teil der Kohärenz gewesen, hatte die Welt mit völliger Selbstverständlichkeit durch Tausende von Augen betrachtet, hatte Dinge gewusst, die er nie selber gewusst hatte . . . Doch wenn er jetzt versuchte, sich daran zu erinnern, wie es *gewesen* war, sich *ganz genau* zu erinnern, dann fiel ihm das schon schwer. Wie konnte man gleichzeitig durch Tausende von Augen sehen und trotzdem eine Straße entlanggehen, ohne gegen Häuserwände und Passanten zu rennen? Er wusste es nicht mehr. Er wusste nur noch, *dass* er es gekonnt hatte. Dass das gar kein Problem gewesen war.

Und dass er damals nicht er selber gewesen war. Er war die Kohärenz gewesen, zumindest bis auf jenen winzigen Teil seiner selbst, den er hinter der Barriere hatte verbergen können. Jetzt, da er *nur noch* er selbst war, nur noch Christopher Kidd – jetzt verstand er nicht mehr, wie das gegangen war. Nicht mehr wirklich.

Wie sollten es dann die anderen verstehen, die so etwas nie erlebt hatten?

Er seufzte. Kein Wunder, dass sie auf die Idee kamen, gegen die Kohärenz zu kämpfen.

Kein Wunder, dass sie nicht begriffen, wie aussichtslos das war.

Die Kohärenz war nicht nur allgegenwärtig in den Körpern der Upgrader, die ihr angehörten – sie war auch unglaublich viel intelligenter als jeder normale Mensch. Sie verfolgte Hunderttausende von Gedanken gleichzeitig, kombinierte das Wissen, die Erfahrungen und die Wahrnehmungen all ihrer Mitglieder zu Plänen, Strategien und Maßnahmen.

Egal, welchen schlauen Plan man sich ausdachte – man musste davon ausgehen, dass die Kohärenz damit rechnete. Egal, wie raffiniert man vorging, die Kohärenz würde wie ein genialer Schachspieler alle möglichen Züge und Aktionen vorhersehen und einkalkulieren.

Und vereiteln, natürlich. Die Kohärenz war nicht nur unendlich viel intelligenter, sie war auch unendlich viel stärker.

Unbesiegbar, mit einem Wort.

Egal, was Jeremiah Jones glaubte: Sie hatten keine Chance.

Nicht die mindeste.

Christopher rieb sich die Stirn. Andererseits . . .

. . . war da Serenity.

Er hatte ihre Vorwürfe immer noch im Ohr. Sah immer noch ihre Tränen. Er seufzte wieder, ohne es zu merken. Nein, er wollte nicht, dass Serenity in der Kohärenz endete. Er wollte nicht, dass man ihren Kopf festzurrte, ihr den Injektor in die Nase schob und ihr einen Chip verpasste.

Er konnte sie sehen, von hier oben aus. Sie saß neben dem Küchenzelt am Boden, neben einem anderen Mädchen mit langen schwarzen Haaren, und schnitt Gemüse. Die beiden unterhielten sich, lachten.

Lachen würden sie auch nicht mehr, wenn sie erst einmal *upgegradet* waren.

Eine Weile saß Christopher nur da und beobachtete das Treiben im Camp. Alle schienen schwer beschäftigt zu sein, auch wenn er nicht verstand, was genau sie da taten. Es sah aus, als sollte heute ein Fest oder so etwas stattfinden.

War das die Reaktion, die sein Bericht ausgelöst hatte? *Das Ende naht, also machen wir bis dahin Party?*

Mit einem Schlag war es wieder da, das Gefühl, das ihn schon sein ganzes Leben lang begleitete wie ein Schatten: Nicht zu verstehen, was in anderen Menschen eigentlich vorging. Es war, als bildeten alle anderen einen Club, in dem Spielregeln galten, die jeder kannte, nur er nicht. Er stand immer außerhalb, war stets derjenige, der die befremdeten, irritierten Blicke abbekam, diese *Was-ist-denn-das-für-einer*-Blicke.

Hier war es auch wieder so. Die Leute um Jeremiah Jones herum kannten sich alle seit Jahren, waren eine verschworene Gemeinschaft – logisch, sonst hätten sie sich abgesetzt, als das FBI angefangen hatte, nach ihrem Anführer zu fahnden.

Und er? Er war ihnen eben zugelaufen. War nützlich, weil er vereitelt hatte, dass die Polizei sie aufstöberte. Das war alles. Sie würden ihn so lange unter sich dulden, bis er eben nicht mehr nützlich war, und dann würden sie irgendeinen Vorwand finden, ihn fortzuschicken.

Besser, er war von Anfang an darauf gefasst.

Er hob das Gesicht zum Himmel, spürte feuchte Kühle auf seinen Wangen. Seine Augen brannten seltsam. Das strahlend blaue Firmament kam ihm vor wie blanker Hohn; warum senkten sich jetzt keine dunklen, schweren Wolken herab?

Und daran zu denken, dass einmal alles in Ordnung gewesen

war . . . Er packte den Kieselstein, mit dem er herumgespielt hatte, und schleuderte ihn in Richtung See.

Das letzte Weihnachtsfest, das sie noch alle gemeinsam gefeiert hatten – wie viele Jahre war das her? Vier? Fünf? Seine Großmutter hatte noch gut genug sehen können, um sich an dem prächtig geschmückten Baum zu erfreuen. Großvater hatte seinen guten Anzug getragen, ein altmodisches Stück mit Weste und steifem Kragen und einer Uhrkette vor dem Bauch. Christophers Mutter hatte viel gelacht, Dad hatte sich den Pullover mit Bratensoße bekleckert, und das ganze Haus hatte nach Weihnachten geduftet, nach Vanille, nach Kerzenwachs, nach Tanne.

Vorbei. Nie wieder würde es noch einmal so sein. Seine Großeltern waren tot und seine Eltern Teil der Kohärenz, die das Haus in Frankfurt als Sitz einer ihrer zahllosen Firmen nutzte. Er war auf der Flucht. Was er von nun an immer sein würde; dieses Camp war nicht mehr als eine Verschnaufpause.

Und seine eigenen Eltern, sollten sie ihm je wieder gegenüberstehen, würden nicht zögern, ihm Gewalt anzutun, um ihn in die Kohärenz zurückzubringen.

Christophers Finger hatten sich schon den nächsten Stein gesucht, sein Arm machte schon Anstalten, ihn hinaus aufs Wasser zu schleudern, als sein ganzer Körper in der Bewegung innehielt.

Eine Idee war aufgetaucht, einfach so.

Eine sehr, sehr vage Idee. Nur die Umrisse eines Plans, von dem er im Moment noch nicht mehr sagen konnte, als dass er total hirnverbrannt war. Durchgeknallt. Geradezu wahnsinnig.

Aber was machte das, wenn man nichts zu verlieren hatte?

Aufregung erfüllte ihn, seine Gedanken fingen an zu rasen. Nicht zu früh freuen. Erst mal alles gründlich durchdenken, so gründlich, wie er noch nie zuvor etwas durchdacht hatte.

Sein Gegner war nicht irgendein Bankensystem oder eine militärische *Firewall,* sein Gegner war die Kohärenz. Hier durfte ihm kein Fehler unterlaufen.

59 | Nachdem sie das Gemüse abgeliefert hatten, sahen sich Serenity und Madonna nach einer anderen Arbeit um. Irene war irgendwo im Camp unterwegs, und als sie auf der Suche nach ihr vor das Versorgungszelt traten, hellte sich Madonnas Miene auf. »Darauf hab ich die ganze Zeit gewartet«, wisperte sie aufgeregt und deutete in Richtung Feuer. »Komm!«

»Was denn?« Serenity folgte ihrer neuen Freundin verwundert.

Wie sich herausstellte, ging es um Naschwerk. Zwei Frauen hatten aus Honig und allerhand weiterer Zutaten eine Süßspeise zubereitet, die über dem offenen Campfeuer auf einem Metallblech ausgebacken und am Schluss in Quadrate geschnitten wurde. Die dabei abfallenden Randstücke seien, erklärte Madonna, *die* Köstlichkeit schlechthin, vor allem, solange sie noch warm waren.

»Man muss den richtigen Moment abpassen«, meinte sie. »Deswegen hab ich mich überhaupt nur für die Küche gemeldet.«

Die beiden Frauen grinsten, als sie Madonna kommen sahen, und rückten bereitwillig den knusprigen Schnittabfall heraus. Serenity probierte skeptisch, weil die Süßigkeit fremdartig roch und aussah – aber es stimmte, die schmalen goldbraunen Streifen schmeckten zum Niederknien gut.

Im nächsten Moment tauchte hinter ihnen ein stiernackiger Junge auf mit einer Nase, die aussah, als sei sie schon öfters gebrochen gewesen. Während Madonna aufkreischte, griff er ungerührt mit seinen breiten Händen zu, schnappte sich wie der Blitz den größten Teil der Randstücke und machte, dass er wieder davonkam.

»George Angry Snake!«, schrie Madonna ihm nach. »Du bist ein solcher Mistkerl!«

Der Junge, er mochte nur wenig jünger sein als Kyle, drehte sich grinsend herum, hob seine Beute triumphierend empor und verschwand ohne einen Kommentar im Wald.

»Hey, wie fies war das denn?«, sagte Serenity, der nur zwei kleine Stückchen geblieben waren.

Madonna sah dem Indianer finster nach. »Das Problem ist, dass er immer weiß, wo ich bin und was ich denke.«

»Echt?«, wunderte sich Serenity.

»Das ist so ein Medizinmann-Trick.« Mit verstellter, hohler Stimme fügte sie hinzu: »*Uraltes indianisches Wissen.*« Madonna zuckte mit den Achseln. »Wenn ich mal nichts anderes zu tun habe, werd ich ehrfürchtig erschauern.«

Serenity war schwer beeindruckt. »Also, ich finde das ziemlich . . .« Sie zögerte, *cool* zu sagen. »Praktisch.«

»Ja? Also, ein Mobiltelefon find ich praktischer.«

Während sie noch auf den wenigen Süßigkeiten, die ihnen geblieben waren, herumkauten, tauchte Irene auf, einen geflochtenen Korb am Arm. »Ha! *Da* seid ihr.« Sie drückte Madonna den Korb in die Hand. »Du kennst ja die Stelle. Ich brauche Petersilie, massenhaft.«

»O-okay«, stammelte Madonna.

»Und am besten heute noch«, fügte Irene hinzu, dann brauste sie wieder davon.

»Was?«, wunderte sich Serenity. »Was für eine Stelle?«

»Irene ist hier in der Gegend schon seit zwanzig Jahren unterwegs, Trekking, Camping und so. Sie kennt die ganzen guten Plätze, wo wir unterkommen können. Das Schrille ist, dass sie an jedem Rastplatz Gartenkräuter angepflanzt hat, schon vor Jahren.« Madonna griff nach ihrem Messer. »Und jetzt ist Erntezeit.«

»Kann ich mitkommen?«, fragte Serenity.

»Klar. Außerdem weißt du dann gleich Bescheid fürs nächste Mal.«

Das nächste Mal? Wann würde das sein? Wie ein jäher, scharfer Schmerz kam Serenity wieder zu Bewusstsein, dass sie hier ja nicht Urlaub machte. Über all dem Spaß mit Madonna hatte sie völlig verdrängt, dass ihr Vater von der Bundespolizei gesucht wurde, ja, als Staatsfeind Nummer eins galt.

Allerdings hatte es gutgetan, eine Weile nicht an Christopher und seine albtraumhafte Geschichte denken zu müssen.

Kaum zu glauben, dass es erst fünf Tage her war, seit sie ihm begegnet war. Wenn sie jetzt an ihre Schule dachte, die Prüfungen und die anderen in ihrer Klasse, kam ihr das alles vor wie die Erinnerung an ein früheres Leben, hundert Jahre her.

All die Unbeschwertheit von eben war wie weggeblasen, als sie ihrer neuen Freundin schweigend in den Wald folgte. Bis zum Kräutergarten galt es, ein ordentliches Stück zu laufen, denn, wie Madonna erklärte, rund um den Lagerplatz trampelten die Leute zu viel in der Gegend herum. Sie schütteten Schmutzwasser aus, spuckten auf den Boden und so weiter – lauter Dinge, die man nicht auf seinen Küchenkräutern haben wollte.

Ab und zu öffnete sich eine lichte Stelle zum See hin, und einmal sah Serenity Christopher auf einem Fels sitzen, reglos, den Blick in die Ferne gerichtet.

»Wer war der Typ eigentlich?«, fragte sie. »Dieser George . . . wie? Snake?«

»George Angry Snake«, sagte Madonna. »Das ist mein Bruder.«

Serenity blieb vor Überraschung stehen. »Dein Bruder?«

»Ja. Schlimm, oder?«

»Aber wieso heißt er *Angry Snake? Und* nicht *Two Eagles?*«

Madonna strich sich mit dem Unterarm das Haar aus dem Gesicht. »*Angry Snake* ist sein Kriegername. Unser Familienname ist eigentlich Graham. Die Blackfeet haben damals englische Namen angenommen, weil die amerikanische Regierung sie irgendwie verwalten wollte, aber mit unserer Kultur hat das nichts zu tun.«

»Dann ist *Two Eagles* dein Kriegername?«

Madonna musste auflachen. »Nein, Frauen haben keine Kriegernamen. Ich nenn mich bloß nach meinem Vater, weil Madonna Graham, so wie's in meinem Pass steht, noch schlimmer klingt.«

Serenity musste blinzeln. Das war alles ziemlich ungewohnt. Seltsam fremd. »Ich weiß über all das so gut wie nichts«, gab sie zu.

Sie sah empor zu den Baumwipfeln, zu dem flirrenden sanftgrünen Licht, das zwischen ihnen hindurch zu Boden rieselte und alles in sanftes Halbdunkel tauchte.

»Macht nichts«, sagte Madonna, ging in die Hocke, nahm das

Küchenmesser aus dem Korb und stellte ihn neben sich. »Die meisten Indianer heutzutage wissen genauso wenig. Dass die alte Kultur wieder ausgegraben wird, fängt gerade erst an. ›Wie ein Kriegsbeil‹, sagt mein Vater immer.«

Serenity sah sich um. Im Schutz zweier großer Findlingsfelsen erstreckte sich wild wuchernde Petersilie, ein Feld so groß wie zwei Doppelbetten.

»Ein Kriegsbeil? Geht es darum? Um Krieg?«

Madonna begann, die dicken grünen Büschel abzuschneiden und in ihren Korb zu werfen. »Keine Ahnung. So wie früher wird's eh nie wieder werden. Aber so wie es ist, kann es auch nicht bleiben, mit all diesen abgeranzten Reservaten voll besoffener Indianer . . .« Madonna machte eine wegwerfende Handbewegung, doch Serenity meinte zu spüren, dass ihr das Thema unangenehm war. »Jedenfalls, mein Bruder ist da ziemlich engagiert. Initiationsriten, die alte Sprache, Schwitzhütten, Kriegstänze, Schmucknarben – das volle Programm.«

»Ist doch gut«, meinte Serenity. »Von wegen seine Wurzeln kennen und so.«

»Im Prinzip schon.« Madonna hieb auf die Petersilie ein, kappte die grünen Büschel mit geradezu wütenden Bewegungen ihres Messers. »Bloß hat sich das bei ihm dahin entwickelt, dass er alle Weißen verachtet. Das kann es ja auch nicht sein. Und Weiße, das sind für ihn alle Nichtindianer. Sogar *Schwarze* sind für ihn – *AU!*«

Sie schrie auf, ließ ihr Messer fallen, hielt mit der rechten Hand die linke umklammert, und aus ihrem Griff tropfte et-

308

was zu Boden, etwas Dunkles . . . Blut, erkannte Serenity. Madonna hatte sich mit ihrem scharfen Messer in die Hand geschnitten.

»Mist«, ächzte Madonna. »Mist, Mist, Mist . . .«

Sie fiel auf die Knie, sank vornüber, sah auf einmal geisterhaft bleich aus.

»Warte«, stieß Serenity hilflos hervor. »Ich hol Hilfe. Oder . . .« Konnte sie Madonna allein lassen? Was, wenn sie ohnmächtig wurde? Serenity sah an sich herab. Vielleicht konnte sie einen Streifen aus ihrem T-Shirt reißen, um die Wunde zu verbinden?

In diesem Moment raschelte es neben ihr, und wie herbeigezaubert stand Madonnas Bruder da. Und, oh Wunder, er hatte Verbandsmaterial dabei. Ohne ein Wort zu sagen, kniete er sich zu seiner Schwester, löste den Griff ihrer rechten Hand, betrachtete die verletzte Stelle.

»Harmlos«, sagte er. Ein Wort nur, und es schien wie ein Klotz aus Blei aus seinem Mund auf den Boden zu fallen.

Er ließ den Schnitt einen Moment ausbluten, strich dann mit einer Art Moos darüber, wischte das Blut damit weg. Anschließend fingerte er ein Verbandspäckchen aus der Tasche, riss mit einer raschen Bewegung die Verpackung ab – einhändig, mit den Zähnen – und begann, Madonnas Hand zu umwickeln. Jeder Handgriff wirkte absolut professionell.

Serenity vergaß beinahe zu atmen. Sie sah ihm nur zu, wie gelähmt.

George Angry Snake hielt sich keine Sekunde länger auf als unbedingt nötig. Kaum war der abschließende Knoten gemacht, stand er auch schon wieder auf und verschwand raschen Schritts im Dickicht.

Madonna richtete sich seufzend auf, betrachtete den Verband an ihrer Hand. »Das war der Schreck.« Sie musterte Serenity mit mattem Augenaufschlag. »Es stimmt nämlich nicht, was man so sagt über Indianer – dass sie keinen Schmerz kennen.«

Serenity hob den Kopf, versuchte, im vielscheckigen Grün-Braun des Unterholzes wenigstens eine Spur von Madonnas Bruder zu erkennen – vergebens. »Ich fasse es immer noch nicht, dass er plötzlich aufgetaucht ist. Genau im richtigen Moment.«

Madonna rappelte sich hoch, klaubte ein paar Petersilienbüschel auf, die aus dem Korb gefallen waren. »Ich hab's dir doch gesagt. Er weiß immer, wo ich bin und wie's mir geht.«

60 | Weil das eigentliche Festessen abends stattfinden würde und sich alle ihren Appetit bis dahin aufsparen wollten, gab es mittags nur einen kleinen Imbiss – Stücke von hartem Fladenbrot, selbst gemachte Limonade, jede Menge Obst. Serenity übernahm es, Christopher seinen Lunch zu bringen, denn er saß immer noch auf seinem Felsen über dem See und machte keine Anstalten herunterzukommen.

Er regte sich auch nicht, als Serenity zu ihm hochstieg, den Teller in der Hand. Er saß da wie eine Statue, den Blick in fremde Dimensionen gerichtet. Das Einzige, was sich an ihm bewegte, waren seine Hände – sie spielten mit Steinchen, zerbrachen trockene Zweige, verscheuchten Insekten und malten seltsame Muster in den Staub.

Durfte sie ihn überhaupt stören? Hing womöglich Entscheidendes davon ab, dass sie ihn in Ruhe ließ?

Unsinn, rief sie sich zur Ordnung, trat vor ihn hin, stellte den Teller mit den beiden Broten, den Apfelschnitzen und den Tomaten vor ihm ab und erklärte: »Mittagessen. Wenn du verhungert vom Berg rollst, ist niemandem gedient.« Sie nahm die mit Wasser gefüllte Feldflasche, die sie sich umgehängt hatte – Limonade, das wusste sie noch aus Kindertagen, gehörte nicht in Feldflaschen –, und stellte sie dazu. »Und trinken solltest du auch was.«

Er reagierte nicht. So, als habe er sie überhaupt noch nicht bemerkt.

Seltsamerweise hatte Serenity nicht das Gefühl, ignoriert zu werden. Es war eher, als sei Christopher gefangen in etwas

Größerem, Mächtigerem. Die Luft um ihn herum schien elektrisch geladen zu sein, zu vibrieren vor Energie.

War er am Ende in den Bann der Kohärenz geraten? Serenity schluckte erschrocken. »Ist alles okay mit dir?«

Da lösten sich seine Augen aus ihrer Starre, wich der metallene Glanz von ihnen. Er blinzelte, sah sie an, sah dann auf den Teller. »Danke«, flüsterte er. »Ich hab jetzt wirklich Hunger.«

»Das große Gelage gibt's heute Abend«, erklärte Serenity hastig, aus dem Gefühl heraus, die Gelegenheit nutzen zu müssen. »Alle möglichen Arten von Wild, mit Gemüse und tausend Gewürzen gefüllt, stundenlang unter Lehmkruste gebacken. Sie heben gerade die Gruben dafür aus und zünden das Feuer an; das riecht jetzt schon unglaublich gut . . .«

Zu spät. Die Audienz war bereits wieder zu Ende. Serenity hielt inne und sah fasziniert zu, wie Christophers Hand in Zeitlupe nach einem der Fladenbrote tastete, es erfasste und ebenso langsam an den Mund führte. Sein Blick kehrte schon wieder zurück in Welten, die nur er sah.

»Okay«, seufzte Serenity. »War nett, mit dir zu plaudern. Bis die Tage.« Damit drehte sie sich um und kletterte wieder hinab zu den normalen Menschen.

Zurück im Küchenzelt, stellte sich heraus, dass es für sie und Madonna nichts mehr zu tun gab, nichts jedenfalls, das der Rede wert gewesen wäre. Die Männer klatschten gerade die letzten Batzen Lehm auf die eingegrabenen Braten. In einigen der Erdlöcher brannten schon die Feuer, verkokelten die in Erde gehüllten Köstlichkeiten und verbreiteten einen geradezu quälenden Duft.

»Komm, lass uns gehen«, meinte Madonna. »Ehe Irene es sich anders überlegt.«

Serenity nickte. »Oder wir uns nicht mehr beherrschen können.«

Die Sonne brannte herab, ließ einen erahnen, wie sich ein heißer Sommer in Montana anfühlen musste. Madonna schlug vor, schwimmen zu gehen.

»Und deine Hand?«, gab Serenity zurück, einerseits aus Sorge um ihre neue Freundin, andererseits aber auch, weil sie sich nicht recht darüber im Klaren war, ob sie wirklich schwimmen wollte. Es war eine hübsche Idee, klar, und der See lag da, als bewerbe er sich bei einer Postkartenfirma, aber im Grunde hätte es Serenity lieber bei der bloßen Idee belassen.

»Ach die«, meinte Madonna. »Die ist schon wieder gut.«

Sie ließ ihr keine Chance. Sie schnappte sich zwei Badetücher und setzte sich in Richtung See in Bewegung, und Serenity blieb nichts anderes übrig, als ihr zu folgen. Das hieß ja noch nichts, beruhigte sie sich.

Sie waren, nachdem sie den Korb mit der Petersilie abgeliefert hatten, bei Dr. Lundkvist gewesen, der Madonnas Schnittwunde begutachtet, noch einmal gereinigt und mit einem dicken, silbrig schimmernden Pflaster neu verbunden hatte.

»Du weißt nicht, ob du damit ins Wasser kannst«, gab Serenity zu bedenken.

»Weiß ich nicht«, gab Madonna zu. »Aber ich werd's herausfinden.«

Also gut. Aber wenn das Wasser zu kalt war, würde sie nicht

hineingehen. Und auch nicht, wenn es glitschiges Zeug auf dem Seegrund gab, das sich einem um die Waden schlang.

Seltsam eigentlich, dass ihr davor gruselte. Als Kind war sie mit völliger Selbstverständlichkeit in Seen gehüpft, war in Flüssen geschwommen, bis sie blau vor Kälte gewesen war ... Aber seit sie in Kalifornien lebte mit seinen geheizten, gechlorten Pools, musste sie bei Seen automatisch an Algen denken und an tote Tiere, die im Uferdickicht verwesten.

Und selbst den Pazifik sah sie, wenn sie ehrlich war, lieber von außen.

Sie gelangten zu einem stillen Plätzchen; entlang des Seeufers gab es genug davon. Es hatte einen schmalen Kiesstrand, dichtes Gebüsch ringsherum und einen malerischen, toten Baum, an dessen abgestorbenen Ästen man wunderbar seine Klamotten aufhängen konnte.

Madonna zog sich bis auf den Slip aus und watete unverzüglich ins Wasser. Serenity beobachtete sie, die Hände noch unentschlossen an ihrem T-Shirt. Wie schön die junge Indianerin war! Gertenschlank, ohne ein Gramm zu viel am Leib ... man hätte sie, wie sie war, auf das Titelblatt jeder beliebigen Zeitschrift setzen und damit die Auflage steigern können. Neben ihr kam sich Serenity entsetzlich mager und linkisch vor. Von ihren katastrophalen Haaren ganz zu schweigen. Hier draußen in der Wildnis, ohne die Behandlungen mit heißem Wasser und Kräutershampoos, die Serenity ihnen zu Hause regelmäßig angedeihen ließ, sahen die mit jedem Tag noch stacheldrahtiger aus, als sie ohnehin waren.

Serenity erwog, vielleicht lieber doch nicht in den See zu ge-

314

hen, sondern stattdessen tief in den Wald, um sich in einer Höhle zu verkriechen, aber dann gab sie sich einen Ruck, zog sich das T-Shirt vom Leib und den BH auch und folgte ihrer Freundin in das beißend kalte Wasser des Sees.

Es war – herrlich. Wenn man die ersten japsenden Momente überlebt hatte, ohne einen Herzstillstand zu erleiden, war es auf einmal unglaublich großartig. Es war, als würde sie nach Hause kommen. Das Wasser war weich, die Oberfläche still, und diese Weite! Serenity schwamm, Zug um Zug, genau wie früher, lauschte zirpenden Insektenlauten und klagenden Vogelrufen, und am liebsten wäre sie für alle Zeiten einfach so weitergeschwommen.

Dann erreichte sie eine Stelle, von der aus sie Christopher oben auf seinem Felsen sitzen sah, und drehte wieder um.

Nachher lagen sie auf den Steinen, um sich von der Sonne trocknen zu lassen, und dösten vor sich hin.

»War das früher so?«, wollte Serenity wissen. »Das Leben deiner Vorfahren, meine ich.«

Madonna gab einen glucksenden Laut von sich. »Das darf man getrost bezweifeln. Ich glaube, es war mit viel Arbeit verbunden, vor allem für die Frauen. Die Indianer früher sind nicht alt geworden, die meisten haben ihre Zähne nach und nach verloren, und Kinder sind oft noch als Babys gestorben . . . Und ich hätte keine Chance gehabt, jemals von hier wegzukommen.«

»Mmh«, machte Serenity und spürte der angenehm durchdringenden Schwere in ihrem Körper nach. »Aber wozu auch?«

Madonna setzte sich ruckartig auf. »Ich werde mal Sängerin.

Wenn ich mit der Schule fertig bin, gehe ich nach Seattle und studiere Musik und Gesang.«

»In die Stadt?«, entfuhr es Serenity. »Du?«

Madonna sah auf den See und die Wälder, aber ihr Blick galt dem, was sie jenseits davon vermutete. »Seattle stell ich mir großartig vor«, sagte sie.

Bei Anbruch der Dämmerung wurden endlich die Lagerfeuer entfacht, und das Festessen begann. Bier floss in Strömen, Irene ging umher, ermutigte – oder sollte man besser sagen nötigte – alle zuzugreifen, und ließ immer noch mehr Wildbraten und Backkartoffeln und geschmortes Gemüse anschleppen. Alles schmeckte köstlich, nach Knoblauch und unbekannten Gewürzen, nach Wildnis und Freiheit und Gefahr, und es war so viel davon da, als erwarteten sie noch eine ausgehungerte Armee.

Sogar Christopher war von seinem Grübelfelsen herabgestiegen. Was nicht hieß, dass er deswegen ansprechbar gewesen wäre, im Gegenteil: Nun hockte er eben auf einem Holzstamm, aß schweigend, und man hörte es förmlich rattern in seinem Kopf.

Serenity ließ ihn in Ruhe. Sie hatte genug mit ihrem eigenen Teller zu kämpfen. Madonna schlug zu, als gäbe es kein Morgen; es war Serenity ein Rätsel, wie sie ihre Figur hielt. Man wurde schon satt, wenn man nur zusah, was für Mengen sie verdrückte.

Serenity beobachtete auch ihren Vater, der neben einer Frau mit langen, fahlen Haaren saß. Das musste Melanie Williams sein, seine derzeitige Freundin. Eine Künstlerin, hatte ihr Rus erzählt, eine nicht ganz unberühmte Fotografin – und nicht ganz unkompliziert, hatte er mit einem verschwörerischen Grinsen hinzugefügt.

Serenity hörte nichts von dem, was Dad und Melanie redeten, aber die beiden sahen auf jeden Fall eher aus wie zwei, die sich stritten, als wie ein Liebespaar.

Serenity grinste schadenfroh in sich hinein. Wäre er eben besser bei Mom geblieben.

Später holte jemand seine Gitarre, ein anderer seine Mundharmonika und ein dritter eine kleine Trommel, und kurz darauf erfüllten die ersten Töne die warme Nacht. Madonna gesellte sich dazu und sang mit, Countrysongs genauso wie alte indianische Weisen, und sogar ein paar aktuelle Popsongs, wie sie täglich fünfmal im Radio kamen. Vielleicht, überlegte Serenity, war Sängerin tatsächlich keine schlechte Idee. Madonna hatte eine schöne, dunkle Stimme, so rauchig wie das Lagerfeuer, an dem sie saßen.

Serenity wusste nicht, wie spät es war, als sie endlich im Schein einer Taschenlampe in ihren Schlafsack kroch, müde bis auf die Knochen. Die Geräusche des Waldes sangen ihr ein Schlaflied: das Knarzen des Baums, das Rascheln im Gestrüpp, die Eulenrufe. Ansonsten war es heute Abend still um sie herum. Weder Dad noch Kyle waren da.

Hatte sie Dad zuletzt nicht doch noch Arm in Arm mit dieser Zicke gesehen? Und Kyle? Der hatte vorhin noch an dem anderen Feuer gesessen und mit zwei Typen über irgendwelche Umweltprobleme geredet.

Serenity drehte sich herum, auf der Suche nach einer guten

317

Einschlafposition, und aus irgendeinem Grund fielen ihr die Hubschrauber wieder ein. Wie sie schon mit dem Leben abgeschlossen gehabt hatte.

Dabei hatte sie daran doch nicht denken wollen. Den Tag über hatte sie es auch geschafft. Aber nun raste ihr Herz von der bloßen Erinnerung.

Und sie musste an Christopher denken. An den Moment, wie er ihr seine Uhr in die Hand gedrückt und neben ihr die Augen geschlossen hatte. Und wie dann die Hubschrauber abgestürzt waren, die reinste Zauberei.

Christopher hatte den ganzen Abend ins Feuer gestarrt. Reglos. Womöglich hockte er immer noch da.

Angriffsplan

61 | Am nächsten Tag tauchte Christopher beim Frühstück auf, als sei nichts gewesen. Er setzte sich, nahm sich gleichmütig ein Stück kaltes Fleisch – etwas anderes als Bratenreste war an diesem Morgen kaum zu ergattern – und meinte: »Interessanter Tag gestern.«

Serenity sah ihn verblüfft an. Sie hatte einen interessanten Tag gehabt, aber er? Er hatte doch bloß auf einem Felsen herumgesessen! Sie hatte keine Ahnung, was ihn dazu veranlasste, das zu sagen.

»Hmm«, erwiderte sie. »Und das Essen war auch gut.«

»Ja«, sagte Christopher und strich sich Marmelade auf sein Brot. »Ich müsste mal ins Internet, ein paar Sachen recherchieren. Von einem Rechner aus, meine ich. Gibt's irgendwo ein Internetcafé oder so was?«

Dad überlegte. »In Spookey gibt es eines«, sagte er. Er sah in die Runde und nickte einem gemütlich aussehenden jungen Mann zu, der gerade auf beiden Backen kaute. »Finn, du könntest ihn fahren. Ist besser, er geht nicht alleine.«

»Ich komme auch mit«, sagte Serenity rasch, und da niemand widersprach, war es damit abgemacht.

Finn hieß eigentlich Anthony Finney und war einer der jungen Männer, mit denen sich Kyle gestern so gut verstanden hatte. Er trug eine runde Brille und lächelte meistens sanft vor sich hin. Serenity hatte ihn am Tag zuvor Vögel mit Brotkrumen füttern sehen, und sie hätte ihn für harmlos gehalten. Doch dann hatte Dad ihr erzählt, dass Finn mehrere Kampfsportarten beherrschte, Träger eines schwarzen Gürtels in Taekwondo war, ein passionierter Jäger und der beste Scharfschütze der Gruppe.

Es gefiel ihm offenbar, ein bisschen durch die Gegend zu kutschieren. Dass es nur nach Spookey gehen sollte – immerhin eine Fahrt von hundert Meilen –, schien ihn zu enttäuschen, denn er schlug mehrmals vor, sie könnten auch bis nach Black Bay fahren. »Dort kenne ich sogar zwei Internetcafés. Gute.«

Doch Christopher meinte nur: »Wir probieren es erst mal in Spookey.« Und irgendetwas klang in seiner Stimme mit, das jeden Widerspruch sinnlos erscheinen ließ.

Spookey entpuppte sich als ziemlich unscheinbarer Ort, der aus kaum mehr als einer Hauptstraße und einem Einkaufszentrum bestand: Entlang der staubigen *Main Street* reihten sich ein Drugstore, eine Tankstelle, eine Post, eine Bankfiliale und ein in grellem Lila gestrichener, riesiger Friseursalon. Die Leute in der Gegend mussten einen ungewöhnlich starken Haarwuchs aufweisen. Falls hier überhaupt Leute wohnten. Man sah nur hier und da ein Haus, gut versteckt hinter Büschen und Bäumen, und weit draußen Farmen, die nicht so wirkten, als schriebe man dort schon das 21. Jahrhundert.

Und hier sollte es ein Internetcafé geben? Das war irgendwie schwer zu glauben, fand Serenity.

Doch dann entdeckten sie es: Ein @-Zeichen, neonbeleuchtet, an der Front einer heruntergekommen aussehenden Spelunke mit dunklen Scheiben. In der vermutlich jede Menge Hinterwäldler in karierten Holzfällerhemden herumhingen und darauf warteten, Frauen mit blöden Sprüchen anmachen zu können. Nur gut, dass Finn sie begleitete.

Doch zu ihrer Enttäuschung erklärte der, kaum dass sie ausgestiegen waren, er müsse sich noch etwas Munition für die Jagd besorgen, sie kämen ja sicher ohne ihn zurecht, oder?

»Klar«, erwiderte Christopher ungerührt.

»Ich hol euch dann wieder ab«, meinte Finn und brauste davon, dass es nur so staubte.

Serenity seufzte und ergab sich in ihr Schicksal. Als Christopher die Tür aufzog, folgte sie ihm.

62 | Drinnen roch es genau so, wie sie es erwartet hatte: nach Bier, ranzigem Fett, schlechtem Kaffee und altem Zigarettenrauch. Von Lüftung schien man hier nichts zu halten.

Dafür hielt sich das mit den Hinterwäldlern in Grenzen – genau genommen, war das Café menschenleer.

»Platz vier«, sagte der Typ hinter der Theke, der sichtlich viel Zeit mit Bodybuilding verbrachte und bestimmt keine in dem lila-bunten Friseursalon: Er hatte eine spiegelglatt polierte Glatze. »Nichts runterladen, keine Programme installieren. Ausdrucke kosten zehn Cent je Blatt.«

»Okay«, sagte Christopher und hockte sich vor den angewiesenen Rechner.

Und das Erste, was er tat, war, Programme herunterzuladen.

Serenity zog sich einen Stuhl heran, setzte sich neben ihn und raunte unbehaglich: »Du weißt, was du tust, ja?«

Er sah sie an, als verstünde er nicht, was sie meinte. Vielleicht verstand er es ja auch wirklich nicht.

Außerdem lief das nicht so einfach, wie er sich das offenbar vorgestellt hatte: Als er versuchte, das heruntergeladene Programm zu installieren, blockierte das System und verlangte ein Administrator-Passwort.

»Mist«, murmelte er und probierte mit fliegenden Fingern ungefähr fünfzig Passwörter aus, vermutlich die statistisch häufigsten, aber keines davon funktionierte.

Serenity war enttäuscht. Mehr hatte der angeblich größte Hacker der Welt nicht drauf? Passwörter durchprobieren – war das alles, was er konnte? Ganz schöner Etikettenschwindel. Das hätte sie auch hingekriegt.

Überhaupt war ihr nicht klar, was er eigentlich suchte.

»Okay«, murmelte Christopher; es klang seltsam anerkennend.

Dann tippte er etwas ein, was sie nicht mitbekam, und ein blauer Bildschirm mit kryptischen Fehlerangaben erschien. Der Rechner hatte sich aufgehängt.

»Was treibt ihr da?«, knurrte der Mann an der Theke.

Christopher hob die Hände und sah aus wie die reine Unschuld. »Keine Ahnung.«

»Geht an den daneben.«

Gehorsam zogen sie an den Rechner mit der Nummer drei um. Christopher rief Google Mail auf und begann, eine E-Mail zu schreiben, auf Deutsch offenbar, jedenfalls konnte sie nichts lesen von dem, was er schrieb.

Gleich darauf setzte sich der Chef des Ladens in ihre Richtung in Bewegung, breitbeinig und mit einem so schweren Schritt, dass unter ihm der Holzboden bebte. Er ließ sich auf den frei gewordenen Stuhl fallen, ächzte: »Scheiß-Windows«, und startete den PC neu.

Serenity bemerkte, dass Christopher nur so tat, als schriebe er eifrig an seiner E-Mail. Tatsächlich waren seine Augen auf die Tastatur nebenan gerichtet.

Er las das Passwort mit, das der Mann nach dem Hochfahren eingab!

Als der Kerl wieder nach vorn zu seiner Theke stapfte, grinste Christopher ihr verschwörerisch zu und flüsterte: »Das war jetzt einfach, oder?«

Damit spreizte er noch einmal alle Finger, machte ein paar Lockerungsübungen mit ihnen . . .

323

Und dann ging es erst richtig los. Serenity saß nur da, starrte auf die Tastatur unter Christophers Händen und brauchte eine ganze Weile, um zu merken, dass ihr Unterkiefer herabgesackt war. Noch nie im Leben hatte sie jemanden derart schnell und virtuos an einem Computer arbeiten sehen. Christopher lud Programme aus dem Internet, installierte sie, rief sie auf, machte Sachen, die sie noch nie gesehen hatte. Innerhalb weniger Augenblicke war der Bildschirm übersät mit Fenstern, in denen Codes rasten, Kombinationen von Buchstaben und Ziffern, die sich irrwitzig schnell änderten.

»Das nennt man *Brute-Force-Attacke*«, erklärte Christopher leise. »Das Programm probiert fünfundzwanzig Millionen Passwörter pro Sekunde durch, um in ein System reinzukommen. Wird bei den meisten nicht funktionieren in der Zeit, die wir haben, aber wenn's bei einem klappt, würde das schon reichen.« Ein Tastendruck, und alle Fenster waren wieder verschwunden. »Ich lass sie natürlich im Hintergrund laufen. Fällt sonst auf.«

Damit rief er den Internetbrowser auf und begann, Adressen aufzurufen. Christopher schien jede Webadresse dieser Welt auswendig zu kennen. Google brauchte er kein einziges Mal, auch keine andere Suchmaschine, und trotzdem erschienen in rascher Folge die seltsamsten Webseiten: Kalifornische Stromnetzbetreiber, das Gewerberegister von San Francisco, jede Menge Speditionsfirmen, Baupläne von Maschinen, Artikel in exotischen Zeitungen . . .

Serenity schaute nur zu, aber je länger es dauerte, desto weniger verstand sie, was er eigentlich suchte.

»Sag mal«, wagte sie nach einer Weile schließlich zu fragen, »musst du nicht Angst haben, dass dich die Kohärenz hier bemerkt?«

Christopher schüttelte den Kopf und antwortete, ohne dass seine Finger auch nur eine Winzigkeit langsamer wurden: »Nein. Solange ich den Chip nicht aktiviere, bleibe ich unsichtbar.« Er nickte kurz in Richtung der massigen Theke. »Aber meinst du, du könntest den Typen da mal ein bisschen ablenken? Ihn beschäftigen oder so? Der guckt nämlich schon ziemlich neugierig.«

»Auf deinen Schirm?«

»Nein, auf *seinen*«, sagte Christopher. »Ich mach ein bisschen viel *traffic*. Das sieht man auf dem Systemmonitor.«

»Verstehe«, behauptete Serenity, obwohl sie allenfalls ahnte, was er meinte, und stand auf. »Ich schau mal, was sich tun lässt.«

Wie im Film!, dachte sie, während sie nach vorn schlenderte. Sie lächelte den Mann an und versuchte, so auszusehen, als beeindruckten sie die Muskeln, die sein T-Shirt fast zum Platzen brachten. Dann lehnte sie sich über die Theke in der Hoffnung, dass ihr Busen auf diese Weise besser zur Geltung kam, und fragte, was er denn so dahabe an Getränken.

Er ratterte gelangweilt ein paar Marken herunter und deutete auf ein handgeschriebenes Plakat neben der Theke. Ihr Busen schien ihm nicht aufzufallen, oder wenn, dann nicht näherer Betrachtung wert zu sein.

Okay. Was bildete sie sich auch ein, bei dem bisschen, was sie hatte? »Ich glaube . . .«, sagte sie unschlüssig, »ich nehme eine Dr Pepper.«

Er fischte eine dunkelrote Dose aus seinem Kühlschrank und knallte sie auf die Theke. »Und dein Freund? Will der auch was?«

»Mein Freund?« Sie sah zu Christopher hinüber und überlegte, ob sie die Sache richtigstellen sollte. Wie kam er darauf, dass Christopher und sie zusammen waren?

Obwohl, wenn sie so darüber nachdachte . . . Christopher war zumindest weitaus interessanter als jeder der Jungs, mit denen sie bis jetzt zu tun gehabt hatte.

»Der nimmt ein SevenUp«, sagte sie schließlich.

Klonk, eine grüne Dose. »Macht drei Dollar.«

In Sachen Ablenkung war das jetzt sicher noch zu wenig, überlegte Serenity, während sie das Geld aus der Hosentasche fischte. »Gibt's hier in der Nähe eigentlich eine Apotheke?«, fragte sie.

Er nickte, wedelte mit der Hand in die Richtung, in die Finn weitergefahren war. »Im *Safeways,* drüben im Einkaufszentrum. Nicht zu übersehen.«

»Okay. Danke.« Jetzt fiel ihr nichts mehr ein.

Und in Filmen sah so was immer so leicht aus!

Die Tür öffnete sich, ein drahtiger junger Mann mit einem auffallenden Ohrring kam herein, sagte: »Hi!«, schlängelte sich hinter die Theke und küsste den Muskelmann – auf den Mund! Über dessen bis zu diesem Zeitpunkt obergrimmiges Gesicht ging ein Strahlen. Er förderte zwei Dosen Bier zutage, und die beiden begannen, über irgendeine Party zu reden und über jemanden, der zum Arzt musste und deswegen nicht kommen konnte.

Serenity war erleichtert, als sie kapierte. Bestimmt war das der Grund, warum ihr Busen auf so wenig Interesse gestoßen war.

Auf jeden Fall sah es so aus, als sei erst mal für genug Ablenkung gesorgt. Sie nahm die Dosen, bedankte sich – was das Pärchen kaum registrierte – und ging wieder nach hinten.

Christopher hatte zu tippen aufgehört. Die Tastatur schien es wie durch ein Wunder überlebt zu haben. Auf dem Bildschirm wechselten noch immer die Fenster, liefen Zahlen und Buchstabenfolgen hektisch durchs Bild, aber das alles passierte ohne Christophers Zutun.

Er riss den Verschluss der Dose auf, die sie ihm reichte, und sagte: »Ich bin fertig.« Er deutete mit dem Kopf auf den Schirm. »Ich beseitige nur noch Spuren.«

»Und?«

Er hob die Schultern. »Mal sehen.«

»Was heißt das? Hast du einen Plan oder nicht?«

»Ich hab so was Ähnliches. Mal sehen, was dein Vater dazu sagt.«

Serenity nahm einen Schluck. »Irgendwas aufschreiben musst du dir nie, oder?«

»Nö«, sagte Christopher in einem Ton, als sei das selbstverständlich.

Sie zahlten und gingen. Vor dem Café hockten sie sich an den Straßenrand, nahmen ab und zu einen Schluck aus ihren Dosen und warteten auf Finn. Christopher wurde wieder schweigsam, starrte Löcher in die Luft und reagierte auf ihre Versuche, so etwas wie ein normales Gespräch in Gang zu bringen, wenig ermutigend.

Nein, dachte sie, es wäre doch nicht so toll, ihn als Freund zu haben.

So saßen sie da und langweilten sich, bis Finn endlich geruhte, wieder aufzutauchen. »Schon fertig?«, wunderte er sich. »Das ging ja schnell.«

Als sie wieder einstiegen, setzte sich Serenity demonstrativ nach vorn neben Finn und unterhielt sich während der gesamten Rückfahrt nur mit ihm.

Was allerdings auch nicht erbaulicher war. Finn erzählte mit ausufernder Begeisterung von all den Tieren, die er schon erlegt hatte, und seine Kinderaugen leuchteten regelrecht dabei. Und dass er angefangen habe, mit einer Armbrust zu jagen. Und was für eine großartige Waffe so eine Armbrust sei. Und dass er es zu gerne mal mit Pfeil und Bogen versuchen würde, wie die alten Indianer. Was aber leider schwierig zu erlernen sei; die heutigen Indianer könnten das nämlich gar nicht mehr.

Ermüdend. Männer waren schon seltsam. Serenity überlegte, ob man sie wohl besser verstehen würde, wenn man mit ihnen in einer Kohärenz verschmolz?

Sie schauderte. Die bloße Vorstellung hatte etwas Schleimig-Ekliges an sich.

Christopher saß die ganze Fahrt über hinten und sagte kein Wort. Sollte er doch versauern!

63 | Die Mädchen aus seiner früheren Klasse hätten ihm ein Gespräch reingedrückt, garantiert. Reden, egal worüber, war für sie das Wichtigste auf der Welt. Insofern fand Christopher es sehr rücksichtsvoll von Serenity, dass sie ihn die ganze Rückfahrt über in Ruhe nachdenken ließ, ja, es sogar auf sich nahm, Finn in ein Gespräch zu verwickeln.

Denn nachdenken war bitter nötig.

Er fand die Vorstellung immer noch atemberaubend, gegen einen so übermächtigen Gegner wie die Kohärenz angehen zu wollen. Das mit einem Kampf von David gegen Goliath zu vergleichen, ging meilenweit daneben; es war eher, als versuche man, mit bloßen Händen eine Lawine aufzuhalten. Oder eine Sturmflut.

Doch gestern war ihm aufgegangen, dass er besser daran tat, die Kohärenz nicht als *Person* zu betrachten – auch wenn sie das in einem gewissen Sinn zweifellos war –, sondern als *System*. Mit Systemen kannte er sich aus. Mit Systemen war er schon immer zurechtgekommen.

Und vor allem war er mit Systemen, auch mit übermächtigen, immer irgendwie *fertiggeworden*. Tatsächlich gab es kein System auf Erden, das ihm auf Dauer widerstanden hätte.

So betrachtet fühlte sich das Problem schon besser an. Allerdings durfte man nicht außer Acht lassen, dass die Kohärenz ein hartes Kaliber von System war: selbstorganisierend, übermenschlich intelligent und von Furcht einflößender Dynamik.

Zweifellos die Herausforderung seines Lebens.

Er durchdachte die Informationen, die er heute im Internet gefunden hatte, ließ sich seinen Plan wieder und wieder durch den Kopf gehen. Ein System zu knacken, hieß, seine Schwachstellen zu finden und auszunutzen. Wenn man es dabei mit Computern zu tun hatte, war es insofern einfacher, weil ein Computer jeden korrekt formulierten Befehl ausführte, ohne nach dessen Sinn und Zweck zu fragen. Das war bei Menschen, die Teil eines Systems waren, etwas anderes. Die mussten eine Vorstellung davon haben, wozu sie etwas tun sollten, und sie mussten diese Vorstellung in Ordnung finden.

Ein Gegner wie die Kohärenz war insofern neu, als sie weder das eine noch das andere war, sondern eine Kategorie für sich darstellte. Die Auseinandersetzung mit ihr würde nach dem Prinzip ablaufen, »ich weiß, dass sie weiß, dass ich weiß . . .« – und so weiter.

Würde die Kohärenz seinen Plan vorhersehen? Das war die alles entscheidende Frage.

Wie konnte man das abschätzen? Schwierig. Die Kohärenz kannte ihn natürlich, er war ja einmal ein Teil von ihr gewesen. Sie erinnerte sich daran, wie er dachte, fühlte, auf welche Art Ideen er kam. Sie konnte ihn einschätzen, besser, als er umgekehrt die Kohärenz einschätzen konnte.

Andererseits beruhte sein Plan entscheidend auf Informationen, die er damals noch gar nicht gehabt hatte und von denen die Kohärenz folglich nicht wissen konnte, dass er sie kannte. Das war ein Pluspunkt.

Allerdings so ziemlich der einzige.

Ach ja, und Jeremiah Jones und seine Leute kannte die Kohärenz auch nicht. Nicht so, wie sie Christopher kannte.

Wobei . . . Wenn er ehrlich war, musste er zugeben, dass er

selber nicht wusste, was in Jeremiah Jones und seinen Leuten vor sich ging. Nicht wirklich.

Genauso wenig, wie sie es von ihm wussten.

Und das, sagte er sich, war womöglich noch ein weiterer Pluspunkt.

64 | Während der Rückfahrt zog der Himmel zu, dunkle Weltuntergangswolken, und es begann zu regnen, noch ehe sie die Waldpiste erreicht hatten. Serenity war froh, als sie endlich im Lager waren.

Inzwischen prasselte der Regen derart, dass auch die Bäume nicht mehr viel Schutz boten. Serenity fröstelte, als sie ausstiegen; die Temperaturen waren schlagartig gefallen. Der See glitzerte grau von den Böen, die ihn peitschten, das gegenüberliegende Ufer verschwamm wie hinter Vorhängen, die vom Himmel herabhingen. Und sie hatte die falschen Schuhe an.

Dad und Kyle kamen ihnen entgegen, beide im triefnassen Parka, und wollten gleich wissen, ob alles gut verlaufen sei und was sie erreicht hätten.

»Also«, erklärte Christopher, »ich hab vielleicht so etwas wie einen Plan.«

Dad hob anerkennend die Augenbrauen. »Großartig!«

Er berief sofort eine Besprechung im kleinen Kreis ein, im Schutz seines Vorzelts, wo sie sich bibbernd auf den beiden ungemachten Feldliegen drängten. Der Regen prasselte auf die Plane herab, fand hier und da Wege hereinzutropfen. Es blitzte mehrmals, jeweils dicht gefolgt von ohrenbetäubenden Donnerschlägen.

»In meinem Rechenbeispiel gestern«, erklärte Christopher, »steckt ein Denkfehler. Ich meine die Rechnung, dass sich die Kapazität der Kohärenz alle zwei Wochen verdoppelt, sodass innerhalb von wenig mehr als einem Jahr die gesamte Menschheit aufgenommen werden könnte.«

332

Dr. Lundkvist musterte ihn verblüfft. »Also, ich fand das ziemlich überzeugend, muss ich sagen.«

»Was ist daran falsch?«, fragte Dad.

»Die Rechnung lässt außer Acht, dass die Produktion der Chips nicht nach dem gleichen Prinzip wächst«, erklärte Christopher. »Sie verdoppelt sich eben *nicht* alle zwei Wochen. Das heißt, irgendwann fehlen der Kohärenz nicht die Leute, sondern die Chips.«

Wieder ein Blitzschlag, so hell, dass Serenity unwillkürlich die Augen schloss und den Kopf einzog. Und ein Donnerschlag wie eine Explosion.

Dr. Connery rieb sich das Ohr und meinte: »Hört sich für mich wie eine gute Nachricht an.«

Kyle, der sich neben Serenity gesetzt hatte, beugte sich vor. »Das heißt, wenn man die Produktion der Chips lahmlegen könnte«, sagte er, »würde man die Kohärenz damit aufhalten. Oder?«

»Zumindest bremsen«, schränkte Christopher ein. »Ja. Das ist die Grundidee.«

Dad kratzte sich am Kopf. »Bloß dass Singapur ein bisschen weit weg ist für unsere Möglichkeiten.«

»Die Produktion befindet sich nicht in Singapur«, erklärte Christopher.

»Sondern?«

»Die Chips werden in einer Fabrik im Silicon Valley hergestellt.«

Ein Raunen ging durch die Runde.

»San Francisco?«, meinte Dad. »Das klingt schon besser.«

333

»Die Fabrik ist natürlich gesichert«, fuhr Christopher fort. »Aber alle Sicherheitsanlagen, die die Kohärenz verwendet, beruhen darauf, Chipträger und normale Menschen voneinander zu unterscheiden. Das heißt, ich muss nur meinen Chip aktivieren, um ungehinderten Zugang zu haben. Ich kann hineingehen und drinnen tun, was immer nötig ist, um die Produktion zu stoppen. Ich muss nur darauf achten, nicht ins Feld zu gehen, sonst würde mich die Kohärenz natürlich sofort identifizieren und Gegenmaßnahmen ergreifen.«

»Was heißt das konkret? Die Produktion der Chips stoppen – wie geht das?«, hakte Dad nach.

Serenity sah Christopher gespannt an. Er erwiderte ihren Blick einen Moment lang, dann sah er auf den matschig werdenden Boden hinab, als stünden dort alle weiteren Einzelheiten. »Indem man die Maschinen zerstört. Am besten wäre es, sie zu sprengen. Ein Bombenanschlag also.«

Einen Moment lang herrschte Schweigen, war es still bis auf das Prasseln des Gewitterregens.

»Mit anderen Worten«, sagte Dad schließlich dumpf, »wir müssten genau das tun, was man uns vorgeworfen hat. Ein Fabrikgebäude in die Luft jagen.«

Christopher nickte nur.

John Two Eagles hob die Augenbrauen. Beide. Da er zwar immer dabeisaß, aber so gut wie nie etwas sagte oder auch nur das Gesicht verzog, ließ einen diese winzige Geste regelrecht zusammenzucken.

Dr. Lundkvist fuhr sich unwillig durch die weiße Mähne. »Das ist doch Irrsinn. Mit so einer Aktion reiten wir uns in einen Schlamassel hinein, aus dem wir nie wieder herauskommen.«

»In dem stecken Sie schon«, meinte Christopher nur.

»Sagst du! Wir haben nichts als dein Wort. Die fantastische Erzählung eines Siebzehnjährigen.« Dr. Lundkvists Kiefer mahlten. »Das ist jetzt nicht gegen dich persönlich gerichtet, du musst das verstehen, aber woher wissen wir, dass das alles stimmt, was du uns erzählt hast? Es könnte sich auch ganz anders verhalten. Ich meine, du könntest mit dem Auftrag hier sein, uns in eine Falle zu locken, beispielsweise.«

Christopher zuckte mit den Achseln. »Wenn Sie mir nicht glauben, ist es auch okay.« Er nickte in Dads Richtung. »*Er* wollte was gegen die Kohärenz unternehmen, nicht ich. Ich will nur meinen Chip loswerden.«

Serenity sah ihren Vater an, wusste nicht, was sie denken sollte. Im Moment erschien ihr alles, was Christopher über die Kohärenz erzählt hatte, auch völlig unwirklich. So, als wäre von UFOs die Rede gewesen.

»Neal«, sagte Dad, »du erinnerst dich vielleicht, dass ich an dem Abend, als die drei hier angekommen sind, noch Rus mit dem Pick-up losgeschickt habe?«

»Ja«, sagte der weißhaarige Arzt.

»Ich habe ihn beauftragt, eine Anfrage an unseren Kontakt beim FBI zu senden – etwas, das wir nur im äußersten Notfall tun sollen, wie du dich erinnerst.« Er wandte sich an sie und Christopher. »Ich weiß nicht, wer diese Kontaktperson ist, aber sie hat uns bis jetzt immer rechtzeitig vor allem gewarnt, das uns von staatlicher Seite hätte gefährlich werden können. Als

335

Nick heute mit den Teilen für den Generator zurückgekommen ist, hat er auch die Antwort aus Washington mitgebracht. Unser Kontakt weiß nichts von einer Undercover-Aktion gegen uns. Der Stand der Dinge ist, dass die Satelliten unser Camp immer noch nicht aufgespürt haben. Das FBI geht deswegen davon aus, dass wir uns getrennt versteckt haben und dass sie nach jedem von uns einzeln suchen müssen.«

»Es war nur ein Beispiel.« Dr. Lundkvist hob entschuldigend die Hände. »Eine naheliegende Möglichkeit, mit der wir rechnen müssen.«

»Ja, ist klar. Aber . . .« Wieder ein Blitz, wieder ein Donnerschlag, der durch den Wald rollte und ihn unterbrach. »Was ich sagen wollte«, fuhr Dad danach fort, »ist, dass ich Christophers Geschichte glaube. So fantastisch das alles klingt, ich bin überzeugt, dass es sich genau so verhält, wie er es erzählt hat. Nicht zuletzt, weil es viele Merkwürdigkeiten rings um unsere Verfolgung erklärt. Ich glaube, dass die Kohärenz existiert und dass sie es ist, die hinter uns her ist.«

»Hinter *mir*«, sagte Dr. Connery. »Sie ist hinter *mir* her. Wir sollten auch darüber nachdenken, dass ich einfach gehe. Dann hätte die Kohärenz keinen Grund mehr, euch zu –«

»Nein, Bob, darüber werden wir nicht nachdenken«, unterbrach Dad ihn entschieden. »Es kommt nicht infrage, dass wir jemanden opfern.«

Der Neurologe schüttelte den Kopf. »Ich trage mit Schuld daran, dass die Kohärenz entstanden ist. Ich habe kein Recht, euch in Gefahr zu bringen.«

»Unsere Prinzipien zu verraten, wäre die viel größere Gefahr«, widersprach Dad. »Würde ich deinem Vorschlag folgen, wäre alles hinfällig, woran ich glaube, und das werde ich nicht . . .«

»Du wirst mich kaum daran hindern können zu gehen, wenn ich das für richtig . . .«

Christopher hob die Hand, und die beiden hielten inne.

»Das würde nichts bringen«, erklärte er. »Das wäre kein Grund für die Kohärenz, die Verfolgung aufzugeben.« Er sah zu Boden, zögerte. »Die Kohärenz ist entschlossen, alle Informationen über Ihre Forschungsarbeiten an sich zu bringen, Dr. Connery. Deswegen nimmt sie nach und nach jeden auf, der jemals mit Ihnen in Kontakt war.«

»Jeden, der jemals mit mir . . .?«, wiederholte der Neurologe mit geweiteten Augen. »Was soll das heißen?«

Christopher blickte ihn mit bedrückter Miene an. »Ich wollte Ihnen das eigentlich gar nicht sagen. Aber die Kohärenz hat, um Zugang zu Ihren Unterlagen zu bekommen, Ihre ehemalige Haushälterin aufgenommen und auch Ihre Schwester mit ihrer Familie.«

65 | Serenity sah, wie alle Farbe aus Dr. Connerys Gesicht wich. Jeder sah das. Die Nachricht traf ihn wie ein Schlag mit einem Hammer.

Dads Freundin Melanie stand auf, setzte sich neben den Neurologen und legte den Arm um ihn. »Es ist nicht deine Schuld«, sagte sie. »Red dir das nicht ein.«

Dr. Connery schien sie gar nicht wahrzunehmen. »Was hab ich getan?«, murmelte er fassungslos. »Warum musste ich dieses verdammte Projekt beginnen?«

Nun beugte sich auch Dad vor, legte ihm die Hand auf den Arm. »Bob! Hör mir zu, Bob! Es lag in der Luft. Die technische Entwicklung hat darauf zugesteuert, unvermeidlich. Hättest du es nicht begonnen, hätte es jemand anders getan.«

»Ich wollte doch einfach nur ein neues Leben anfangen«, stammelte Dr. Connery. »Ein Leben in der Natur. Nichts mehr mit Neurotechnologie zu tun haben. Dass es mich so wieder einholt . . .« Er schluckte, so mühsam, als sei der Kloß in seinem Hals zu groß dafür. »Samantha . . .? Was kann *sie* denn dafür?«

Kyle stand ruckartig auf, wütend bis in die Haarspitzen. Seine Stirnnarbe glühte regelrecht. »Was reden wir denn noch herum? Was bringt uns denn das ganze Gejammer? Handeln wir lieber! Jagen wir diese verdammte Chipfabrik in die Luft, besser morgen als übermorgen!«

Serenity lief es kalt über den Rücken, und das lag nicht an der kalten Luft von draußen. Noch nie hatte sie ihren Bruder so erlebt.

Oder jedenfalls schon ewig nicht mehr.

»Wut ist ein schlechter Ratgeber«, mahnte Dad mit sanfter Stimme. »Und Ungeduld auch. Wir werden handeln, aber wir werden jeden Schritt genau planen und mit größtmöglicher Umsicht vorgehen.«

Kyle sah ihn an, schien eine heftige Antwort schon auf der Zunge zu haben, doch dann sagte er nur: »Ach, vergesst es einfach.« Für einen Moment dachte Serenity, er würde aus dem Zelt stürmen, doch dann setzte er sich einfach wieder neben sie und starrte düster auf den Boden.

Dafür wurden nun Melanies Augen auf einmal groß. »Handeln? Was meinst du damit, Jerry?«

Dad machte eine Geste in Richtung Wald. »Ganz unerfahren in Sachen Sprengstoff sind wir nicht. Bisher war es zwar nur der eine oder andere Felsen, den wir aus dem Weg gesprengt haben, aber so groß dürfte der Unterschied zu einer Maschine nicht sein.«

Dr. Lundkvist zog ein angesäuertes Gesicht. »Ich möchte starke Vorbehalte anmelden«, erklärte er. »Einen Felsüberhang zu sprengen, der ohnehin abzurutschen droht, ist nicht ansatzweise dasselbe, wie eine Fabrik zu zerstören. Noch dazu mitten in einem der prominentesten Industriegebiete der Welt.«

Melanie nickte heftig. »Da hat Neal recht. Wir reden hier von einer regelrechten Kommandoaktion! Du hast es eben selbst gesagt – damit würden wir genau zu den Kriminellen, die sie in uns sehen wollen.«

»Aber kapierst du denn nicht?« Kyle brauste wieder auf. »Wir haben doch überhaupt keine andere Wahl! Wir müssen uns wehren!« Serenity merkte zum ersten Mal, dass er Dads Freundin so wenig leiden konnte wie sie. »Oder was willst du machen? Die Polizei rufen vielleicht?«

»Vielleicht ist dir schon mal aufgefallen«, versetzte Melanie heftig, »dass wir nun mal keine Marines, kein SWAT-Team, keine Bombenleger sind. Die meisten von uns sind einfach nur Aussteiger, Nomaden, Künstler . . .«

»So ganz stimmt das nicht«, sagte Dad. »Denk an Finn. Oder Brian – frag den mal, was der in seiner aktiven Zeit bei Greenpeace alles angestellt hat. Und Russel. Der war nicht nur bei den Marines, der war in zwei Kriegen im Einsatz.«

»Angry Snake«, sagte John Two Eagles. »Er ist noch jung, aber er ist ein Krieger im Herzen.«

Melanie schüttelte den Kopf. »Ihr wollt allen Ernstes losziehen und Bomben legen? Also, ehrlich gesagt –«

»Ehrlich gesagt, Mel«, fuhr ihr Kyle noch einmal dazwischen, »ich wünschte, du würdest auch mal zwei Leuten gegenüberstehen, die im Chor zu dir sprechen! Ich wünschte, du würdest das mal selber erleben. Dann wüsstest du, dass man was dagegen tun *muss!*«

»Kyle.« Dad sah ihn bittend an. »Nicht in diesem Ton, okay? Wir versuchen hier alle, zur richtigen Entscheidung zu kommen – aber jeder auf seine Art.«

Melanies Gesicht war eine starre Maske. »Du missverstehst mich nur zu gern, Kyle, nicht wahr? Was ich sagen will, ist einfach, dass mir wohler wäre, wenn wir dieses verdammte Rechenzentrum *tatsächlich* in die Luft gejagt hätten, wie sie es uns vorwerfen. Weil wir dann wenigstens genau wüssten, wie man so etwas macht!«

Dad legte ihr beruhigend die Hand auf den Arm. »Wir wissen, wie man so etwas macht, Mel.«

»Ach ja? Und woher?«

Er seufzte. »Ich habe nicht nur alle Zeitungsartikel über die Attentate gesammelt, die man uns zuschreibt, ich habe mir auch den offiziellen Untersuchungsbericht beschafft, der dem zuständigen Gericht und den Ermittlungsbehörden vorliegt. Darin wird haarklein beschrieben, wie wir es angeblich gemacht haben. Und da er von namhaften militärischen Experten verfasst wurde« – er hob in seiner unnachahmlichen Weise die Augenbrauen –, »brauchen wir das alles einfach nur nachzumachen. Im Grunde genommen ist es die perfekte Anleitung.«

66 | Die nächste Besprechung fand am Abend des darauffolgenden Tages statt. Da Informationen, die nur Christopher im Gedächtnis hatte, den anderen nichts nützten, waren sie noch einmal losgefahren, diesmal in die Stadtbibliothek von Black Bay. Mithilfe der dortigen Internet-PCs hatten sie Ausdrucke von Google Maps angefertigt, die die Umgebung der fraglichen Fabrik zeigten, ferner sich aus diversen Datenbanken die offiziellen Baupläne des Gebäudes besorgt. Außerdem hatten sie eine gute Landkarte von San Francisco und Umgebung gekauft.

All das lag nun auf drei Campingtischen nebeneinander ausgebreitet. Da der Regen weitergezogen war, fand die Lagebesprechung wieder an der Feuerstelle statt, im Schein einer Glühbirne, die man an einem der Dreibeinstative über dem Tisch aufgehängt hatte. Die Reparatur des Generators schien geklappt zu haben, die Birne flackerte kein einziges Mal. Zahllose Insekten umschwirrten sie begeistert.

Diesmal fehlte bis auf eine minimale Wache niemand. Worum es ging, hatte sich längst herumgesprochen, und so lauschten über zwanzig Männer und Frauen aufmerksam, als Christopher die Grundzüge des Plans darlegte.

»Ich weiß nicht, inwieweit das allgemein bekannt ist, aber die Herstellung moderner Computerchips ist eine extrem empfindliche und fehleranfällige Angelegenheit«, erklärte er. »Im Prinzip bräuchte man nur eine Handvoll Sand oder so was in die Maschinen zu werfen, um sie lahmzulegen. Allerdings nicht für lange. Da hochgradige Sauberkeit im Herstellungsprozess so wichtig ist, sind die Produktionsanlagen so gebaut, dass man sie auf einfache Weise gründlich reinigen kann. Sie zu zerstören, ist deswegen entschieden wirkungsvoller.«

Er tippte mit dem Zeigefinger auf Elemente eines Schaubildes, das den Weg eines Computerchips vom Rohmaterial bis zum fertigen Bauteil zeigte. »Die besten Angriffspunkte sind die Maschinen, in denen die Silizium-Rohlinge poliert werden, bis sie die benötigte extrem glatte Oberfläche aufweisen.« Sein Finger wanderte weiter. »Sie werden anschließend hier beschichtet und hier mit dem Schaltplan belichtet. Belichtungsanlagen sind leicht zu demolieren. Außerdem müssen wir natürlich unbedingt die Masterschablonen vernichten. Das Lager mit den Rohlingen am besten auch.«

»Und was an fertigen Chips vorhanden ist, nehmen wir mit«, sagte Kyle. »Damit veranstalten wir hier dann ein lustiges Barbecue.«

Dad griff nach einem Stift und zeichnete ein paar Kreuze in den Bauplan ein. »Das heißt, Sprengkörper hier, hier und hier.«

Hoch über ihnen in der Nacht schrie ein Vogel. Serenity hob den Kopf. Ein Adler? Früher hatte sie jede Menge Tiere an den Lauten erkannt, die sie von sich gaben, doch sie hatte fast alles vergessen.

»Maschinen kann man reparieren oder ersetzen«, wandte eine untersetzte Frau ein. »Und diese Masterschablonen wird die Kohärenz sicher auch wieder auftreiben können, oder?«

Christopher nickte. Er stand mit hochgezogenen Schultern da, fühlte sich sichtlich unwohl im Mittelpunkt der allgemeinen Aufmerksamkeit – aber unter dieser Unsicherheit, meinte

Serenity, eine unglaublich zähe, geradezu stählerne Entschlossenheit zu spüren.

Dieser Junge, rief sie sich in Erinnerung, hatte schon einmal die Welt aus den Angeln gehoben. Warum sollte er es nicht auch ein zweites Mal schaffen?

Dad nickte der Fragerin zu. »Das ist richtig. Wir werden die Kohärenz nur bremsen können, nicht ausschalten. Aber damit gewinnen wir Zeit für weitere Schritte. Und damit das möglichst viel Zeit ist, hat sich Christopher noch etwas Raffiniertes ausgedacht; eine Aufgabe, die Nick übernehmen wird. Nick? Dein Part.«

Nicholas Giordano sog geräuschvoll die Luft zwischen den Zähnen ein, ehe er den Mund öffnete. »Die Chipherstellung spielt sich komplett in hochreinen Räumen ab, das habt ihr ja gehört. Hochreine Räume sind so sauber, dagegen ist die frisch geputzte Wohnung meiner Mutter eine Müllhalde – und das will bei meiner Mutter was heißen. Selbst ein OP ist tausendmal staubiger als so ein Reinraum. Der heikelste Punkt ist dabei logischerweise die Luftfilteranlage. Die befindet sich hier«, sagte er und setzte einen seiner Wurstfinger auf den Bauplan.

Alle reckten die Hälse. Nick deutete auf einen Raum, der fast das Doppelte der eigentlichen Fabrikationshalle ausmachte.

»Ziemlich groß«, meinte jemand.

»Ja, ziemlich groß«, bestätigte Nick und scheuchte eine vorwitzige Mücke fort, die seinen Finger umschwirrte. »Die Luftfilter werden von unserem Anschlag scheinbar völlig unberührt bleiben – es handelt sich ja nur um eine bessere Klimaanlage, nicht wahr? –, tatsächlich aber sabotieren wir sie. Ich, genauer gesagt.«

»Und was bringt das?«, rief eine junge Frau aus dem Hintergrund. Serenity erkannte Ann, die am Tag ihrer Ankunft Vorposten gespielt hatte.

»Eine extrem hohe Ausschussrate nach Wiederaufnahme der Produktion. Und sie werden nicht so leicht draufkommen, wie der Staub in den Luftstrom gelangt«, verkündete Nick selbstbewusst. »Ich habe die Pläne der Anlage studiert und mir ausgedacht, dass ich hier, an der Zufuhr der –«

»So genau«, unterbrach ihn Dad, »wollen wir es, glaube ich, gar nicht wissen.«

Nick zog einen Schmollmund. »So? Na ja. Jedenfalls, ich werde die Kohärenz zum Fluchen bringen. Im Chor.«

»Wird sich lustig anhören.« Dads Lächeln sah eher gequält aus, fand Serenity. Sie wusste, dass er sich Sorgen machte, ob sie das Richtige taten, auch wenn er es nicht zugeben mochte. Hatte er letzte Nacht überhaupt geschlafen? Sie war immer wieder davon aufgewacht, wie er das Zelt verlassen oder betreten hatte, hatte seine Schritte im Unterholz gehört . . . Und heute Morgen beim Frühstück hatte er dunkle Schatten unter den Augen gehabt.

Er zog ein anderes Blatt aus dem Durcheinander. »Zur Vorgehensweise«, sagte er knapp. »Christopher hat herausgefunden, dass das Gelände nachts von der Sicherheitsfirma *Zerberus Limited* überwacht wird. Er hat auch deren Dienstplan geknackt: Die Patrouille macht gegen zwei Uhr die Runde, dann wieder um halb vier. Ich denke, wir werden uns also mit einem

345

Wagen vor dem Haupteingang positionieren und abwarten, bis der erste Kontrollgang durch ist. Dann geht Christopher hinein, indem er kurz seinen Chip aktiviert und damit die Sicherheitsschleuse austrickst. Drinnen schaltet er die Alarmanlage ab und öffnet uns eines der beiden Tore hinten an der Verladerampe – hier.« Er zeigte auf die entsprechende Stelle. »Wir warten mit einem zweiten Wagen in der Nähe. Ich dachte, dafür nehmen wir am besten Brians Wohnwagen, der sieht aus wie ein alter Lastwagen und wird in so einer Umgebung nicht auffallen.«

»Zwei Fahrzeuge also.« Dr. Lundkvist nickte. »Und wer wird mit dabei sein?«

»Christopher und ich natürlich«, zählte Dad auf. Er sah John Two Eagles an. »Womit du wieder die Lagerleitung hättest.«

Der Indianer nickte nur.

»Nick, weil nur er das mit der Lüftungsanlage hinkriegt«, fuhr Dad fort. »Russel Stoker und Anthony Finney als Sprengteam. Und Brian Dombrow als Fahrer. Er kennt seinen Wagen am besten, und ihr wisst ja, wie er fahren kann.«

Einhelliges Nicken in der Runde. Wobei Serenity auffiel, dass manche derer, die nickten, gleichzeitig erschauerten.

Was hieß das? Dass dieser Brian Dombrow fuhr wie ein Henker?

»Angry Snake soll mitgehen«, sagte John Two Eagles ernst. »Es muss jemand auf Christopher aufpassen. Er kann das tun.«

Dad nickte. »Gute Idee. Einverstanden.«

»Ich komme auch mit«, sagte Kyle.

Dad sah ihn scharf an. »Auf keinen Fall. Keines meiner Kinder nimmt an dieser Aktion teil.«

Kyle hielt dem Blick stand. »Dann erklär mir mal, warum *du* daran teilnehmen willst.« Er deutete auf die Leute, die sich um den Lagerplatz versammelt hatten. »Deren Namen stehen vielleicht auf der Fahndungsliste, aber von dir, Dad, hängt ein Porträtfoto in jeder Polizeiwache Amerikas. Von der Website des FBI mit den zehn meistgesuchten Terroristen ganz zu schweigen.«

»Ich werde mitgehen«, erklärte Dad ruhig, »weil ich Christopher dazu überredet habe, dass er uns hilft. Außerdem muss ich diese Chips mit eigenen Augen sehen, ehe wir tatsächlich irgendetwas in die Luft sprengen. Ich weiß, dass es ein Risiko ist, mein Gesicht durch die Gegend zu fahren, aber es gibt keinen anderen Weg.«

Was Christopher in diesem Moment dachte? Serenity bemerkte, dass sich seine Augen kurz verengt hatten.

»Okay«, sagte Kyle. Zu Serenitys Überraschung blieb er fast so ruhig wie ihr Dad. »Und ich will mitgehen, weil ich, abgesehen von Serenity und von Christopher selber der Einzige bin, der der Kohärenz schon einmal gegenübergestanden hat. Außerdem werde ich der Einzige im Team sein, der auf keiner Fahndungsliste steht. Das eine wie das andere kann im richtigen Moment ein entscheidender Vorteil sein.«

Dad musterte Kyle einen Moment, dann tauschte er einen Blick mit John Two Eagles und Dr. Lundkvist.

»Dein Sohn hat nicht ganz unrecht, Jerry«, sagte der weißhaarige Arzt schließlich.

»Also gut.« Ihr Dad schien sich einen Ruck zu geben. »Ich werde es hoffentlich nicht bereuen, aber in Ordnung. Komm mit.«

»Du wirst es nicht bereuen«, versprach Kyle.

Dad grinste schief. »Doch. Spätestens wenn mir deine Mutter die Augen auskratzt.«

Gelächter rings um die Feuerstelle. Die Anspannung, die man fast mit den Händen greifen konnte, löste sich für einen Moment.

Währenddessen förderte Dad eine große Karte zutage, die die westliche Hälfte der USA zeigte, und breitete sie über den bisherigen Unterlagen aus. »Okay. Zur Route. Auf dem Hinweg fahren wir über Utah und machen Station in Tremblestoke. Dort kennen wir ein Hotel, in dem keine Fragen gestellt werden. Am nächsten Tag sollten wir es bis San Francisco schaffen, wo wir in einem Lagerhaus unterkommen, das ein Freund für uns anmietet. Von diesem Stützpunkt dürften es zwischen zwanzig Minuten und einer Stunde Fahrt bis zum Zielpunkt sein, je nach Tageszeit und Verkehr. Wir werden ein bis zwei Tage damit verbringen, die Lage zu sondieren – und dann schlagen wir zu.«

Er faltete die Karte penibel zusammen. »Was den Rückweg anbelangt, müssen wir uns verschiedene Alternativen offenhalten, je nachdem, wie viel Aufsehen der Anschlag erregt, ob mit Straßensperren zu rechnen ist und so weiter. Ich bin noch dabei, diesen Untersuchungsbericht zu lesen; die erklären darin mehrere raffinierte Methoden, wie wir in North Carolina der Polizei angeblich entkommen sind. Da kann man wirklich was lernen.«

Serenity sah sich um. Grinsen in der Runde. Überzeugte Mienen. Die Zweifel, die anfangs noch auf vielen Gesichtern zu lesen gewesen waren, waren verschwunden. Alle schienen entschlossen, es der Kohärenz zu zeigen und der Polizei gleich mit, und sie wirkten zuversichtlich, dass sie es auch schaffen würden. Nicht gerade mit links vielleicht, und ein Spaziergang würde es auch nicht werden, aber ein Sieg auf jeden Fall.

Der Einzige, der noch alles andere als zuversichtlich wirkte, war Christopher.

»Wir brauchen eine Leitstelle«, erklärte er in die allgemeine Aufbruchsstimmung hinein. »Für alle Fälle. Irgendein Telefon, das nichts mit dem Lager zu tun hat und das wir anrufen können, um Bescheid zu geben, falls etwas nicht so klappt wie geplant.«

Dad sah ihn befremdet an. »Ich weiß nicht. Telefongespräche können abgehört werden.«

»Klar«, erwiderte Christopher unduldsam. »Aber das heißt ja nicht, dass man deswegen nicht kommunizieren kann. Wir vereinbaren eben Codewörter für alle denkbaren Fälle.«

Dad blickte nachdenklich in die Runde. »Wie machen wir das? Jemand könnte während der Aktion in einem sicheren Haus in der Nähe wohnen. Der wäre dann telefonisch erreichbar.« Er sah Christopher an. »Wäre das eine Lösung?«

»Ja«, sagte der.

»Bloß haben wir kein sicheres Haus in der Nähe«, fügte Dad hinzu.

»Das Haus meiner Tochter«, schlug Dr. Lundkvist mit knarrender Stimme vor. »Sie wohnt bei Shiver Falls. Das sind zwei

Stunden von hier, das ist machbar. Das Gebäude liegt außerdem abgelegen und ist schwer einsehbar; wenn da ein paar Tage lang Gäste wohnen, merkt das kein Mensch.«

»Würde sie jemanden von uns aufnehmen?«

Dr. Lundkvist wiegte den Kopf. »Ich kann sie zumindest fragen.« Es klang, als sei das Verhältnis zu seiner Tochter nicht das beste.

»Okay, das wäre eine Lösung«, meinte Dad. Er sah Christopher an. »Noch etwas?«

»Ja, noch etwas«, erklärte der ernst. »Dieses medizinische Einsatzfahrzeug der Bergrettung, von dem Sie gesprochen haben . . .«

»Das Medomobil.« Dr. Connery nickte.

»Das sollte bei dem Einsatz dabei sein. Und beide Ärzte. Falls jemand verletzt wird.«

Missmutiges Hüsteln in der Runde.

»Christopher«, begann Dad vorsichtig. »Warum machst du dir solche Sorgen? Wir werden nicht viel Sprengstoff brauchen, um die Anlagen auszuschalten. Finn und Rus kennen sich aus. Wir sind nicht in einem Hollywoodfilm. Niemand wird zu Schaden kommen.«

»Doch.« Christophers Gesicht wirkte im Licht der Glühbirne wie aus Stein gemeißelt. »Wir sollten sogar fest damit rechnen. In der Nähe der Fabrik leben mehr Upgrader als sonst irgendwo in den Vereinigten Staaten. Die werden sich alle in derselben Sekunde, in der ich die Alarmanlage ausschalte, in Bewegung setzen und anrücken. Bewaffnet«, fügte er hinzu.

Serenity musterte ihren Vater. Bis jetzt war es ihm gelungen, sich seine Sorge nicht anmerken lassen, doch nun war es damit vorbei.

»Dann müssen wir eben schneller sein«, sagte er mit erkennbarer Nervosität.

Christopher zuckte mit keiner Wimper. »Unser Gegner ist nicht das FBI oder die Polizei«, erklärte er düster. »Unser Gegner ist die Kohärenz. Wenn wir diese Aktion durchziehen, wird sie das als Kriegserklärung auffassen. Und sie wird entsprechend reagieren.«

»Okay. Verstehe.« Dad nickte, wechselte ein paar Blicke mit seinen Vertrauten. Niemand sagte etwas, nicht einmal Melanie. Auf einmal herrschte eine bedrückende Stille. »Wir nehmen das Medomobil mit.« Er sah die Ärzte an. »Und euch beide auch.«

67 | Am verblüffendsten fand Serenity das mit den Sprengstoffen. Sie hätte nie im Leben gedacht, dass man nur ein bestimmtes Waschmittel, einen bestimmten Unkrautvertilger und noch ein paar für sich genommen harmlose Chemikalien, die man in jedem Supermarkt kaufen konnte, im richtigen Verhältnis miteinander mischen brauchte, um einen hochwirksamen Sprengstoff zu erhalten. Sie beharrte so lange darauf, dass sie davon kein Wort glaube, bis Russel Stoker sagte: »Komm mit.« Er fuhr mit ihr in das abgelegene Tal, in dem er mit den anderen den Umgang mit dem Sprengstoff übte, und pulverisierte vor ihren Augen einen lastwagengroßen Felsbrocken.

»Das ist ja unglaublich«, meinte sie, als ihre Ohren aufgehört hatten zu klingeln und zu summen. »Wir verwenden dieses Waschmittel zu Hause!«

»Das ist Chemie«, meinte Russel nur und rieb seine rot geäderte Nase. Es hatte Zeiten in seinem Leben gegeben, in denen er mehr Alkohol getrunken hatte, als gut für ihn war. Er war Dads ältester Freund, sie waren zusammen in die Schule gegangen, aber heute sah Rus wesentlich älter aus. »Mit so was Ähnlichem haben uns die Taliban eingeheizt. Damals.«

Für seine Verhältnisse war das ein geradezu ausschweifender Kommentar. Normalerweise sprach er nicht über die Kriege, an denen er teilgenommen hatte.

Dr. Lundkvists Tochter erklärte sich bereit, für eine gewisse Zeit Gäste aufzunehmen, obwohl man ihr die Hintergründe natürlich nicht verraten konnte. Allerdings wollte sie nur Frauen im Haus haben, keine Männer.

Das war die Chance, auf die Serenity gelauert hatte. Frauen waren in Dads Lager in der Minderzahl und zudem nicht ohne Weiteres abkömmlich, also legte sie sich ins Zeug. Sie drängte, bettelte und argumentierte so lange, bis Dad einverstanden war, dass sie und ihre Freundin Madonna Two Eagles den Telefondienst übernehmen würden.

Einen Haken allerdings hatte die Sache: Als Kurierfahrerin – und Aufpasserin – wurde Dads Freundin Melanie abgestellt.

Bei der Gelegenheit bekam Serenity endlich mit, wie überhaupt Mitteilungen aus dem Rest der Welt in dieses Lager abseits aller Mobilfunkmasten, Telefonnetze und Fernsehsender gelangten: Jeden Tag fuhr einer der Campbewohner – jedes Mal auf einer anderen Route – in eine der umliegenden Siedlungen. Dort telefonierte er von einer Telefonzelle oder über ein anonymes Handy mit Vertrauensleuten, die Nachrichten für das Lager entgegennahmen und die man auch beauftragen konnte, bestimmte Leute anzurufen. Für besonders vertrauliche Botschaften schickte man einen der Indianer, der mit jemandem aus seiner Familie in einem Dialekt sprach, den keine zweihundert Menschen mehr beherrschten.

Und bisweilen brachte derjenige auch ein paar Lebensmittel mit, wenn sich ein Spender fand. Normale Einkäufe im Supermarkt konnten sie sich nur noch ausnahmsweise leisten, und an das Anlegen von Gemüsebeeten war nicht einmal zu denken: Sie mussten ja jederzeit bereit sein, das Camp zu verlegen.

»Das ist bitter«, meinte Serenity. »Wo ihr euch doch früher immer selbst versorgt habt.«

»Ist es«, gab Dad zu. »Aber wenn man auf der Flucht ist, geht das einfach nicht.«

»Und wenn euer Geld alle ist, was dann?«

»Da muss uns noch was einfallen. Zumal diese Aktion ein großes Loch in unsere Reserven reißen wird. Aber an die gesperrten Konten ist kein Herankommen.« Dad seufzte. »Dabei verkaufen sich meine Bücher, seit ich ein staatlich anerkannter Terrorist bin, wie geschnitten Brot. Verrückte Welt, oder?«

Nachdem sie die nötige Ausrüstung endlich beisammenhatten, spielten sie den Einsatz zur Übung durch, wieder und wieder. Serenity durfte zusehen, was einerseits war, als wohne man einem absurden Theaterstück bei –, andererseits aber auch gruselig in seiner Ernsthaftigkeit.

In einem abseits liegenden Waldstück hatten einige der Campbewohner den Grundriss des Fabrikgeländes mit zwischen Bäumen gespannten Schnüren markiert. Mit Zeltplanen verhängte Büsche stellten die Maschinen dar, und neben dem Wäldchen bot eine Lichtung genug Platz, um mit den Autos entsprechend zu rangieren.

Dr. Connery übernahm die Rolle des Mannes vom Sicherheitsdienst, der das Anwesen kontrollierte und dann weiterfuhr. Sobald er außer Sicht war, ging Christopher durch die Tür hinein und zum Schaltraum. Diese Tür war verschlossen und gesichert; er würde Werkzeug benötigen, um sie zu öffnen. Eine einsame Birke spielte die Rolle der Tür, an der er mit Schraubenzieher und Zange herumhantierte.

In dem Moment, in dem Christopher die Alarmanlage ausschaltete – er verschob dazu einen Stein, der auf einem

354

Baumstumpf lag –, drückte Dad die Stoppuhr. Christopher rannte daraufhin zur Verladerampe und öffnete eine Tür – im Übungsgelände ließ er einen Karabinerhaken zwischen zwei Baumstämmen aufschnappen –, was das Zeichen für das Sprengteam war. Sie deponierten an allen Maschinen Holzscheite, die die Sprengladungen vertraten, und fingen an, Zünddrähte zu legen.

Währenddessen eilte Nick in jenen Teil des Waldes, der für die Lüftungsanlage stand, und tat, als schraube er an einem großen Strauch herum. Er murmelte dabei die einzelnen Handgriffe vor sich hin, die er ausführen würde.

Seltsam, sich vorzustellen, dachte Serenity bei einem der Übungsdurchgänge, dass sie das in ein paar Tagen alles wirklich tun würden – in einer wirklichen Fabrik, mit wirklichem Sprengstoff . . . und in der wirklichen Gefahr, verletzt oder verhaftet zu werden.

Sie beobachtete Christopher und dachte an den Moment zurück, als er am Strand plötzlich vor ihr gestanden hatte. Er wirkte immer noch genauso undurchschaubar wie an jenem Tag.

Und jetzt waren sie im Begriff, einen Bombenanschlag durchzuführen, den dieser blasse, dunkelhaarige Junge geplant hatte. Dinge würden zerstört, vielleicht sogar Menschen verletzt werden. Und sie, Serenity Jones, siebzehn Jahre alt, Senior-Schülerin kurz vor dem Anschluss, deren größte Sorge bis vor Kurzem Schulnoten gegolten hatte, würde daran beteiligt sein. Würde Mittäterin sein. Komplizin.

Wollte sie das wirklich tun?

Andererseits: Gab es eine Alternative? Sie musste an Christophers Eltern denken, an Dr. Connerys Schwester . . . Die waren auch nicht gefragt worden, ob sie von der Kohärenz geschluckt werden wollten.

Sie hatte wenigstens die Chance, etwas dagegen zu tun.

Doch obwohl sie sich das immer wieder sagte und es auch einleuchtend fand, blieb ein Gefühl von Verzweiflung. Verzweiflung, dass dies notwendig sein sollte, nur weil man ein Mensch bleiben wollte!

Obwohl sie den Ablauf detailliert besprochen hatten, brauchten die Männer fünf Durchgänge, bis jeder genau wusste, wann er was zu tun hatte. Nach weiteren sieben Mal lagen sie endlich innerhalb der Zeit, die sie sich vorgenommen hatten.

Dann wiederholten sie die Übung bei Nacht. Worauf erst mal alles schiefging, was nur schiefgehen konnte. Nick rannte sogar gegen einen Baum und holte sich eine dicke Beule.

»Die Kohärenz wird sich kaputtlachen über euch«, sagte Melanie, die wie Serenity und Madonna zuschaute. »Ist das der eigentliche Plan?« Doch niemand ging auf ihren Scherz ein. Selbst Serenitys Dad bedachte seine Freundin nur mit einem finsteren Blick.

In der nächsten Nacht spielten sie es zweimal durch, und diesmal lief alles wie am Schnürchen.

Sie waren also aufbruchsbereit.

Doch dann gab es Schwierigkeiten mit dem Medomobil.

»Es war am Wochenende bei einem Triathlon im Einsatz«, berichtete Dr. Lundkvist, »und ist dabei von einem der anderen Fahrzeuge gerammt worden. Jetzt ist es in der Werkstatt; keine Ahnung, wann es repariert sein wird.«

Serenity spürte, dass die Stimmung zu kippen drohte. Bis jetzt waren sie jede Minute mit der Planung, der Beschaffung des Materials und mit den Übungen beschäftigt gewesen, aber je mehr Zeit nun verging, desto stärker würden sich Zweifel melden.

»Dann vergessen wir das mit dem Medomobil«, schlug Brian vor, der Fahrer, ein ansonsten eher schweigsamer Hüne mit eisgrauen Locken und einem bemerkenswert muskulösen Unterkiefer. »Wir lassen uns eben nicht anschießen, fertig.«

»Es würde reichen, wenn wir Ärzte mitkommen«, schlug Dr. Connery vor. »Wir könnten einen eventuell Verletzten erstversorgen, und im Notfall bringen wir ihn unter falschem Namen in ein Krankenhaus.«

Dr. Lundkvist wiegte den markanten Kopf. »Könnte gehen. Man müsste möglichst viel Bargeld mitnehmen, das wirkt meist Wunder.«

Und dann, aus irgendeinem Grund, sahen alle Christopher an. Er hatte die Arme um sich geschlungen, als fürchte er, sich ansonsten aufzulösen.

»Ich wollte nicht darüber reden«, sagte er leise, »aber die eigentliche Gefahr liegt woanders. Einer von uns könnte verletzt werden, ins Krankenhaus kommen – und dort einen Chip verpasst kriegen.«

Einen Herzschlag lang war es, als seien alle ringsum zu Stein erstarrt.

Dann entschied Dad: »Wir warten. Wir gehen erst, wenn das Medomobil einsatzbereit ist.«

68 | Kaum hatten sich alle auf eine längere Wartezeit eingerichtet, kam die Nachricht, dass der Schaden am Medomobil nicht so groß war wie anfangs befürchtet. Tatsächlich war es schon wieder repariert und einsatzbereit.

»Ich bin gespannt, was eurem Freund einfällt, um die Sache noch mal zu verzögern«, meinte Dr. Lundkvist zu Serenity, die gerade neben ihm stand, als der Kurier mit der Botschaft kam.

Serenity sah den hageren Arzt verdutzt an. »Wie meinen Sie das?«

Dr. Lundkvist hob die dünnen Augenbrauen. »Nun, es liegt auf der Hand, dass Christopher extrem traumatisiert ist. Er hat mehr Angst vor der Kohärenz als vernünftig wäre.«

»Ich weiß nicht«, gab Serenity zurück. »Vielleicht sind ja auch wir es, die *zu wenig* Angst vor der Kohärenz haben?«

Worauf der Arzt sie nur irritiert ansah, aber nichts mehr sagte.

Tatsächlich kam es zu keiner weiteren Verzögerung. Die beiden Ärzte packten ihre Sachen in ein Auto. Sie würden hinüber nach Idaho fahren, das Medomobil direkt in der Werkstatt abholen und damit auf einem anderen Weg nach San Francisco kommen. Die Übrigen luden die Ausrüstung in den Geländewagen und in den zum Wohnmobil umgebauten Lastwagen, der Brian Dombrow gehörte.

Der eigentliche Aufbruch verlief denkbar unspektakulär. Mehr oder weniger das ganze Lager versammelte sich um die kleine Gruppe, die sich zum Aufbruch bereit machte.

Alle, bis auf Christopher. Er glänzte durch Abwesenheit. »Geh ihn doch mal fragen, ob er vielleicht zufällig mitwill«, sagte Dad zu Serenity.

358

Sie fand ihn in seinem Zelt. Er saß auf der Liege, hatte den kleinen mexikanischen Kleidersack vor sich stehen, der sein ganzes Hab und Gut enthielt, und starrte über den See, auf dem die Morgensonne glänzte wie Gold.

»Sie fragen, ob du kommst«, sagte Serenity.

Er sah auf, sah sie an. »Sollte ich. Ja.«

Aber er rührte sich nicht. Sie betrachtete ihn, und aus irgendeinem Grund fragte sie: »Du hast Angst, oder? Angst, weil du als Erster reingehen musst?«

Er senkte den Blick, griff nach den Riemen seines Kleidersacks. »Und wie«, flüsterte er. Dann stand er auf, schlängelte sich an ihr vorbei aus dem Zelt und ging ihr voraus zu den anderen.

Gleich darauf stiegen Dad, Christopher, Russel und Madonnas Bruder in den Geländewagen, Dr. Connery und Dr. Lundkvist in einen anderen, kleineren, die Übrigen in Brians grauen Lieferwagen, ließen die Motoren an, und dann fuhren sie davon. Einfach so. Rumpelten den steinigen Waldweg hinauf, entschwanden über die Kuppe und um die Kurve, waren noch eine Weile zu hören und schließlich nicht mehr.

Eine seltsame Leere blieb zurück.

Die anderen zerstreuten sich, gingen ihrer Wege, schweigend die einen, leise diskutierend die anderen. Nur Serenity wusste nicht, was sie tun sollte, und so blieb sie einfach stehen.

»Serenity?«

Sie drehte sich um. Es war Melanie, die auf sie zukam.

»Wir sollten uns auch langsam auf den Weg machen. Pack am

besten deine Sachen, wir treffen uns in einer halben Stunde bei meinem Wagen.« Sie strich sich ein paar ihrer langen, von ersten grauen Strähnen durchzogenen Haare aus dem Gesicht. »Das ist der dunkelgrüne Pathfinder mit dem New Yorker Kennzeichen. Deiner Freundin habe ich schon Bescheid gesagt.«

Irgendetwas in ihrer Stimme ließ es klingen, als hielte sie das Ganze für eine ausgesprochen überflüssige Aktion.

»Okay«, sagte Serenity. »In einer halben Stunde.«

Wenigstens hatte sie nun auch etwas zu tun.

Packen war einfach, wenn man nur wenig hatte und alles mitnehmen musste. Bloß dass ihr, als sie gerade in Dads Zelt war und im Begriff, ihre ganze Habe in ihren Rucksack zu stopfen, wieder einfiel, wie es das letzte Mal gewesen war, als sie ihre Sachen zusammengepackt hatte.

Sie hielt inne. Mom! Sie hatte ihre Mutter kein einziges Mal angerufen. Plötzlich kam sie sich vor wie die schlechteste Tochter der Welt. Mom war inzwischen wahrscheinlich tausend Tode gestorben vor Sorge. Okay, vielleicht auch nicht, weil Mom ziemlich cool sein konnte, aber spätestens, wenn sie bis zum Wochenende nicht wieder da war . . .

Und das würde sie nicht sein. Wie denn auch? Kyle war gerade mit ihrem Vater davongefahren, um einen Bombenanschlag zu verüben. Und sie war im Begriff, ihre eigene Rolle dabei zu übernehmen.

Serenity stopfte gedankenverloren die letzten T-Shirts in ihre Tasche. Nächste Woche fing die Schule wieder an. Daran zu denken, kam ihr vor, als erinnere sie sich an ein früheres Leben, hundert Jahre her.

Sie konnte sich unmöglich in den Unterricht setzen und so tun, als sei alles wie immer. Sich Bridgets Gejammer über zerlaufenen Nagellack anhören, während die Kohärenz unschuldigen Leuten Chips ins Hirn schob? Ausgeschlossen. Sie zog den Reißverschluss zu, warf sich den Rucksack über die Schulter und ging. Sie würde in den nächsten Tagen eine Möglichkeit finden, Mom Bescheid zu sagen, dass es ihr gut ging.

Madonna wartete beim Wagen. Sie hatte eine Reisetasche mit goldschimmernden Applikationen neben sich stehen, die in dieser Umgebung wie ein Fremdkörper wirkte. Von Melanie war noch nichts zu sehen.

»Ich dachte, ich sei spät dran«, bekannte Serenity.

Madonna hob die Schultern. »So eilig haben wir es ja nicht, oder? Anderthalb Stunden Fahrt. Da sind wir schon zum Mittagessen da.«

Jetzt hörte man Schritte. Melanie, bepackt mit einer Umhängetasche und einer Kameratasche, kam gemeinsam mit Madonnas Vater an, der ihr noch eine weitere Tasche trug sowie drei Schlafsäcke. In seinen Händen sah das alles aus wie Spielzeug.

Sie luden das Gepäck ein. Ihre Kameratasche lud Melanie auf den Rücksitz, so behutsam, als bette sie ein schlafendes Kind.

»Wer von euch kann besser Karten lesen?«, wollte sie wissen.

Serenity und Madonna sahen einander ratlos an. »Keine Ahnung.«

»Eine muss mit der Karte auf den Beifahrersitz. Ich habe null Orientierungsvermögen.«

»Also, ich hab höchstens null Komma eins«, erklärte Serenity.

Madonna zuckte mit den Achseln. »Ich kann's ja versuchen.«

»Gut.« Melanie fummelte an ihrer Umhängetasche, förderte eine zerfledderte Straßenkarte zutage und reichte sie ihr. »Ach, und noch etwas«, fiel ihr ein. Sie zog einen auf beiden Seiten dicht beschriebenen Zettel heraus und gab ihn Serenity. »Hier. Kann nicht schaden, das schon mal auswendig zu lernen.«

Es war die Liste mit den Codewörtern. Dad und die anderen hatten gestern Abend noch zusammengesessen, um sie auszutüfteln.

Serenity begann zu lesen. *Grandma geht es gut* hieß, dass alles klappte wie vorgesehen. *Grandma muss das Bett hüten* hieß: Wir warten noch. *Fieber* hieß: Es gibt Probleme. *Offene Beine* hieß: Jemand ist verletzt. *Herzanfall* hieß: Jemand ist tot.

Sie ließ das Blatt sinken. *Jemand ist tot?* Sie hatten diese Liste erstellt und dabei die Möglichkeit einkalkuliert, dass einer von ihnen *sterben* würde?

Sie stieg in den Wagen mit dem sicheren Gefühl, dass schreckliche Dinge passieren würden.

69 | Auf der Fahrt nach Shiver Falls begegneten sie nur einem einzigen Polizeiauto. Sie hielten alle den Atem an und schauten möglichst harmlos geradeaus, bis es vorüber war. Ansonsten verlief die Fahrt problemlos. Der Weg war einfach zu finden und gut ausgeschildert.

»Okay«, sagte Melanie irgendwann. »Das müsste selbst ich schaffen, ohne verloren zu gehen.«

»Haben Sie mal überlegt, sich ein Navigationsgerät zuzulegen?«, fragte Madonna.

»Ich bin mit Serenitys Vater zusammen, Kindchen. Da verkneift man sich solche Ideen besser.«

Serenity starrte aus dem Fenster, auf die Straße, die durch konturloses Niemandsland führte und die sie gerade für sich alleine hatten. »Ist Dad so schlimm?«

»Sagen wir so: Er liebt es zu diskutieren. Und ich weiß genau, was er mir vorhalten würde: dass ein Navigationsgerät eine Krücke ist. Eine Prothese. Wenn man sich so ein Ding kauft, weil man ein schlechtes Orientierungsvermögen hat, lernt man es nie. Dann bleibt man sein Leben lang angewiesen auf dieses Stück Technik. Und das ist ein Gedanke, den dein Vater nicht mag. Es ist okay, wenn Technik unsere Möglichkeiten erweitert . . .«

». . . aber nicht okay, wenn sie sie verringert«, beendete Serenity den Satz. »Ja. Den Spruch kenn ich.«

»So bleibe ich eben angewiesen auf Landkarten und Beifahrer, die sie lesen können.« Melanie deutete auf ein Schild, das einen *Deli-Mart* in fünf Meilen Entfernung ankündigte. »Und auf Straßenschilder. Ein Supermarkt. Der kommt wie gerufen.«

Nachdem sie, Serenitys Gefühl nach zumindest, den halben Laden leer gekauft und im Kofferraum verstaut hatten, war es nicht mehr weit bis Shiver Falls. Für die letzte Etappe hatte ihnen Dr. Lundkvist eine genaue Wegbeschreibung mitgegeben, die Madonna zu entziffern versuchte, während sie durch den kleinen Ort rollten.

»Das ist kein Englisch«, kapitulierte sie schließlich. »Das ist Chinesisch. Oder Keilschrift, da streiten sich die Gelehrten noch.«

Serenity streckte die Hand nach vorn. »Gib mal her.«

»Viel Spaß«, meinte Madonna und reichte ihr den Zettel.

Puh. Das mit der Keilschrift war übertrieben gewesen, aber nicht sehr. Nach Erwägung aller denkbaren Möglichkeiten, wie man die Krakel auf dem Blatt verstehen konnte, verkündete Serenity schließlich kühn: »Zunächst müssen wir den Ort durchfahren.«

Das hatten sie sowieso schon: Shiver Falls bestand nur aus wenig mehr als einer Handvoll Häusern, einem Laden mit zwei rostigen Zapfsäulen davor und einer baufälligen Kirche.

»Nach der Brücke über den Fluss die zweite Straße rechts«, behauptete Serenity.

Melanie hielt an der Einmündung einer staubigen Schotterpiste an. »Das wäre hier. Falls wir das als Straße durchgehen lassen.«

Serenity spähte aus dem Fenster, entdeckte ein Straßenschild. »*Summer Road*. Das ist es.«

»Also dann.«

Sie folgten der Piste, die zunächst geradeaus und hügelan führte. Keine Spur von einem Haus, aber immerhin, neben ihnen hangelten sich ein Strom- und ein Telefonkabel von Mast zu Mast; die mussten ja irgendwohin führen.

Sie passierten den Hügel. Dahinter ging es wieder abwärts und in einer Kurve um ein Stück Wald herum. Und da, an einem Bach, stand das Haus. Mit gelben Fensterläden, wie Dr. Lundkvist es beschrieben hatte.

»Wow! Das nenne ich mal einsam gelegen!«, war Melanies Kommentar.

Sie hielt vor dem Haus, stellte den Motor ab und sagte: »Also, Mädels, verplappert euch nicht. Sie weiß nicht, worum es geht, und sie will es auch nicht wissen.«

Sie stiegen aus. Überall lag Spielzeug herum. Unter einem Baum stand eine Rutsche, und an einem dicken Ast hing eine Reifenschaukel.

Eine dünne, dunkelhaarige Frau wartete auf den Stufen, die zur Haustür emporführten. Das musste Patricia Batt sein, die Tochter von Dr. Lundkvist. Sie hatte die Arme vor der Brust verschränkt und wirkte nicht wirklich erfreut.

»Hallo«, rief Melanie. »Ich bin Melanie Williams, und das sind Serenity und Madonna.«

»Ich hab Sie kommen sehen«, erwiderte die Frau, ohne sich zu rühren.

»Und woher wussten Sie, dass wir es sind?«

»Hierher kommen nicht viele.«

Sie stand immer noch reglos. *Man könnte,* schoss es Serenity durch den Kopf, *sie fotografieren und ein Plakat daraus machen mit dem Untertitel ›Zutritt nur über meine Leiche‹.*

In diesem Moment quetschte sich ein kleiner Junge von etwa

acht Jahren durch das Fliegengitter ins Freie. Neugierig und scheu zugleich drückte er sich an seine Mutter, die ihm zärtlich über die Haare strich.

»Das ist Eric«, sagte sie. »Eric, sag Hallo.«

Der Kleine verkroch sich förmlich hinter seiner Mutter. Aus diesem Schutz heraus musterte er sie der Reihe nach, brachte aber kein Wort heraus.

Bis er Madonna erblickte. Als er sie sah, lächelte er.

»Hallo, Eric«, sagte sie.

»Hallo«, flüsterte das Kind.

Damit war der Bann gebrochen. »Ich bin Patricia«, sagte die Frau. »Kommt herein.«

Melanie hob als Erstes einen der Kartons mit den Einkäufen aus dem Auto. »Wir haben ein bisschen was mitgebracht«, erklärte sie. »Ich dachte mir, Sie freuen sich sicher, wenn Sie mal nicht kochen müssen.«

Patricia riss überrascht die Augen auf. »Oh! Das ist schön.«

»Wir werden überhaupt alles machen«, fuhr Melanie fort, während sie Serenity den Karton weiterreichte. »Wir werden putzen, die Wäsche waschen, den Rasen mähen und so weiter. Solange wir da sind, haben Sie Urlaub.«

Serenity und Madonna wechselten einen entsetzten Blick. Davon war bis jetzt nie die Rede gewesen.

»Urlaub?«, wiederholte Patricia mit müdem Lächeln. »Ich weiß gar nicht mehr, was das ist.«

Sie zeigte ihnen das Haus. Durch die Haustür betrat man eine kleine Wohnküche, dahinter führte ein Flur zum Bad und den übrigen Räumen.

Im Flur hing auch das Telefon.

»Darum ging's doch, oder?«, fragte Dr. Lundkvists Tochter.

»Ja«, sagte Melanie.

»Okay. Also, da ist es«, erklärte Patricia knapp. »Mehr will ich über die Sache nicht wissen.«

Das Zimmer, in dem die Mädchen schlafen sollten, war bis auf eine mit Aktenordnern und Kisten vollgestopfte Regalwand leer. Zwei Luftmatratzen lagen auf dem Boden.

»Das war das Arbeitszimmer von Erics Vater, ehe er ...« Patricia machte eine ärgerliche Handbewegung, die wohl bedeutete, dass der Mann irgendwann abgehauen war. »Ein bisschen kahl. Tut mir leid.«

»Das ist okay«, beeilte sich Serenity zu versichern. Sie sah Madonna an. »Oder? Ist doch okay?«

»Völlig okay«, versicherte ihre Freundin.

»Na dann«, sagte Patricia.

Melanie bekam das Kinderzimmer; Eric würde die Zeit bei seiner Mutter schlafen. Er käme eh jede Nacht, beharrte Patricia, als Melanie meinte, so viel Umstand sei nicht nötig, sie könne durchaus auch noch zu den Mädchen ins Zimmer ...

»Puh! Glück gehabt«, flüsterte Serenity, als Melanie nachgab und mit ihrem Gepäck Patricia folgte.

Die entschuldigte sich dafür, dass das Haus so eng sei. »Wir wollten anbauen. Platz wäre ja gewesen. Aber dann ...«

»Ach, das geht schon«, hörten sie Melanie erwidern. »Ich hatte mal eine Wohnung in New York, die war kleiner als Ihre Wohnküche!«

»Nicht im Ernst.«

»Doch. Und hat achthundert Dollar Miete im Monat gekostet.«

»So was hab ich ja noch nie gehört. Achthundert . . .?«

Serenity schloss die Tür, sah ihre Freundin ratlos an.

»Ich verstehe nicht, wie jemand so abgeschieden leben kann«, flüsterte Madonna. »Ich meine, die Frau ist ganz allein hier, oder? Das ist doch nicht gut. Auch nicht für das Kind. Man braucht doch eine Gemeinschaft um sich herum.«

Serenity nickte. »Ich finde es fast ein bisschen gruselig.«

Sie rollte ihren Schlafsack aus, damit er bis zum Abend noch auslüften konnte, und musste einen Moment an das Camp denken. Das lag auch weitab von allem, aber dort hatte sie sich nicht gefürchtet.

Hier schon. Weil sie hier *allein* waren.

70 | Sie bereiteten das Mittagessen unter Melanies Kommando. Es gab im Ofen überbackene Putenschnitzel mit einer raffinierten Soße, Safranreis, Salat mit frischen Kräutern und gerösteten Nüssen und einen Nachtisch aus zwei verschiedenen Sorten Schokoladencreme. Serenity und Madonna schnitten, rührten, hackten und schnitzelten so schnell wie noch nie und hielten trotzdem nur knapp mit Melanie Schritt.

Immerhin: So hatten sie wenigstens keine Zeit, daran zu denken, dass sie die Küche, die sie gerade verwüsteten, nachher wieder würden sauber machen müssen.

Patricia wollte, obwohl sie es ihr angeboten hatten, doch nicht tatenlos dabeisitzen; sie zupfte den Salat, schnitt Paprika in Ringe und erklärte mindestens dreimal: »So aufwendig koche ich normalerweise nicht.«

Serenity war, als diene die ganze Geschäftigkeit – das Essen zu kochen, die Gespräche, die Bemühungen, so etwas wie Geselligkeit zu inszenieren – nur dazu, von einem Gefühl drohenden Unheils abzulenken.

Oder lag das bloß an ihr? Die anderen sahen aus, als amüsierten sie sich. Madonna trällerte ein Lied. Melanie lachte. Eric taute langsam auf, stibitzte von dem geschnittenen Gemüse und suchte immer unverhohlener Madonnas Nähe.

Serenity dagegen musste dauernd das verdorrt wirkende Gelände rings um das einsame Haus anschauen. Nichts wuchs hier außer graubraunem, stacheligem Zeug. Ein von einem Blitzeinschlag verkohlter, toter Baum zog ihre Blicke wie magisch an. Das ganze Tal schien von düsterer Verlorenheit erfüllt zu sein.

Und Patricia in ihrem dunklen Kleid, mit ihrer entsagungsvollen Miene war ihr unheimlich. »Ich gönn es meinem Vater, dass er seinen Spaß hat«, behauptete sie während des Essens, aber es klang ganz anders, nämlich so, als ärgere sie sich jeden Tag darüber. »Zurück zur Natur, zum einfachen Leben und so. Schön. Wer es sich leisten kann . . . Bloß können das eben nicht alle.«

»Sie leben hier doch auch relativ naturverbunden, oder?«, meinte Melanie freundlich.

»Ja, aber bis zur Ortsmitte sind es nur zehn Minuten mit dem Wagen«, gab Patricia spitzlippig zurück. »Eric hat Diabetes. Wenn wir alle nur in den Wäldern leben würden, wäre er längst . . . Nun ja. Ich muss es nicht aussprechen.«

»Dann wär ich tot«, sagte Eric mit dumpfem Ernst.

Vom Nachtisch blieb mehr als die Hälfte übrig.

Den Nachmittag verbrachten sie tatsächlich damit, zu waschen, aufzuräumen und zu putzen. Serenity mähte den Rasen rings um das Haus, während Madonna Eric stundenlang auf der Schaukel anschob. Die beiden hatten tatsächlich einen besonderen Draht zueinander.

Irgendwann versank die Sonne hinter einem Hügelzug und warf bizarre Schatten. Als es dunkel wurde, stieg dünner Nebel auf, und irgendwo jaulten Tiere, dass es einem durch und durch ging.

»Eine Fuchsfarm«, erklärte Patricia düster. »Die Tiere werden dort unter Bedingungen gehalten, die will man sich gar nicht vorstellen.«

Abends hatte niemand großen Hunger. Sie waren alle müde, duschten und gingen früh zu Bett.

Serenity war gerade eingeschlafen, als das Telefon klingelte. Und irgendwie wusste sie sofort, dass etwas passiert war.

Aufmarsch

71 | Christopher lehnte mit dem Kopf an der Fensterscheibe und sah hinaus auf die Straße und die Pflanzen am Straßenrand, die in gleichförmigem Einerlei vorbeizogen. Seit sie den Wald hinter sich gelassen hatten, gab es nur noch wenig zu sehen; die Gegend, die sie durchquerten, war erstaunlich eintönig.

Wobei: Die Landschaft interessierte ihn sowieso nicht. Er schaute hinaus, aber was er sah, war nur sein Plan, die einzelnen Schritte, die zu tun waren, und in Gedanken tat er sie, wieder und wieder. Es hatte etwas von einer magischen Handlung, alles wieder und wieder zu durchdenken und sich auszumalen, dass es *funktionierte;* es war wie eine Beschwörung des Zufalls . . .

Christopher merkte, dass seine Brust schmerzte und dass das daher kam, dass er die Luft anhielt. Er ließ sich nach hinten ins Polster sinken und atmete aus, versuchte, seine Lungen so weit zu leeren, wie es ging.

Er fing einen Blick des jungen Indianers auf, der neben ihm saß und den sein Vater mitgeschickt hatte mit dem Auftrag, auf ihn, Christopher Kidd, aufzupassen.

George Angry Snake hieß er, was nicht nur ein ziemlich cooler Name war, sondern auch einer, der zu ihm passte. Er war etwa so alt wie Christopher und, man konnte es nicht anders sagen, ausgesprochen hässlich. Sein ausdrucksloses Gesicht trug die Spuren zahlreicher Schlägereien, und auch die schiefe Nase sah nicht so aus, als sei er damit auf die Welt gekommen. Seine Haare trug er – eher untypisch für einen Indianer, der so viel Wert auf Traditionen legte – nur streichholzkurz, dazu ein braunes T-Shirt, das stilisierte Vogelfedern zeigte, und am Gürtel seiner Jeans ein großes Jagdmesser. Seine einzige Waffe, soweit Christopher sah. Vermutlich stellte er sich vor, damit auf ihn aufpassen zu können.

Er richtete den Blick wieder nach draußen. Das lief sowieso nicht. Dort, wo er hinging, würde ihm niemand folgen können.

Er musste schon auf sich allein aufpassen. So, wie er es immer getan hatte.

Die beiden Männer vorn, Jeremiah Jones und Russel Stoker, wechselten sich beim Fahren ab. Im Augenblick saß Mr Jones am Steuer, und Mr Stoker, ein fülliger Riese mit dichtem Vollbart, der ein in Ehren ergrautes, uraltes Hemd trug, meinte gerade: »Also, ich schätze mal, Jerry, das hast du dir nicht träumen lassen, dass du mal so was unternimmst, oder?«

Jones nickte. »So was in der Art ist mir heute Morgen auch durch den Kopf gegangen. Vor ein paar Wochen war ich einfach nur ein ehemaliger Architekturprofessor, der ein paar mäßig bekannte Bücher gegen den Technikwahn geschrieben und ansonsten mit ein paar Freunden am Waldrand gelebt, Gemüsebeete umgegraben und Hühner gefüttert hat.«

»Wie ungefähr tausend andere Bücherschreiber in diesem Land auch.«

»Genau. Und heute bin ich Staatsfeind Nummer eins, fahre ein Auto mit schlecht gefälschten Nummernschildern und noch schlechter gefälschten Papieren . . .«

»Die Waffen und Sprengstoff im Kofferraum nicht zu vergessen.«

». . . und das alles in der festen Absicht, in San Francisco eine Fabrik in die Luft zu sprengen.« Jeremiah Jones schüttelte verwundert den Kopf. »Schon erstaunlich, wie es gehen kann im Leben.«

»Als hätten die's vorweggenommen, was?«

»Ja. Fast so.« Nach einer Weile fuhr Jones fort: »Weißt du, Rus, ich hab natürlich damit gerechnet, dass ich eines Tages Schwierigkeiten kriege. Du kriegst immer Schwierigkeiten, wenn du was machst, das gegen den Strom geht. Das ist normal. Daran *erkennst* du, dass du gegen den Strom schwimmst. Aber meine schlimmste Befürchtung war, dass mich jemand wegen irgendeinem Blödsinn verklagt – was weiß ich, weil er sich in meinem Camp in den Daumen geschnitten hat oder so. Dass ich zu einer Geldstrafe verdonnert werde, die so wahnwitzig ist, dass sie mich ruiniert. Aber das jetzt . . .«

»An so was denkt man ja nicht«, meinte Rus.

»Nein. Wirklich nicht.«

Mittags machten sie auf einem abgelegenen Waldparkplatz Rast und aßen die Brote, die Irene ihnen mitgegeben hatte. Mr Jones und Mr Stoker studierten die Karte und überlegten, ob sie noch auf die anderen warten sollten. Aber sowohl Finn als auch Brian waren schon einmal in dem Motel in Tremblestoke gewesen, sie würden den Weg allein finden. Christopher und George saßen dabei, ohne etwas zu sagen. Christopher merkte, dass George ihn nicht aus den Augen ließ, nicht mal, wenn er zum Pinkeln ins Gebüsch verschwand.

Was ging in ihm vor? Christopher wusste es nicht. Das Gesicht des Indianers war so ausdruckslos, als seien sämtliche Gesichtsmuskeln gelähmt, aber in seinem Blick meinte Christopher, eine Spur von Verachtung zu lesen. Es war ein Blick, mit dem man einen Wurm betrachtet.

Aber andererseits – was verstand er schon von Blicken?

Er hatte einfach keine Ahnung, was der Typ dachte.

Christopher musste an die Zeit denken, die er als Teil der Kohärenz verbracht hatte und wie er damals nie hatte raten müssen, was in den anderen vorging: Er hatte es *gewusst*.

Manchmal dachte er an diese Zeit mit einer gewissen Sehnsucht zurück. Jetzt gerade zum Beispiel.

72 | Sie erreichten das Motel in Tremblestoke bei Einbruch der Dämmerung, und zu ihrer Überraschung stand Brians grauer Wohnwagen schon auf dem Parkplatz.

»Na also«, sagte Rus. »Und wir dachten, wir sind schnell.«

»Wahrscheinlich ist Brian gefahren.«

Rus lachte. »Genau. Und Finn, Nick und Kyle zittern immer noch.«

Der Besitzer des Motels hieß Douglas und war ein gemütlicher, birnenförmiger Mann mit dicker Brille und dröhnendem Lachen. Er kam aus der Tür des Hauptgebäudes, kaum dass sie davor angehalten hatten, breitete die Arme aus und rief: »Jerry! Na endlich!«

Ein großes Schulterklopfen begann. Wie die Fahrt gewesen sei, wollte Douglas wissen, und ob sie noch hergefunden hätten. *Offensichtlich,* dachte Christopher, *stünden wir sonst hier?* Den anderen schien die Absurdität der Frage nicht aufzufallen; sie diskutierten lautstark darüber, ob es nun drei Jahre her sei oder vier seit ihrem letzten Besuch. Gerade so, als gäbe es so etwas wie Kalender nicht. Oder Gästelisten, in denen man nachsehen konnte.

Christopher betrachtete das Motel. Es bestand aus dem Hauptgebäude mit der Rezeption, einem angebauten Flügel mit zwölf Zimmern und zwei weiteren flachen Gebäuden im Hintergrund. Das alles stand auf einem weitläufigen, kargen Gelände, auf dem man mit wenig Erfolg allerlei Bäume und Büsche angepflanzt hatte. Die Pflanzen wirkten Not leidend, und das, was als Rasenfläche gedacht war, war braunes, teils sandiges Brachland. Alles in allem war es nicht gelungen, die umliegenden Einkaufszentren, Reparaturwerkstätten und Großmärkte mithilfe der Vegetation vor den Blicken der Gäste zu verbergen.

In einem großen, ringsum verglasten Anbau neben der Rezeption – ein Restaurant oder zumindest der Frühstücksraum – saßen ein paar Männer um einen Tisch in der Mitte. Als sie anfingen zu winken, erkannte Christopher, dass es die anderen waren: Finn, Nick, Kyle und Brian.

Die Diskussion endete ohne einvernehmliches Ergebnis: Jeremiah Jones blieb bei seiner Auffassung, er sei vor drei Jahren das letzte Mal hier gewesen, während Douglas auf seiner Überzeugung beharrte, es läge schon vier Jahre zurück.

»Aber egal«, meinte er versöhnlich, »nun seid ihr ja endlich da. Am besten, ihr schmeißt schnell eure Sachen in die Zimmer und kommt dann nach vorn. Mona hat den ganzen Tag gekocht, und die anderen spekulieren schon auf eure Portionen.«

»Das könnte denen so passen«, grollte Rus und streckte die Hand aus. »Welches Zimmer haben wir?«

Douglas hatte die Schlüssel dabei. »Ihr habt Nummer acht, die beiden Jungs Nummer neun.«

Es war seltsam, wieder in einem richtigen Gebäude zu sein, in einem Zimmer mit richtigen Betten, einem Fernsehapparat und einem Telefon auf dem Nachttisch. Angenehm. Christopher setzte sich auf eines der Betten, den Klamottensack zu seinen Füßen, und ließ das alles auf sich wirken.

Sie waren unterwegs. Er hatte sich einen Plan ausgedacht, und nun waren sie wahrhaftig alle unterwegs, um ihn auszuführen. In diesem Augenblick erschütterte ihn das regelrecht.

George Angry Snake hatte seine Tasche nur achtlos auf das andere Bett geworfen, stand abwartend in der Tür.

»Geh schon mal vor«, sagte Christopher. »Ich komm gleich nach.«

»Ich soll auf dich aufpassen«, sagte George und rührte sich keinen Millimeter.

Christopher seufzte. »Ja. Ist okay. Hier wird mir schon nichts passieren. Ich meine . . .« Er hob den Kopf. Im rückwärtigen Fenster sah man die Leuchtreklame eines Schnellrestaurants rot-gelb durchs dürre Geäst schimmern. »Nicht gerade die Gegend für Bären und Wölfe, oder?«

George sagte nichts, rührte sich aber auch nicht.

Christopher seufzte. »Also gut. Es ist so, dass ich noch aufs Klo muss. Richtig lange und ausführlich, verstehst du? Und das wird nicht funktionieren, wenn ich weiß, dass du hier stehst und wartest und mir dabei zuhörst, okay?«

George ließ sich das durch den Kopf gehen. Schließlich hob er die Augenbrauen, nickte kurz und ging.

Nachher, am Tisch mit den anderen, fand Christopher keine Ruhe. Alle waren aufgekratzt, rissen Witze, schwärmten von irgendwelchen alten Zeiten, und er verstand die meiste Zeit nicht, wovon überhaupt die Rede war. Douglas' Frau Mona, klein, dunkelhäutig und in fast jeder Hinsicht das totale Gegenteil ihres Mannes, erklärte mehrmals streng, Douglas esse zu viel; zweifellos werde er eines Tages auf sie fallen und sie erdrücken.

»Du kochst einfach zu gut«, verteidigte sich Douglas.

»Männer haben immer Ausreden«, meinte sie. Anschließend trug sie gewaltige, dampfende Schüsseln auf mit Reis und etwas, das *Gumbo* hieß, ein dunkelbrauner Eintopf mit Garnelen und Okraschoten, dessen Anblick die anderen in Verzückung versetzte.

»Das ist die kreolische Küche«, erklärte Rus ihm. »Mona stammt aus Louisiana.«

»Aha«, meinte Christopher, obwohl ihm das alles nichts sagte.

Er stand auf, trat an die Fenster, sah hinaus. Die Nacht brach an, aber die Parkplätze der umliegenden Betriebe waren so hell ausgeleuchtet, dass man das kaum bemerkte.

»Christopher?« Das war Serenitys Dad.

»Ich schaue bloß raus.«

»Lass es. Bitte. Wir würden alle gern das Essen genießen.«

»Okay.« Er setzte sich wieder.

Mona brachte eine weitere Platte, mit pochierten Eiern auf Artischockenböden, die mit Spinat und einer weißen Soße serviert wurden.

Christopher aß, ohne die Fenster und die lichtdurchflutete Dunkelheit dahinter aus den Augen zu lassen. Er hatte Hunger, ja, und es schmeckte ziemlich gut, aber er brachte vor lauter Anspannung kaum einen Bissen herunter.

Da. Diese Lichter? Er sprang auf, drückte die Nase wieder an die Scheibe.

»Himmel, Christopher! Was soll das?«

»Da kommt jemand.«

»Das ist ein Motel«, erwiderte Mr Jones. »Hier kommt andauernd jemand.«

Christopher schüttelte den Kopf. »Das ist Polizei. Und sie kommt von allen Seiten.«

73 | Wie der Blitz war Serenity aus dem Schlafsack und draußen im Flur beim Telefon, riss den Hörer von der Gabel. »Ja?«

Es war Christopher, außer Atem. »Schlaganfall!«, hörte sie ihn rufen. »Ich wiederhole: Grandma hat einen Schlaganfall! Wir haben sie ins Krankenhaus gebracht!«

Mit fliegenden Fingern nestelte Serenity die Liste mit den Codewörtern aus dem Umschlag, betätigte mit dem Ellbogen den Schalter, der eine Funzel von Glühbirne über ihr angehen ließ. *Schlaganfall* hieß: *Wir sind entdeckt worden.* Und *ins Krankenhaus gebracht* hieß, dass sie flüchten konnten.

»Okay«, stieß sie hervor. »Verstehe. Ähm . . .« Hastig überflog sie die Liste, suchte nach einem passenden Codewort, fand aber nichts. Dann fiel ihr ein, was an dieser Mitteilung seltsam war. »Wie ist das möglich? Ihr seid doch noch unterwegs!«

»Weiß ich auch nicht.« Er klang schrecklich. Er klang, als würde er jeden Augenblick zusammenbrechen. »Wir waren beim Essen, und plötzlich ist Polizei aufgetaucht, hat das Gelände besetzt, das Haus umzingelt . . . Zum Glück hat Douglas sofort reagiert, er hat uns hinten rausgeschafft und . . .« Ein heftiger Laut. Nichts mehr übrig von seiner Coolness. »Ich bin gerannt wie verrückt. Ich bin entwischt, aber was mit den anderen ist, weiß ich nicht. Keine Ahnung.«

Serenity lief ein kalter Schauder über den Rücken. Einen wirren Herzschlag lang war sie sich sicher, dass das jetzt nur ein Albtraum sein konnte, aus dem sie bestimmt gleich erwachen würde.

»Meine Güte . . .«, hauchte sie. Und wusste wieder, dass sie wach war und das, was geschah, die Wirklichkeit.

Hatten sie die Kohärenz derart unterschätzt?

»Und weißt du, was mir dabei klar geworden ist?«, sagte Christopher mit bebender Stimme. »Wenn die Kohärenz . . . Wenn die meinen Vater nach Silicon Valley schickt . . .«

Was war mit ihm los? Er musste doch die Codewörter verwenden! »Christopher!«, rief Serenity. »Denk an die Liste!«

Er hörte sie nicht. »Wenn wir dort in der Fabrik sind und mein Vater vor mir steht . . .«, stieß er atemlos hervor, »dann werd ich das nicht können. Dann kriegen sie mich wieder, verstehst du?«

»Christopher!«

». . . Dem werd ich nicht standhalten, verstehst du? Ich weiß das ganz genau. Wenn mein Vater dabei ist, ist es aus.«

Serenity verstand diesen Gedanken nicht, doch der entsetzte Ton, in dem er das sagte, ließ sie frösteln. »Dein Vater ist in England!«

Jemand tauchte neben ihr aus dem Dunkel auf. Melanie. Was los sei, wollte sie mit verschlafenem Gesicht und flusigen Haaren wissen.

»Sie sind entdeckt worden«, erklärte Serenity ihr hastig, ohne den Hörer abzusetzen. »Christopher hat fliehen können; was mit den anderen ist, weiß er nicht.«

Melanie blinzelte, als habe sie Mühe, wach zu werden. »Dann solltet ihr aber besser nicht Klartext reden am Telefon, oder? Wozu haben wir die Codeliste?«

»*Shit!*«, hörte sie Christopher noch, dann war die Verbindung tot.

Melanie musterte sie aufmerksam, die Hand ausgestreckt. »Also, was ist? Kann ich ihn auch mal sprechen?«

»Er hat aufgelegt«, sagte Serenity und reichte ihr den Hörer. »Glaube ich zumindest. Ich hab versucht, ihn an die Codeliste zu erinnern, aber er war so durcheinander . . .«

Melanie lauschte dem Tonsignal einen Moment, dann hängte sie ein. »Sieht so aus.«

»Und jetzt?«

»Was hat er denn *genau* gesagt?«

Serenity gab alles so präzise wie möglich wieder, nur das mit Christophers Angst, sein Vater könnte auftauchen, ließ sie weg. »Meinst du im Ernst, die Kohärenz hat das jetzt abgehört?«

Melanie fuhr sich mit gespreizten Händen durch ihre Haare. »Die Kohärenz vielleicht nicht, aber das FBI.«

»Das FBI?« Serenity betrachtete den Telefonapparat an der Wand. »Und warum sollten die ausgerechnet diesen Anschluss anzapfen?«

»Weil Patricia die Tochter von Neal Lundkvist ist. Und Neal Lundkvist mit deinem Vater schon länger befreundet ist, als du auf der Welt bist.« Melanie verschränkte die Arme, fröstelte offensichtlich in ihrem dünnen Nachthemd. »Das FBI weiß solche Sachen. Und sie suchen deinen Vater immer noch mit Hochdruck, vergiss das nicht.«

Serenity schluckte. »Heißt das, wir müssen das Haus hier aufgeben?«

»Gut möglich.«

»Aber dann können Dad und die anderen uns nicht mehr erreichen!«

Melanie überlegte, die gefalteten Hände vor dem Mund. »Okay«, sagte sie schließlich. »Wir warten noch ab. Wenn wir bis morgen früh nichts gehört haben, müssen wir eine Entscheidung treffen.«

74 | Christopher verließ die Telefonzelle, stolperte mehr, als er ging. Er zitterte. Was jetzt? Wo waren die anderen? Waren sie entkommen? Oder war alles gescheitert?

Da stand er nun, allein an einer Telefonzelle an der Ecke eines Supermarktes, der so groß war wie ein Fußballstadion. Nebenan verbreitete ein Müllcontainer ekelerregenden Gestank. Vor ihm lag ein Parkplatz, auf dem ein Sportflugzeug hätte landen können, wenn er leer gewesen wäre. Was er nicht war, denn der Supermarkt hatte bis 23 Uhr geöffnet, und eine Menge Leute schienen es sinnvoll zu finden, kurz vor Mitternacht einkaufen zu gehen.

Seine Knie fühlten sich weich an. Er hätte sich gern irgendwohin gesetzt, aber es gab nirgendwo eine Sitzgelegenheit. Zu keinem Zeitpunkt seit seiner Flucht aus London hatte er sich dermaßen verloren gefühlt wie jetzt. Sein toller Plan war völliger Quatsch, lachhaft. Er hatte es versiebt.

Während er sich auf den Weg machte, den gigantischen Parkplatz zu überqueren, wurde die Sehnsucht schier übermächtig, einfach aufzugeben, sich wieder einzuklinken in das Feld, aus dem er geflohen war. Sich zu verbinden mit der gewaltigen geistigen Macht der Kohärenz. Wieder alles zu wissen, alles zu sehen . . .

Er spürte das Feld. Natürlich spürte er es. Es war hier, wie es beinahe überall auf Erden war. Und es war eine Verlockung. *Komm*, sagte es, *komm einfach. Tu den Schritt. Komm, und alle Probleme sind gelöst. Komm . . . komm . . . komm . . .*

Er blieb stehen, holte mühsam Luft. Ein Ring aus Stahl schien sich um seinen Brustkorb schließen zu wollen.

Angst. Ganz einfach.

Bloß half es nichts, das zu wissen. Er war allein, und er war schwach, und er folgte einem lächerlichen, kindischen Plan. Es war nur logisch, Angst zu haben.

Das Einzige, was er dagegensetzen konnte, war eine Erinnerung. Eine Erinnerung, von der er noch niemandem erzählt hatte, an die er sich mit aller Kraft klammerte. Eine Erinnerung, die er auch Jeremiah Jones und seinen Leuten vorenthalten hatte, weil sie ein kostbarer Schatz war, sein kostbarster Besitz überhaupt.

Und weil er fürchtete, diesen Schatz zu verlieren, wenn er ihn mit jemandem teilte. Weil er fürchtete, diese Erinnerung könnte ihre magische Kraft einbüßen, wenn er jemandem davon erzählte.

Eine Sekunde nur, die ihm immer noch vor Augen stand . . .

Eine winzige, unmerkliche Geste, an die zu denken, ihm Kraft gab weiterzumachen . . .

Der Ring aus Stahl um seine Brust löste sich. Er bekam wieder Luft, konnte weitergehen. Vielleicht würde sein Plan scheitern, ja. Möglich war es. Pläne hatten das so an sich.

Aber man konnte es nicht wissen. Noch nicht. Und egal, wie es ausging, es war den Versuch wert. Und alle damit verbundenen Mühen.

Eine gute Stunde lang wanderte er ziellos die Straße entlang. Er passierte einen riesigen Markt für Sanitärbedarf, der dunkel und verlassen dalag, eine gut besuchte Tankstelle, ein Möbelgeschäft mit Polstermöbeln, auf denen sich menschengroße Strickpuppen lümmelten, einen Sportartikelladen, über dessen

Eingang ein gigantischer Baseballschläger hing wie eine makabre Bedrohung der Kundschaft. Alles war so weitläufig, dass man ohne Auto eigentlich nirgends hinkam. Er kam sich vor wie eine Ameise, die über einen Flughafen krabbelte.

Autos. Ja. Jede Menge Autos waren noch unterwegs, trotz der späten Stunde, auf zwei Spuren in die eine und auf zwei Spuren in die andere Richtung.

Und plötzlich hielt eines neben ihm. Die Scheibe, in der sich die Leuchtreklame eines Reifenhändlers spiegelte, fuhr herab.

»Da bist du ja.« Die Stimme von Jeremiah Jones. »Komm, steig ein.«

Christopher beugte sich hinab. Tatsächlich, er war es. »Wie haben Sie mich gefunden?«

Er seufzte. »Na, so schwer war das nicht. Hast du mal darauf geachtet, wie viele Leute außer dir zu Fuß unterwegs sind?«

Christopher sah die Straße entlang. Das war leicht zu beantworten: Niemand.

Er stieg ein. »Was ist mit den anderen?«

Jones wartete eine Lücke im Verkehr ab, wendete dann den Wagen schwungvoll. »Die anderen sind alle wieder im Hotel. Es war falscher Alarm.«

»Was heißt das?«

»Es war tatsächlich die Polizei, aber sie haben einen Drogenhändler gesucht. Sie hatten von irgendwoher einen Tipp, dass er in Douglas' Motel abgestiegen sei.«

Christopher hob die Augenbrauen. »Und? War er das?«

»Nein. Falscher Alarm, wie gesagt. Sie hatten kurz zuvor einen Anruf gekriegt, aber der Hinweis hat einfach nicht gestimmt.«

Christopher überlegte, was man dazu sagen konnte. »Ausgerechnet heute«, meinte er.

»Ja, schon seltsam.« Jones warf ihm einen kurzen Blick zu. »Und dass du sie hast kommen sehen. Du warst nicht etwa mit dem Polizeifunk verbunden, über deinen Chip?«

»Nein. Polizeifunk abhören kann ich damit nicht.«

»Was war es dann?«

Christopher hob nur die Schultern.

»Na ja«, meinte Jones. »Wie auch immer. Gut jedenfalls, dass du so rechtzeitig Alarm geschlagen hast, dass Douglas uns noch rausschmuggeln konnte.« Jeremiah Jones räusperte sich, bemühte sich, wieder locker zu werden. »Du kannst übrigens ganz schön schnell rennen. Das war fast olympiareif, wie du vorhin abgezischt bist.«

»Ich hatte bloß Angst«, gab Christopher zu. Er seufzte. »Sie müssen nachher im Kontakthaus anrufen und Bescheid sagen. Ich hab nämlich Alarm geschlagen.«

Jones nickte. »Mach ich.«

Wenig später saßen sie wieder am Tisch, in genau derselben Sitzordnung wie vor dem Zwischenfall. Während Mona hörbar in der Küche hantierte, um das Essen aufzuwärmen, unterhielt Douglas sie mit den Details der Polizeiaktion. Drogenspürhunde hätten sie dabeigehabt, mit denen sie alle Gebäude abgesucht hätten. Eine Flüsterstimme sei das gewesen am Telefon, hatte ihm der leitende Officer erzählt, die einfach nur gesagt habe: *Wenn Sie Lu Harvester suchen, der ist gerade im*

Tremblestoke Motel. Und aufgelegt. Zu kurz, als dass man die Herkunft des Anrufs hätte ermitteln können.

»Wer ist Lu Harvester?«, wollte Kyle wissen.

Douglas machte eine wegwerfende Handbewegung. »Ein Typ, den sie hier in der Gegend schon seit Wochen suchen.«

Der Officer habe übrigens gemeint, sein Wachhabender schwöre, es sei eine Frau gewesen, die angerufen habe. Das passiere oft: dass eifersüchtige, sitzen gelassene oder sonst wie enttäuschte Frauen ihre Männer anzeigten.

»So. Dann enttäusch du mich mal jetzt nicht«, meinte Mona, die mit einem Topf aus der Küche zurückkam, »und lass erst deine Gäste zugreifen. Du hast heute nämlich schon genug gegessen, mein Lieber!«

»Du kochst zu gut, ich sag's dir doch«, verteidigte sich Douglas.

»Diese Ausrede erlaube ich dir höchstens einmal pro Abend.«

Die Tür zur Rezeption stand offen. Dort telefonierte Jeremiah Jones mit den Frauen im Kontakthaus. Christopher hörte ihn Codeworte benutzen, die *falscher Alarm* und *alles in Ordnung* bedeuteten.

»Okay«, meinte er, als er zurück an den Tisch kam. »Das Camp wird den Ort wechseln; wohin sie gehen, erfahren wir erst auf dem Rückweg. Damit sind die anderen zumindest einigermaßen sicher.« Er griff nach seiner Gabel. »Und wir machen weiter wie geplant.«

75 | Am nächsten Tag kamen sie in San Francisco an. Sie rollten durch die überfüllten Straßen des Silicon Valley, vorbei an den Sitzen der großen, bekannten Computerfirmen, durch luxuriöse und nicht so luxuriöse Wohngebiete, vorbei an Einkaufszentren, die sich in nichts von Einkaufszentren anderswo unterschieden, bis sie schließlich ein heruntergekommen wirkendes Lagerhaus erreichten, dessen Rolltor sich nur mit vereinten Kräften öffnen ließ. Brian, Nick, Kyle und Finn waren bereits seit einer Stunde da, sie hatten im Wagen gewartet.

»Wie bist du denn auf diesen Schuppen gekommen?«, fragte Rus schwitzend.

»Ich?« Jones wischte sich den Staub von der Stirn. »Gar nicht. Den hat ein Vertrauensmann für uns gemietet, von dem es nach menschlichem Ermessen keine Spur bis zu uns geben dürfte.«

»Du kennst wohl überall jemanden, was?«

»Einer der Vorteile, wenn man ein berüchtigter Buchautor ist.«

Christopher sah sich um. Von dem Lagerhaus bis zur Auffahrt auf die nächste Autobahn waren keine fünfhundert Meter zu fahren: günstig im Falle einer Flucht. Ringsum wohnte niemand, und in den umliegenden Hallen und Gebäuden schien sich auch tagsüber nicht viel abzuspielen. Schräg gegenüber firmierte ein dubios wirkendes Fitnessstudio im zweiten Stock eines ansonsten verlassenen Fabrikgebäudes, die Straße runter fanden sich ein Supermarkt und ein Schnellimbiss.

Heruntergekommen war, alles in allem, der richtige Ausdruck.

Sie fuhren die Autos ins Innere des Gebäudes, schlossen das Tor wieder und sahen sich erst mal um. In Räumen, die in besseren Zeiten als Büros gedient hatten, standen Campingliegen bereit. Eine provisorische Küche war eingerichtet, mit Kaffee, kistenweise Wasser, einem zweiflammigen Campingkocher und einem leise summenden Kühlschrank. Sogar Duschen gab es, und jemand hatte sie geputzt, wie es aussah. Bloß geduscht hatte dort bestimmt schon lange niemand mehr: Als sie das Wasser probeweise aufdrehten, kam minutenlang erst mal eine übel riechende rötliche Brühe aus dem Hahn.

»Einen Stern in der Hotelklassifikation kriegt der Schuppen jedenfalls nicht«, sagte Russel.

»Wir bleiben ja nicht lange«, erwiderte Jones.

Sie richteten sich ein. Sie packten die Ausrüstung aus, verstauten verräterische Dinge an Stellen, wo man sie nicht auf den ersten Blick sah und auf den zweiten möglichst auch nicht. Sie brachten dunkles Papier an Fenstern an, in denen man sonst nachts von draußen Licht sehen würde. Und Brian, schweigend wie immer, machte Mittagessen für alle, ein ziemlich gelungenes Chili con Carne.

Über alldem verging der Nachmittag, und je später es wurde, desto öfter sah jemand auf die Uhr.

Der Grund dafür war einfach: Das Medomobil war immer noch nicht da.

»Okay«, sagte Jones schließlich. »Einer geht zur Telefonzelle am Supermarkt und ruft das Kontakthaus an. Vielleicht sind sie aufgehalten worden.«

Finn hob die Hand. »Ich gehe.«

Es schien ewig zu dauern, bis er endlich wieder die Treppen hochkam. »Sie haben sich nicht gemeldet«, erklärte er. »Seit deinem Anruf, Jerry, hat das Telefon überhaupt nicht mehr geklingelt.«

Jeremiah Jones stieß angehaltene Luft hörbar aus. »Okay. Wir geben ihnen noch etwas Zeit. Schließlich ist allgemein bekannt, dass Bob ein schrecklicher Fahrer ist und Neal ein unbegabter Kartenleser.«

Die anderen lachten. Es klang gezwungen.

»Im Moment brauchen wir die beiden ja auch noch nicht. Wir nutzen die bevorstehende Nacht, um uns in der Gegend der Fabrik schon einmal umzusehen.

»Was meinst du mit *im Moment?*«, wollte Kyle wissen.

Jones stutzte. »Du hast recht«, gab er zu. »Ich hoffe natürlich, dass wir sie überhaupt nicht brauchen.«

Nach Einbruch der Dunkelheit machten sie sich auf den Weg. Finn blieb im Lager, für den Fall, dass die beiden Ärzte doch noch auftauchten, und auch für jeden anderen Fall, die Übrigen fuhren mit beiden Autos los.

So früh am Abend war noch ziemlich viel Verkehr auf den Straßen; sie brauchten gute vierzig Minuten bis zu der Adresse, die Christopher genannt hatte.

»*Das* da?«, fragte Rus entgeistert, als sie da waren.

»Ja«, sagte Christopher.

Nach all den kühn gestalteten, in Stahl und Glas und grellen Farben erstrahlenden Sitzen weltbekannter Firmen, die sie auf der Fahrt passiert hatten, nach all diesen Palästen inmitten großzügig angelegter Rasenflächen bot sich ihnen ein enttäuschend unscheinbarer Anblick: Umgeben von einem riesigen, leeren, hell beleuchteten Parkplatz, auf dem keine einzige Pflanze wuchs – kein Baum, kein Strauch, kein Grashalm – stand da einfach ein hässlicher, fensterloser Quader aus blauem Wellblech. Man sah noch die Stellen, wo einmal große Buchstaben eines früheren Firmennamens befestigt gewesen waren; alte Schraubenlöcher und Konturen dort, wo intensives Sonnenlicht die Farbe darunter ausgebleicht hatte, ließen sich als »Logistics« entziffern. Das Wort davor fehlte, an der Stelle hatte man das Wellblech erneuert und frisch gestrichen.

Rings um das gesamte Gelände zog sich ein hoher, stabil aussehender Zaun, an dem sie langsam vorbeirollten. Zwei Zufahrten mit Toren, die um diese Zeit natürlich geschlossen waren. Der Haupteingang, unverkennbar nachträglich angebaut, wirkte massiv gepanzert; es war der Teil des Gebäudes, der am ehesten nach Festung aussah. Und auf den zweiten Blick fielen einem auch die Kameras ins Auge, die überall installiert waren.

Das neue Firmenschild prangte neben dem Eingang: *A. D. Winston Cyberware.* Mit dem Fernglas ließ sich auch entziffern, was darunter stand: *A Coherent Technologies Company.*

»Wer ist A. D. Winston?«, fragte Rus.

»Das sind zwei Brüder, Alan Winston und Dean Winston«, sagte Christopher. »Der eine hat damals Linus' erste Hirn-Computer-Schnittstelle gebaut, und der andere hat sie ihm implantiert.«

»Ach so. *Die* Geschichte.«

»Ich versuch mal, auf die Rückseite zu kommen«, erklärte Jones.

Er bog in die nächste Querstraße ab. Das Licht ihrer Scheinwerfer glitt über Wohnhäuser mit großzügigen Garagenzufahrten, auf denen Kinderspielzeug herumlag.

Eine weitere Abzweigung führte sie auf die Rückseite des Gebäudes. Hier war der Zaun an einer Stelle beschädigt, so, als sei er vor Kurzem von einem großen Lastwagen gerammt worden. Ein paar dünne Bretter und eine Menge dicker Draht hielten die Absperrung am Platz.

Entlang der Rückseite des Gebäudes zog sich eine Verladerampe, hinter der drei Rolltore schimmerten. Auch hier war alles ausgeleuchtet. Kein Winkel, der dunkel genug gewesen wäre, um sich unbemerkt anzuschleichen.

»Schaut mal!« Rus verrenkte sich fast den Hals, um alles zu sehen. »Da oben.«

Auf dem Dach des Gebäudes glitzerte etwas, doch man musste die Augen gegen das grelle Parkplatzlicht abschirmen, um zu erkennen, was es war: Zahllose Antennen in allen Größen und Formen, die sich in den Nachthimmel reckten.

»Wozu brauchen die das?«, fragte Jones.

Christopher hob die Schultern. »Ich weiß es nicht.«

Aber er *hatte* es einmal gewusst. Damals, als er noch Teil der Kohärenz gewesen war. Er hatte es gewusst, wie er alles gewusst hatte, und hatte es wieder vergessen, weil dieses Wissen nicht in seinem Kopf gespeichert gewesen war.

Er atmete tief durch. Das Feld war stark hier, stärker, als er es je irgendwo gespürt hatte. Es hätte nur eines Gedankens und einer Sekunde bedurft, um sich damit zu verbinden und wieder alles zu wissen.

Nein. Er hatte die Erinnerung an jene *andere* Sekunde, und an die klammerte er sich mit ganzer Kraft. Daran und an die Hoffnung, dass sein wahnwitziger Plan trotz allem irgendwie funktionieren würde.

76 | Nick und Brian blieben mit dem grauen Liefer-
wagen stehen, um zu beobachten, wann der Sicherheitsdienst
kam. Die anderen fuhren zurück ins Quartier.

»Die erste Patrouille kam um halb zwölf«, berichtete Nick am
nächsten Morgen beim Frühstück. »Dann um fünf vor zwei. Und
um zehn nach vier wieder.« Er wirkte entschieden unausgeschla-
fen, genau wie Brian, der tiefe Schatten unter den Augen hatte.

»Und wie sieht das im Detail aus?«, wollte Jones wissen. Er
saß auf einer umgedrehten Kiste und hielt den Untersuchungsbericht in Händen, in dem Militärexperten beschrieben, wie er
angeblich den Anschlag auf das Rechenzentrum in North Carolina durchgeführt hatte.

Nicholas gestikulierte, als schiebe er unsichtbare Modellau-
tos über ein unsichtbares Spielbrett. »Ein Pick-up. Weiß lackiert, das Logo des Sicherheitsdienstes auf den Türen. Zwei
Personen, beide in Uniform. Der Beifahrer steigt aus, der Fahrer spricht über ein Funkgerät mit jemandem . . .«

»Mit der Zentrale«, knurrte Brian. Es klang, als grolle ein
Berg. »Er gibt durch, wo sie sind.«

»Vermute ich auch.« Nick fuhr sich müde übers Gesicht. »Der
Mann, der aussteigt, trägt eine dieser riesigen Stabtaschen-
lampen. Er hat ein Funkgerät an einem Schultergurt hängen
und einen Revolver im Gürtelhalfter.«

»Und es ist einer von den Typen, mit denen du definitiv keinen Streit willst«, ergänzte Brian.

Jones nickte. »Wir werden keinen Streit mit denen kriegen.
Wir werden ihnen nicht mal begegnen.« Er wandte sich wieder
an Nick. »Und weiter? Wie sieht die Kontrolle aus?«

»Er geht zum Haupteingang, leuchtet in die Fenster –«

»Wie kommt er durch das Tor?«

»Er hat einen Schlüssel.«

»Geht das Tor automatisch auf?«

»Nein. Er muss es aufschieben. Es ist ein ganz simples Rolltor.«

Jones nickte. »Okay.«

»Mit einem anderen Schlüssel öffnet er ein Kästchen neben dem Eingang und gibt, soweit ich das durchs Fernglas erkennen konnte, einen Zahlencode ein. Als Nachweis, dass er da war, schätze ich. Anschließend geht er einmal ums Gebäude herum. Ich weiß nicht, ob er auf der anderen Seite auch seinen Code eingeben muss, aber ich würde drauf wetten. Auf dem Rückweg sind wir noch mal hinten vorbeigefahren. Neben der Treppe zur Verladerampe ist ein Kästchen an der Wand angebracht, das genauso aussieht wie das vorne beim Eingang.«

»Okay. Und dann? Fahren sie wieder ab.«

»Richtig. Er schiebt das Tor zu, schließt ab, steigt zu seinem Kollegen in den Wagen, der macht noch mal Meldung, dann fahren sie weiter. Das Ganze hat jeweils zwischen sieben und elf Minuten gedauert.«

Jones nickte zufrieden. »Also läuft alles noch ziemlich genau so ab, wie Christopher es beschrieben hat. Das ist schon mal beruhigend. Dann würde ich sagen, heute –«

»Sie kommen!«, rief Finn, der am Fenster einen wachsamen Blick auf die Straße hatte.

Sofort standen sie alle neben ihm. Da war es, das Medomobil. Die beiden Ärzte hatten es auf der gegenüberliegenden

Straßenseite geparkt, spähten ratlos durch die Windschutz-scheibe und konnten vermutlich nicht recht glauben, dass sie *hier* am Ziel sein sollten.

»Machen wir ihnen auf, ehe sie weiterfahren«, meinte Rus.

Ein paar Minuten und eine Menge Winken und Rufen später rollte das Medomobil durch das geöffnete Tor in die Halle. Finn und Kyle klatschten spöttisch Beifall und beglück-wünschten die beiden Ärzte, als sie ausstiegen.

»Respekt, Respekt«, rief Kyle übermütig. »Dritter Platz!«

»Jaja«, rief Dr. Lundkvist, der das nicht witzig zu finden schien.

Der Anblick der Campingliegen erhellte ihre Gemüter sicht-lich. »Es gibt nämlich Schöneres, als in einem Krankenwagen auf einer Luftmatratze zu nächtigen«, bekannte Dr. Connery.

Der bereitstehende Kaffee war ihnen offensichtlich hoch-willkommen.

»Wir lagen gar nicht schlecht in der Zeit«, erzählte Dr. Con-nery auf die Frage, wo sie sich denn so lange herumgetrieben hätten. »Wir haben es zwar am ersten Tag nicht ganz bis Ore-gon geschafft . . .«

»Abgesehen davon, dass wir uns in Boise verfahren haben«, warf Dr. Lundkvist ein.

». . . ja, aber der Hauptgrund war, dass wir dazugekommen sind, als auf dem Central Oregon Highway ein Motorradfahrer verunglückt ist, mehr oder weniger vor unseren Augen . . .«

»Also, ich hab gesehen, wie er durch die Luft geflogen ist«, meinte Dr. Lundkvist. »Wo du deine Augen gehabt hast, weiß ich nicht.«

».. . und den haben wir natürlich erst mal verarztet. Und ins Krankenhaus gebracht.« Dr. Connery seufzte. »Und dann mussten wir zusehen, dass wir der Polizei entwischen, die schrecklich gerne ein Protokoll aufgenommen hätte und unsere Personalien und so weiter. Gott, ich hab Blut und Wasser geschwitzt.«

Jeremiah Jones rieb sich die Nasenwurzel. »Ihr hättet wenigstens Bescheid geben können.«

Dr. Lundkvist nickte. »Wollte ich ja . . .«

».. . aber es gab keinen Code für diese Art Zwischenfall«, verteidigte sich Dr. Connery. »Also haben wir es gelassen.«

Während sich die Männer unterhielten, ging Christopher wieder nach unten in die Halle, um sich das Medomobil noch einmal genauer anzuschauen. Bisher hatte er nur von diesem Fahrzeug gehört; es sah anders aus, als er es sich vorgestellt hatte.

Auffallender vor allem.

Da war zunächst der Container, der den eigentlichen Behandlungsraum enthielt: strahlend weiß lackiert, mit unübersehbaren Rotkreuzzeichen auf allen Seiten und vier massiven Ösen an jeder Ecke der Oberseite, an denen man den Kasten unter einen Lastenhubschrauber hängen konnte. Durch die Fenster sah man Arzneischränke, Wandhalterungen für Instrumente, eine OP-Lampe. Ein leicht schwarz verfärbtes Abgasrohr markierte die Stelle, hinter der das Stromaggregat saß.

Dann der Transporter: Ein umgebauter Tieflader, den man bestimmt nicht mit einem normalen Führerschein fahren durfte. Gigantische Reifen, die das ganze Ding vermutlich weitgehend geländegängig machten. Eine Seilwinde vorn, Hacken und Schaufeln in Haltevorrichtungen an der Seite . . .

Auf jeden Fall kein Fahrzeug, das man mit einem flüchtigen Blick streifte und wieder vergaß. Jeder, dem man ein Foto davon zeigte, würde sich erinnern, ob er so einem Ding begegnet war oder nicht.

Schlecht. Das war ein Aspekt seines Plans, den er nicht bedacht hatte.

Seines Plans, der ihm in diesem Augenblick hanebüchen vorkam.

Aber jetzt war es zu spät, daran noch etwas zu ändern.

Christopher wandte sich zum Gehen und schrak zusammen, als er eine schattenhafte Gestalt am Fuß der Treppe bemerkte. Es war George Angry Snake, der da stand wie ein Schatten. Wie hatte er das gemacht, ihm derart geräuschlos zu folgen?

»Was ist?«, fragte Christopher mit heftig pochendem Herzen.

George musterte ihn abschätzig. »Nichts«, sagte er dann und stieg die Treppe wieder hinauf.

Christopher fuhr sich mit den Händen über das Gesicht, wartete darauf, dass sich sein Herzschlag beruhigte. Sie trauten ihm also immer noch nicht. Deshalb der Aufpasser.

Er fühlte sich schrecklich müde, als er die Treppe erklomm, müde und hilflos. Es würde nie wieder gut werden, sein Leben nicht und das aller anderen auch nicht. Es war ein schwarzes, klebriges Gefühl, ein Gefühl wie Gift.

Später fuhren sie alle zusammen noch einmal ins »Zielgebiet«, um sich die Umgebung auch bei Tageslicht anzusehen. Es war ein heißer, wolkenloser Tag, über dem Asphalt flimmerte die Hitze. Auf dem Platz vor dem blauen Gebäude parkten etwa zwanzig Autos. Hinter einer der Scheiben des Eingangsbereichs erspähten sie den Kopf von jemand, der eine Liste studierte und ab und zu Vermerke darauf anbrachte.

Christopher schlug vor, eine weitere Nacht lang zu verfolgen, wann der Sicherheitsdienst kam. »Für alle Fälle«, meinte er.

Doch Jeremiah Jones schüttelte den Kopf. »Mit jedem Tag, den wir hier sind, steigt das Risiko, entdeckt zu werden. Wir warten nicht länger. Heute ist Tag X. Heute Nacht schlagen wir zu.«

Kettenreaktion

77 | Sie verbrachten den Rest des Nachmittags damit, die Sprengsätze vorzubereiten und in die Autos zu verladen, dazu die Zeitzünder und das Werkzeug, das nötig sein würde, den Zaun zu durchbrechen. Sie verstauten die Schusswaffen so, dass sie zur Hand waren für den Fall, dass Upgrader angriffen. Für jeden hatten sie eine starke Stablampe dabei und ein Walkie-Talkie.

»Ein Walkie-Talkie?« Kyle betrachtete das kleine Gerät in seiner Hand. »Ist das denn abhörsicher?«

Nick hob den Kopf. Er war dabei, das Material für die Sabotage der Lüftungsanlage zum etwa hundertsten Mal auf Vollständigkeit zu prüfen. »Kein bisschen«, meinte er nervös blinzelnd. »Da kann jeder mithören, der sich in der Nähe aufhält und auf der gleichen Frequenz empfängt.«

»Die Frage ist bloß, warum das jemand tun sollte«, knurrte Brian.

»Das weiß man nie«, beharrte Nick.

Jeremiah Jones hatte die Diskussion mitgehört, kam hinzu und fragte, an Christopher gewandt: »Wie ist das? Hört die Kohärenz Gespräche über Walkie-Talkies mit?«

Ja, wie wahrscheinlich war das? Christopher kannte den Begriff, aber diese Walkie-Talkies waren die ersten, die er in seinem Leben zu Gesicht bekommen hatte. Die Dinger wirkten wie aus dem Museum geklaut.

»Ich glaube nicht«, sagte er. »Das ist simpler Sprechfunk. Da gibt es kein Netz, keine Anbindung ans Internet, nichts . . . Es ist wenig wahrscheinlich, dass die Kohärenz das überwacht.«

»Mit all den Antennen auf dem Dach der Fabrik? Auch nicht?«

Christopher hob die Schultern. »Ich weiß es nicht.«

Jones nahm eines der Geräte, wog es nachdenklich in der Hand. »Wir müssen uns verständigen können, das steht fest. Und Mobiltelefone scheiden aus, das steht auch fest.« Er legte das Walkie-Talkie zurück an seinen Platz. »Wir werden den Funkverkehr auf das absolut Nötigste beschränken. Nur Stichworte. Codeworte. Kurz und wenig. So viel Risiko müssen wir eingehen.«

Gemeinsam räumten sie das alte Lagerhaus auf, beseitigten so viele Spuren ihrer Anwesenheit wie möglich: Sie würden nicht mehr zurückkehren.

Aber die Zeit schien nicht vergehen zu wollen. Da half es auch nichts, allen Müll in Säcke zu packen, den Dreck rauszukehren, abzuspülen und die Decken penibel zusammenzulegen.

In einem der Schränke fanden sie einen Fernsehapparat, der sogar funktionierte, und so schauten sie gemeinsam fern. Ein von viel Werbung verhackstückter Spielfilm kam und kurz vor Mitternacht schließlich noch eine Nachrichtensendung, in der es hauptsächlich um irgendein schrecklich wichtiges Baseballspiel ging. Wobei Christopher rätselhaft blieb, wie ein Sportereignis so bedeutend sein konnte, dass man ihm mehr Sendezeit einräumte als sämtlichen politischen Berichten zusammen.

Die letzte Meldung lautete, dass ein gewisser Chuck Brakeman, Berater des amerikanischen Präsidenten, der vor einer Woche spurlos verschwunden war, wohlbehalten wieder aufgetaucht sei. Als Grund gab er eine persönliche Krise an, und ein kurzes Video zeigte, wie der Mann sich bei seiner Familie und dem Präsidenten entschuldigte.

Jeremiah Jones kniff die Augen zusammen und sah zu Christopher herüber. »Das klingt nach dem Muster, von dem du erzählt hast. Kann es sein, dass die Kohärenz sich den Mann geschnappt hat?«

Christopher nickte. »Wahrscheinlich.«

»Um einen Spion im direkten Umfeld des Präsidenten zu haben?«

»Den hat sie schon lange. Das sieht eher so aus, als bereitet sie vor, den Präsidenten aufzunehmen.«

Geschockte Blicke. Jemand ächzte. Christopher hob verwundert die Augenbrauen. Was hatten die gedacht, wie das lief?

Jones stand auf, schaltete den Fernseher ab. »Okay«, sagte er. »Zeit, zu handeln.« Er hob den linken Arm, sah auf seine Armbanduhr. »Uhrenvergleich. Ich habe fünf nach zwölf.«

»Ich auch«, sagte Rus.

Ein paar der anderen stellten ihre Uhren, die Übrigen nickten nur.

»Dann geht es los.«

Als hätte Jones damit eine Zauberformel gesprochen, spürte Christopher auf einmal ein Flattern im Brustkorb. In seinem Bauch bildete sich ein Knoten, ein hartes Gebilde, das fest entschlossen schien, ihm Magenkrämpfe zu verursachen.

Es ging los. Genau. Jetzt galt es. Jetzt würde sich zeigen, was sein Plan taugte. Ob er überhaupt etwas taugte oder ob er grandios scheitern würde.

Er musste an Serenity denken und an den Moment, in dem er den Impuls verspürt hatte, sie zu retten, ihr das Schicksal, in der Kohärenz aufzugehen, zu ersparen. Der bloße Gedanke kam ihm jetzt vermessen vor, geradezu größenwahnsinnig. Wenn sein Plan schiefging, würden die Upgrader sie alle übernehmen, an Ort und Stelle. In der Folge würde Serenity dieses Schicksal weitaus früher ereilen, als wenn sie alle einfach im Wald geblieben wären.

Aber nun war es zu spät, die Sache abzubrechen. Die Männer hatten sich in Bewegung gesetzt, waren wild entschlossen, glühten vor Energie – nichts in der Welt hätte sie jetzt noch aufhalten können. Und ganz bestimmt nicht er, den sie für den Urheber dieses Unternehmens hielten. Hätte er versucht, das alles zu stoppen, sie hätten ihn nur ausgelacht.

Also ging er mit, stieg wieder in Jeremiah Jones' Geländewagen, auf den Platz hinter ihm. George Angry Snake saß neben ihm, Rus auf dem Beifahrersitz, genau wie zwei Abende zuvor. Sie fuhren als Erste los, das Medomobil folgte. Die Gruppe um Brian würde das Licht ausschalten, das Rolltor schließen, den Schlüssel an dem Platz deponieren, an dem sie ihn vorgefunden hatten, und anschließend zu ihnen stoßen.

Niemand sagte etwas während der Fahrt. Lichter huschten vorbei, Christopher nahm sie kaum wahr. Er durfte sich nicht von der Anspannung überwältigen lassen. Vor allem musste er den Chip unter Kontrolle behalten. Wenn ihm das nicht gelang, war die Sache von vornherein verloren.

Heute war der Nachthimmel bedeckt, vom Mond keine Spur zu sehen. Alles wirkte dunkler als die Nächte zuvor. Christopher schrak hoch, als der Wagen am Straßenrand ausrollte und Jones den Motor abstellte.

Waren sie schon da?

Er spähte hinaus. Tatsächlich, da lag die Fabrik, der leere Parkplatz ausgeleuchtet.

Jones nahm das Walkie-Talkie zur Hand, schaltete es auf Empfang. Minutenlang hörten sie nur Rauschen, ab und zu kaum wahrnehmbare Geräusche, die wie weit entfernte Gespräche in einer fremden Sprache klangen.

Dann endlich ein Knacken und Finns Stimme: »Bravo hier. Position erreicht.«

Was im Klartext hieß, dass sie sich mit dem grauen Wohnwagen, der wie ein Lastwagen aussah, auf der Rückseite postiert hatten.

Jones hob das Gerät an den Mund, drückte die Sprechtaste. »Alpha hat verstanden.«

Rus schnaufte schwer, den Blick auf die Fabrik gerichtet. Das scharfe Licht der hoch aufgehängten Strahler ließ die Tränensäcke unter seinen Augen hervortreten.

406

Wieder nur Rauschen. Christopher krümmte sich leicht, versuchte, niemanden merken zu lassen, dass ihn ein brettharter Krampf im Bauch schier zerriss.

Die beiden Männer vorne merkten auch nichts. Nur George warf ihm einen wissenden, abschätzigen Blick zu, schwieg aber.

Wieder ein Knacken im Äther. »Cäsar hier.« Die Stimme von Dr. Lundkvist. »Wir sind in Position.«

»Alpha hat verstanden«, gab Jones zurück.

Das Medomobil hielt sich abseits, parkte in der Parkbucht einer Bushaltestelle, an der um diese Uhrzeit kein Bus mehr halten würde.

Dann begann das Warten auf den Wagen vom Sicherheitsdienst.

»Die werden doch nicht den Ablauf geändert haben«, murmelte Rus um zehn vor zwei ungeduldig.

Alle Blicke waren auf die Ziffern der Digitaluhr im Armaturenbrett gerichtet. Es wurde zwei. Zehn nach zwei. Viertel nach zwei.

»Auf jeden Fall sind sie später dran als sonst«, meinte Jones leise.

Da kam der Wagen, schoss regelrecht heran, hielt mit quietschenden Reifen vor dem Tor. Also hatten sie sich verspätet. Die Beifahrertür wurde aufgestoßen, ein breitschultriger Mann in Uniform stieg halb aus, wartete aber noch, bis sein Kollege Meldung gemacht hatte. Sie wechselten ein paar Worte, dann nickte der Muskelprotz und wuchtete sich vollends aus dem Auto.

Er schloss das Tor auf. Man hörte das Klappern seines Schlüssels durch die Nacht. Unwillkürlich drückten sie sich alle tiefer in die Sitze, hielten sich in dem Schatten, den die Parkplatzbeleuchtung warf.

Der Sicherheitsmann marschierte über den Parkplatz zum Haupteingang und tippte, ohne sich um das Gebäude zu kümmern, seinen Code ein. Dann hastete er um die Ecke, kehrte gleich darauf zurück.

»Sie wollen die Verspätung aufholen«, flüsterte Rus kehlig.

Das Tor wurde zugeschoben, verschlossen. Der Wachmann stieg wieder ein, und der Wagen fuhr sofort weiter.

»Alpha hier«, gab Jones durch. »Besuch gegangen.«

Der Plan sah vor, nach dem Kontrollgang noch eine halbe Stunde zu warten, um sicherzugehen, dass die Leute vom Wachdienst im Falle eines Alarms weit genug entfernt waren.

Das war von allen halben Stunden, die Christopher heute schon gewartet hatte, die schwerste. Die, die nicht und nicht vergehen wollte.

»Also«, sagte er mit trockenem Mund, als es endlich so weit war. »Ich geh dann mal los.« Er nahm die Umhängetasche mit dem Werkzeug und öffnete die Tür.

Sein letzter Blick galt der Uhr. Sie zeigte 2:51.

78 | Serenity schreckte hoch. Das Telefon! Hatte es geklingelt?

Heftig atmend saß sie aufrecht im Dunkeln, lauschte. Die dunkelgrünen Ziffern des Radioweckers im Regal zeigten 2:51.

Nichts. Stille.

Sie musste das Klingeln geträumt haben.

Aber so ein Geräusch träumte man doch nicht!

Von der anderen Luftmatratze her hörte sie Madonna gleichmäßig atmen. Schlief sie einfach fester, oder hatte es tatsächlich nicht geklingelt?

Es ließ ihr keine Ruhe. So leise wie möglich schälte sich Serenity aus ihrem Schlafsack. Die Luftmatratze quietschte und knirschte grässlich laut, als sie aufstand, aber auch das schien Madonna nicht zu hören.

Serenity tastete sich bis zur Tür, schlüpfte hinaus in den Flur. Über dem Telefon brannte ein Nachtlicht, ein winziges gelbes Clownsgesicht.

Sie hob den Hörer ab. Der normale Bereitschaftston.

Und das Display des Anrufbeantworters zeigte eine rot glimmende Null.

Was war bloß los? Wieso stand sie hier in der Dunkelheit, mit nackten Füßen und wild pochendem Herzen? Sie wusste es nicht. Sie wusste nur, dass sie so unmöglich ins Bett zurückkonnte; sie würde so oder so keinen Schlaf finden.

Sie starrte das grinsende gelbe Gesicht auf dem Nachtlicht an und überdachte, was sie von Christophers Plan verstanden hatte.

Pläne konnten schiefgehen. Pläne gingen meistens irgendwie schief.

Auf einmal wurde ihr klar, dass sie Angst hatte, Christopher nie wiederzusehen.

79 | Christopher setzte sich in Bewegung. Die Luft war überraschend kühl, roch nach Staub, Benzin und kaltem, ranzigem Fett . . . und er schwitzte, trotz allem.

Doch jetzt gab es kein Zurück mehr. Nur nicht stehen bleiben. Jetzt musste alles, was geschehen musste, in einer einzigen, fließenden, ununterbrochenen Bewegung geschehen.

Er erreichte das Tor, nahm seine Umhängetasche von der Schulter, schob sie durch das Gitter nach innen. Ein kurzer Blick die Straße entlang, aber nur, weil er es nicht lassen konnte; die anderen passten auf und würden ihn warnen, sollte jemand kommen. Er packte das obere Ende des Tors, das ihm bis knapp zum Kinn reichte, stieß sich ab, schwang sich in den Stütz. Zog das rechte Bein nach, kam in den Sitz, kletterte vollends darüber und sprang auf der anderen Seite hinab.

Und weiter. Nicht nachdenken. Einfach dem Plan folgen. Denken konnte er, wenn alles vorbei war.

Die Tasche mit dem Werkzeug hochheben, über die Schulter hängen, losmarschieren. Auf den Haupteingang zu, dieses klobige Ding aus Stahl und Glas, das da aus dem verwitterten Wellblechgebäude ragte wie der Kopf einer Schildkröte.

Er holte tief Luft, ohne langsamer zu werden. Das Feld war jetzt überdeutlich zu spüren.

Fünf Schritte vor der Tür aktivierte er seinen Chip.

Er kam ins Stolpern, als mit einem Schlag all diese Gedanken wieder da waren, die ganze ungeheure geistige Macht der Kohärenz gegen ihn anbrandete. Tausende von Stimmen, die er hörte, Tausende von Impulsen, die ihn durchzuckten, Tausende von Augen, die sich anboten, die Welt durch sie zu sehen, überall zugleich, alles auf einmal . . .

Aber nein. Das durfte er nicht. Er würde nur durch seine eigenen Augen sehen, nur die beiden Hälften der dicken Panzerglastür, die sich vor ihm öffneten.

Weiter! Er setzte einen Fuß vor den anderen, während die Umgebung um ihn herum verschwamm, die Konturen sich auflösten, die Dinge aufhörten, Namen zu haben. Schritte, einfach geradeaus, führten ihn durch die Tür. Sein Kopf schwoll an, auf doppelte Größe, weil so viel auf ihn einströmte, Platz brauchte in seinem Schädel . . .

Was wollte er eigentlich? Er hatte irgendetwas vorgehabt, so viel wusste er noch. Wenn nur nicht all die Stimmen so durcheinandergeredet hätten! Auf jeden Fall durch die Innentür, die sich gerade so einladend öffnete. Klar, warum nicht?

Und da war noch etwas gewesen, etwas Wichtiges, etwas, das er auf keinen Fall hatte vergessen wollen.

Wenn er sich nur hätte daran erinnern können, was!

Die Innentür schloss sich hinter ihm. Er drehte sich um, sah ratlos hinaus, sah das Tor . . . Das hatte er überklettert, ja.

Ach so. Genau. Der Chip. Den sollte er besser wieder abschalten.

Okay.

Im nächsten Augenblick beugte sich Christopher keuchend vornüber, stützte die Hände auf die Knie. Die Tasche rutschte ihm von der Schulter, rasselte auf den Boden – egal.

Das war knapp gewesen.

Was für einen Sog das Feld inzwischen hatte! Wie lange hatte er den Chip aktiviert gehabt? Fünf Sekunden? Zehn?

Dabei hatte er die Deckung nicht einmal verlassen. War hinter der Barriere geblieben. Und trotzdem . . .

Er richtete sich auf, versuchte, tiefer zu atmen, langsamer. Es war sinnlos zu zögern. Jetzt, da er hier war, gab es keine Alternative dazu, seinen Plan durchzuziehen.

Immerhin war er nun gewarnt.

Er warf einen flüchtigen Blick auf die Tür zur Sicherheitszentrale. Eingelassenes Sicherheits-Drahtglas, dahinter ein Kontrollpult, ein Sessel für einen Wachhabenden, zwei Dutzend Monitore, die die Bilder der Überwachungskameras zeigten.

Uninteressant. Ab hier würde die Sache anders laufen, als sie es in dem Wäldchen geübt hatten.

Ganz anders.

Christopher nahm die Umhängetasche ab und ließ sie auf den Boden sinken. Das Werkzeug darin klapperte leise, fast, als sei es enttäuscht darüber, nun doch nicht benötigt zu werden.

Er hakte die Stablampe vom Gürtel, schaltete sie ein. Der Lichtstrahl fraß sich ins Halbdunkel, das dem schwach ausgeleuchteten Eingangsbereich folgte, glitt über eine dunkelblau lackierte Stahltür mit der Aufschrift *Produktion/Zugang*.

Ohne einen weiteren Blick für die Sicherheitszentrale ging Christopher zu dieser Tür, drückte die Klinke. Die Tür ließ sich aufziehen, gegen den Widerstand eines Schließmechanismus. Die Scharniere quietschten leise.

Dahinter: ein Umkleideraum. Abfallkörbe, in denen gebrauchte Mundschutze und Kopfhauben lagen. Weiße Overalls an Kleiderhaken. Schachteln mit Latexhandschuhen. Ein langes Waschbecken mit einem halben Dutzend Wasserhähnen. Und am anderen Ende eine weitere Tür, auf der ein Schild verkündete: *Zugang zum Reinraum nur in Schutzkleidung!*

Christopher durchquerte den Raum und öffnete die Tür, ohne sich um die Warnung zu kümmern. Sein Herz pochte heftig. Jedes Geräusch – das Quietschen seiner Schuhsohlen auf dem gefliesten Boden, das Rascheln seiner Kleidung, sein eigener Atem – klang überlaut in seinen Ohren.

Der Raum dahinter, die eigentliche Fabrikationshalle, lag im Dunkeln. Christopher tastete nach einem Lichtschalter neben der Tür, wo man so etwas erwartete, dann fiel ihm ein – eine schwache, fremde Erinnerung –, dass da kein Schalter war.

Er hob die Stablampe, doch der Lichtstrahl verlor sich in der Dunkelheit. Er ging ein paar Schritte, leuchtete umher, über blanken Boden voller Bohrlöcher und Staub . . .

Staub?

Er leuchtete umher. *Wo waren die Maschinen?*

Christopher blieb stehen, lauschte. Da war etwas. Eine Bewegung, ein kaum hörbares Geräusch. Er hielt den Atem an.

Jemand schaltete Licht ein. Nur eine Lampe über der Tür, durch die er hereingekommen war. Ihr Schein zeichnete einen kleinen, fahlen Kreis auf den Boden, doch dessen Widerschein reichte aus, um den Rest der Halle zu erahnen.

Und zu sehen, dass sie leer war. Die Maschinen waren allesamt verschwunden.

»Hallo, Christopher«, sagte jemand hinter ihm.

Er erkannte die Stimme. Er hätte sie unter einer Million Stimmen erkannt, jederzeit. Noch ehe Christopher sich ganz herumgedreht hatte, wusste er, wer da stand.

Sein Vater.

80 | »Er könnte allmählich mal von sich hören lassen«, murrte Rus.

»Er wird sich schon melden, wenn er so weit ist«, sagte Jeremiah Jones. Das Walkie-Talkie in seiner Hand war eingeschaltet, rauschte aber nur.

»Vielleicht ist etwas passiert.«

»Die Tür zum Überwachungsraum wird ihm mehr Schwierigkeiten machen als gedacht. Die sollte er schließlich öffnen, ohne Alarm auszulösen.«

»Und du denkst wirklich, er kann das?«

»*Er* denkt das. Und ich denke, er ist ein ziemlich schlaues Kerlchen.«

»Ich weiß nicht. Vielleicht überschätzt du ihn auch.«

Jeremiah Jones kratzte sich am Kinn. »Vielleicht. Aber wenn er nicht klarkommt, wird er sich schon melden. Oder zurückkommen.« Er warf seinem alten Schulfreund einen kurzen Blick zu. »Entspann dich. Es sind erst ein paar Minuten.«

Rus nahm die Hand vom Türgriff, wo er sie die ganze Zeit gehabt hatte, und ließ sich in den Sitz sinken. »Also gut. Warten wir.«

81 | Dad sah noch genauso aus, wie Christopher ihn in Erinnerung hatte. Soweit man das bei dem seltsamen Licht hier drinnen sagen konnte. Er stand einfach da, vor der Tür zum Umkleideraum, hatte seine dünne Lederjacke an, Jeans und ein gestreiftes Hemd. Keine Waffe. Nichts. Seine Arme hingen locker herab, und er lächelte sanft.

»Christopher«, sagte er noch einmal.

Er war gekommen, aber nicht allein. Ein halbes Dutzend weiterer Männer, die entlang der Hallenwände gewartet haben mussten, traten aus dem Dunkel und traten mit langsamen Schritten näher.

Und sie sprachen alle im Chor.

»Du hast uns gefehlt, Christopher«, sagten sieben tiefe Stimmen in vollkommenem Gleichklang. *»Du ahnst nicht, wie sehr du uns gefehlt hast.«*

Christopher drehte sich einmal um sich selbst. Es gab keinen Ausweg, keinen anderen Ausgang, durch den er hätte flüchten können. Nur diese eine Tür, durch die weitere Männer hereinkamen, sich hinter seinem Vater aufstellten und in den Chor einfielen.

»Wir wollen, dass du zu uns zurückkommst«, sagten die Stimmen. *»Dein Implantat funktioniert nicht richtig. Nur deshalb ist all dieses Unheil passiert. Nur deshalb bist du verloren gegangen. Dein Chip war von Anfang an fehlerhaft. Es hat nur einen einzigen Ausfall dieser Art gegeben, und das ausgerechnet bei dir . . . Es tut uns leid, so schrecklich leid.«*

Einer der Männer, das sah Christopher, hielt einen Injektor in der Hand, ein anderer die Kopfklammer mit dem Lederband.

»*Zum Glück ist diese Fehlfunktion einfach zu beheben*«, fuhr der Chor der Männer fort. »*Alles, was wir tun müssen, ist, dir einen zweiten Chip zu implantieren. Einen, der tadellos funktioniert. Dafür ist diesmal gesorgt, das kannst du uns glauben. Diesmal haben wir uns alle Mühe gegeben – für dich, Christopher.*«

Wie viele Upgrader waren es? Als niemand mehr durch die Tür kam, zählte er zwanzig. So um den Dreh.

Zwanzig gegen einen. Einen ganz schönen Respekt, den die Kohärenz vor ihm hatte. Da konnte er sich ja fast was drauf einbilden.

»*Um deine Freunde draußen brauchst du dir keine Sorgen zu machen*«, raunten die Stimmen weiter. »*Ihnen wird nichts geschehen. Wir werden sie ebenfalls aufnehmen.*«

Die Männer blieben stehen. Dad trat einen Schritt vor, streckte einladend die Hand aus. »Komm«, sagte er.

Christopher schwieg.

»Es ist vorbei«, fuhr Dad fort. »Sieh es ein. Euer Plan, diese Fabrik lahmzulegen, war so leicht vorhersehbar. Und von vornherein zum Scheitern verurteilt.«

Ein spöttisches Lächeln erschien auf seinem Gesicht, ein Lächeln, wie es Christopher an seinem Vater nie gesehen hatte. Das war, erkannte er mit jäher Gewissheit, nicht Dads Lächeln, sondern das der Kohärenz selbst.

»Wir haben«, erklärte die Kohärenz mit der Stimme seines Vaters, »diese Fabrik noch am Tag deines Fortgangs geschlossen und damit begonnen, die Maschinen abzutransportieren. Die Implantate werden inzwischen an vielen Stellen hergestellt, überall auf der Welt. Ihr hattet von Anfang an keine Chance.«

»Ich weiß«, sagte Christopher.

Dann schloss er die Augen und aktivierte seinen Chip.

82 | Diesmal versuchte er erst gar nicht, im Schutz seiner Barriere zu bleiben. Diesmal raste er los wie ein Pfeil, der endlich von der Sehne seines Bogens schnellen darf, eines Bogens, der viel zu lange bis an die Grenze seiner Belastbarkeit gespannt gewesen war.

Die Kohärenz reagierte innerhalb von Mikrosekunden, praktisch sofort. Das gesamte Feld verformte sich, wölbte sich ihm entgegen, stürzte sich auf ihn.

Doch *Computer Kid* war schneller.

Er schoss durch wirbelnde Orkane aus Information, durchbrach glühende Gitter aus Gedanken, entging schmetternden Blitzen aus Absichten. Fallen entstanden in seinem Weg, Mauern bauten sich vor ihm auf, Fangschlingen schnappten nach ihm – doch er umging die Fallen, übersprang alle Mauern, entwischte allen Schlingen.

Sein Geist durchraste das Internet, verschwand in dessen Tiefen, stieß in entlegene Bereiche vor, an Stellen, die man mit keinem Browser erreichen oder auch nur hätte finden können. Sein Ziel waren schlichte Schaltanlagen, die man zu Wartungs- und Kontrollzwecken ans Internet angeschlossen hatte.

Sein Ziel war nicht das Computernetz, sondern das *Stromnetz*.

Die Leute, die in diesen Schaltschränken einst Schnittstellen installiert hatten, um sie über das Internet von weit entfernten Zentralen aus zu steuern, waren davon ausgegangen, dass niemand sie finden würde. Schließlich gab es Hunderte von Millionen Internetadressen, von denen die meisten weitaus interessanter waren. Und für den Fall, dass jemand durch Zufall doch auf einen ihrer Wartungszugänge stoßen sollte, hatten sie ein Passwort vorgesehen, das, so glaubten sie, genügend Schutz bot.

Sie hatten sich geirrt.

Es hatte Christopher keine halbe Stunde gekostet, mithilfe eines speziellen Suchprogramms die Internetadressen sämtlicher derartiger Anlagen in Kalifornien zu ermitteln. Das Passwort war erst recht kein Problem gewesen, zumal man überall dasselbe eingestellt hatte.

Keine halbe Sekunde, nachdem er ins Feld eingetaucht war, schaltete sich das erste Kraftwerk ab. Es handelte sich um das *Moss-Landing*-Gaskraftwerk von Monterey, mit dem schlagartig über zweitausend Megawatt Leistung im Netzverbund fehlten.

Einen Lidschlag später ging das Atomkraftwerk *Diablo Canyon* von San Luis Obispo vom Netz. Damit fehlten weitere zweitausend Megawatt.

Stromausfälle hatte Kalifornien in letzter Zeit öfters erlebt. Doch dieser Stromausfall würde größer werden. Dies würde einer jener Blackouts werden, die in die Geschichte eingehen.

Energie ist eine heikle Sache. Energie, die gebraucht wird, muss im selben Moment irgendwo erzeugt werden. Wird mehr Energie angefordert, als im Netz ist, sinkt dessen Spannung, und sinkt die Spannung unter einen bestimmten Wert, funktionieren viele Geräte nicht mehr richtig.

Ein computergesteuertes Überwachungssystem, das diese Ausfälle registrierte, forderte deswegen automatisch sofort zusätzliche Leistung aus den Netzen der benachbarten Bundesstaaten an – und gab Alarm.

Doch dieser Alarm kam nicht in der zuständigen Zentrale an. Denn in dem Moment, in dem er ausgelöst wurde, schaltete Christopher das nachgelagerte System ab.

So merkte die Nachtschicht erst einmal nichts. Der Ausfall machte sich lediglich in Form zweier erloschener Lichtpunkte auf einem Bildschirm bemerkbar, der das gesamte Stromnetz der westlichen Bundesstaaten zeigte, blieb also denkbar unauffällig. Die Operateure an den Überwachungspulten nippten ihren Kaffee und freuten sich über eine ruhige Nacht.

Weiter geschah in diesem Moment nichts, denn die Automatik hatte ja zusätzlichen Strom angefordert.

Einen Herzschlag später löste Christopher einen Überstrom-Schutzschalter aus, der eine 345-kV-Überlandleitung außer Betrieb setzte.

Energie ist, wie gesagt, eine heikle Sache. Wird Energie erzeugt, muss sie auch irgendwohin fließen. Da nun eine der wichtigsten Fernleitungen ausgefallen war, verteilte sich die angeforderte Last auf andere Leitungen.

Und überlastete sie.

Man hat das amerikanische Stromnetz einmal als größte Maschine der Welt bezeichnet. Ob das stimmt oder nicht: Auf jeden Fall war diese Maschine in schlechtem Zustand. Jahrzehntelang hatte man aus Kostengründen Geräte nicht repariert, zu schwache Leitungen nicht ausgebaut, veraltete Anlagen nicht erneuert.

Ein verhängnisvoller Dominoeffekt begann.

Diesmal war es die 138-kV-Leitung über Salton, deren Schutzrelais auslöste. Die dadurch in den anderen Leitungen ausgelösten Spannungsspitzen führten dazu, dass siebzehn weitere 138-kV-Verbindungen abschalteten und darüber hinaus zwei 345-kV-Hochspannungsleitungen. Diese Ausfälle wiederum zwangen elf kleinere, mit Gas oder Öl betriebene Kraftwerke im Süden Kaliforniens, sich abzuschalten, weil sie ihre Energie nicht mehr losgeworden wären.

Die ersten Straßenbeleuchtungen erloschen.

Etwas wie ein Schrei erfüllte die Kohärenz, als sie begriff, worauf Christopher aus war.

Zu spät.

Nun bemerkte man auch in der Zentrale, dass etwas nicht stimmte. Die Operateure stellten die Kaffeebecher beiseite, setzten sich auf, griffen nach den Telefonhörern.

Zu spät.

Die Ausfälle hatten – keineswegs zufällig natürlich – die verletzlichsten Punkte des kalifornischen Stromnetzes getroffen. Noch ehe ein Mensch reagieren konnte, hatte sich eine Kettenreaktion in Gang gesetzt, die nicht mehr aufzuhalten war.

Spannungsspitzen lösten Schutzschalter aus, die Ausfälle wiederum lösten weitere Spannungsspitzen aus, und immer so weiter, Schlag auf Schlag. In einem Kraftwerk nach dem anderen schnellten, Funken sprühend und von knallenden Lichtbogen begleitet, die gewaltigen Stangen der Notabschalter in die Aus-Position. Eine Stadt nach der anderen versank in Dunkelheit.

Die Kohärenz schrie wie von Sinnen, während die dunklen Flecken auf den Überwachungsbildschirmen immer größer wurden.

Zu spät.

In den Häusern erloschen die Digitalanzeigen der Radiowecker, verstummten die Kühlschränke, Tiefkühltruhen und Klimaanlagen. In den Fabriken, die Nachtschichten fuhren, wurde es dunkel, ebenso in den Supermärkten, die rund um die Uhr geöffnet hatten. In Krankenhäusern und Rechenzentren sprangen die Notstromaggregate an.

Die Kohärenz schrie immer noch, schrie und schrie – doch der Chor ihrer Stimmen wurde leiser und leiser, dünnte aus.

Zwar waren auch die Rechenzentren der Mobilfunknetze mit Notstromaggregaten ausgestattet – nicht jedoch die Basisstationen. Die Mobilfunkmasten wurden alle über das normale Stromnetz versorgt, und in dem Moment, in dem der Strom ausblieb, verstummte auch die zugehörige Funkzelle.

Nach und nach erloschen so sämtliche Mobilfunknetze Kaliforniens – und damit auch das Feld.

Mit anderen Worten: Die Kohärenz verlor ihre Macht.

Christopher öffnete die Lider, nicht länger imstande, dem Ansturm standzuhalten. Er sah die Upgrader, die auf ihn zukamen, und sah sich zugleich selbst durch ihre Augen. Er verschmolz mit ihnen, mit ihren Gedanken, ihren Absichten, wurde aufgesaugt.

Es spielte keine Rolle mehr. Es war nur eine Frage der Zeit, bis das Feld erlosch.

Dann verstand er, was die Männer dachten, wollten, vorhatten.

Und er begriff mit jähem Schreck, dass der Stromausfall

zwar nicht mehr aufzuhalten war – aber dass er *zu langsam* passierte!

Zu spät . . .

83 | Serenity wusste nicht, was sie tun sollte. Sie stand ratlos in dem dunklen Hausflur, fror an den nackten Füßen, und mit jeder Minute, die verging, wurde ihr mulmiger zumute.

Erst jetzt bemerkte sie, dass man durch das Fenster am Ende des Flurs direkt auf den toten Baum sah. Er glänzte im Mondlicht wie ein schwarzes Gerippe.

Sie konnte nicht anders, sie musste zurück ins Zimmer stürzen und Madonna wach rütteln. »Madonna . . .!«

»Was denn?«, murmelte ihre Freundin verschlafen.

»Hast du nichts gehört?«

»Gehört? Was denn?«

»Ich könnte schwören, das Telefon hat geklingelt. Aber es ist nichts auf dem Band.«

Sie lauschten beide in die Dunkelheit, gerade so, als sei das Telefon verpflichtet, sich irgendwie dazu zu äußern. Was es natürlich nicht tat. Es war so still, als seien sie taub geworden.

»Ich hab nichts gehört, ehrlich nicht«, meinte Madonna. Sie musterte Serenity beunruhigt. »Was ist mit dir? Du bist ja bleich wie Papier!«

»Ich glaube, es geht gerade alles schief«, flüsterte Serenity.

»Wieso denn?«

»Ich weiß es nicht. Einfach so. Ich bin aufgewacht und . . .« Sie verstummte, erfüllt von einem Schrecken, den sie nicht benennen konnte.

Madonna streckte die Arme aus, zog sie an sich. Es tat gut, die Wärme ihres Körpers zu spüren.

»Du zitterst ja.«

»Es ist kalt«, murmelte Serenity.

»Aber nicht *so* kalt.«

Serenity spürte ihren Atem beben. Sie wollte nicht weinen, aber sie war kurz davor.

Madonna seufzte ratlos. »Wenn ich nur wüsste, was wir tun könnten.«

84 | Mit einem Ruck setzte sich der junge Indianer auf, der bis zu diesem Augenblick schweigend auf dem Rücksitz gesessen hatte.

»Wir müssen rein«, erklärte er. »Christopher ist in Gefahr.«

George Angry Snake war die ganze Zeit so still gewesen, dass Jeremiah Jones und Russel Stoker seine Anwesenheit völlig vergessen hatten. Seine unvermittelte Äußerung ließ sie beide zusammenzucken.

»Was?«, meinte Jones überrascht.

»Sofort«, sagte George nur, griff nach seiner Umhängetasche, öffnete die Tür, sprang hinaus und rannte los.

»Verdammt!«, entfuhr es Rus. »Ist der jetzt völlig durchge...«

Jones hatte das Walkie-Talkie schon an den Lippen, drückte die Taste. »Alpha an alle. Wir warten nicht länger. Wir gehen rein, so schnell wie möglich.«

Sie sahen, wie George sich über das Tor schwang, mit einer einzigen kraftvollen, eleganten Bewegung.

»Das ist so einer von diesen Momenten, in denen alles anfängt schiefzugehen«, knurrte Rus.

Jones nickte. »Irgendwann kommt so ein Moment immer.«

Dann griffen sie nach ihren Waffen und ihrem Werkzeug und folgten dem Jungen.

85 | Kompliment, sagten die Stimmen. Das war ganz schön clever von dir. Beinahe schade, dass du dich verrechnet hast.

Hörte er die Kohärenz in seinem Kopf oder mit seinen Ohren? Er wusste es nicht. Das Fabrikgebäude schien sich in allumfassender Schwärze aufgelöst zu haben. Es gab nur noch diesen fahlen Lichtkegel, in dessen Mitte er stand, die Männer um ihn herum, die sich rasch auf ihn zubewegten, und dahinter nur noch Dunkelheit.

In seinem Kopf dröhnte es. Er wollte den Chip abschalten, den Befehl geben, doch es gelang ihm nicht. Von überall her rollten Informationslawinen auf ihn zu, brandeten gegen ihn an, überspülten seine Barriere, wirbelten seine Gedanken im Kreis umher, zersplitterten sie in tausend Fetzen. Gedanken? Nein, er konnte nicht mehr denken, war dem, was geschah, hilflos ausgeliefert.

Er hatte es gewusst. Er hatte gewusst, dass der Plan scheitern würde. Weil jeder Plan gegen die Kohärenz scheitern musste. Niemand konnte es mit ihr aufnehmen, niemand.

Nicht einmal *Computer Kid*.

Jeremiah Jones hatte sich in ihm getäuscht.

Und Serenity auch . . .

Wir wollen doch nur, dass du wieder nach Hause kommst, sagten die Stimmen. *Wir wollen dich nicht, weil du so schlau bist. Schlau sind wir selber. Wir wollen dich, weil du einer unserer Väter bist, kannst du das nicht verstehen?*

Jetzt sah er den Mann, der den Injektor hielt. Der dünne Lauf glänzte bronzefarben im bleichen Licht der Halogenlampe.

Bis uns der Stromausfall erreicht, dauert es noch zwei Minuten und siebzehn Sekunden, sagte die Kohärenz. *Zeit genug, um dich heimzuholen.*

Die zwei Männer hinter ihm packten ihn an den Armen. Ein Mann öffnete die Tür zum Umkleideraum, ein anderer schraubte die Kopfhalterung an die Türzarge.

Sie hoben ihn an, schleiften ihn darauf zu. Er hatte keine Kraft, sich zu wehren. Wozu auch? Es würde ja doch nichts helfen.

Alles ging sehr schnell. Sie hatten es eilig, das merkte man. Trotzdem saß jede Bewegung. Sie stellten ihn gegen den Türrahmen, drückten seinen Kopf gegen die Halterung. Der Lederriemen wurde eingespannt. Der Mann, der das Spray mit dem Betäubungsmittel in Händen hielt, tauchte auf.

Das war es also, dachte Christopher. Das Ende einer Flucht.

Tausend Stimmen wisperten in seinem Kopf. Der Injektor kam auf ihn zu, eine dunkel glimmende Öffnung, ein schwarzes Loch in dem finsteren Kosmos, der ihn umgab.

Christopher schloss die Augen.

Wenigstens, dachte er, würde er von nun an nicht mehr allein sein.

86 | Jones und Rus beeilten sich, George so schnell wie möglich zu folgen, doch so elegant wie der Junge schafften sie es nicht über das Gittertor. So konnten sie nicht verhindern, dass er vor ihnen am Haupteingang anlangte, eine dicke Brechstange aus der Tasche holte und anfing, mit voller Wucht auf das Glas einzuschlagen.

Ohne Erfolg. Es splitterte zwar ein bisschen, aber es gab nicht nach. Dafür ging der Alarm los: Eine Sirene trötete ohrenbetäubend, gelbe Warnlichter begannen, sich zu drehen.

»Sicherheitsglas!«, keuchte Rus, als sie neben George ankamen. »Das war doch klar, oder?«

Die Augen des Jungen funkelten. »Wir müssen da rein! Er ist in Gefahr!«

»Jaja. Klar.« Rus sah sich mit zunehmender Nervosität um. In manchen der umliegenden Wohnhäuser gingen schon Lichter an. »Aber wenn die Polizei kommt, macht es das nicht besser.«

George spurtete los, die Brechstange erhoben, auf die Stelle an der Außenwand zu, an der in etwa vier Metern Höhe der Alarm dröhnte. Kurz vor der Wand machte er einen atemberaubenden Satz, schleuderte die Brechstange – und traf das Gerät. Es zersplitterte und verstummte, Teile der Verkleidung fielen herab.

Nur oben auf dem Dach klingelte noch etwas, aber das war weitaus weniger laut zu hören.

»Schnell«, rief Jones. »Wir müssen einen anderen Weg hinein finden.«

Er lief die Fenster ab, leuchtete mit der Stablampe in die Räume dahinter. Das zweite Fenster neben dem Haupteingang war die Sicherheitszentrale. Sie war leer, die ebenfalls aus Sicherheitsglas bestehende Tür war noch verschlossen, und davor lag . . .

»Was ist das?«, fragte Rus.

»Christophers Werkzeugtasche«, sagte Jones knapp. Er hob das Walkie-Talkie an den Mund. »Alpha an Bravo. Wo seid ihr? Over.«

»Am Zaun.« Das war Finn. »Wir kappen die Halterungen an der reparierten Stelle. Over.«

»Nehmt den Wagen und brecht durch. Wir treffen uns an der Laderampe. Over und aus.« Er winkte George, ihnen zu folgen, dann rannten sie.

Von hinten hörten sie es schon krachen, als der Lastwagen den Zaun niederwalzte. Jones sah im Rennen auf die Armbanduhr. Die Minuten verrannen unerbittlich.

Eine frostige, unnatürliche Ruhe hatte von ihm Besitz ergriffen. Er wusste, dass man ihm nachsagte, in kritischen Situationen eiskaltes Blut zu bewahren, aber tatsächlich war das einfach seine Art der Panikreaktion: Alles außer der akuten Gefahr wurde ausgeblendet, und seine Gedanken schalteten mit maximaler Geschwindigkeit.

Sie erreichten die Rückseite des Gebäudes. Finn und Brian machten sich bereits an den Rolltoren zu schaffen, jedoch ohne Ergebnis. Die Werkzeuge fanden keinen Ansatzpunkt an den glatten, fast fugenlosen Metalllamellen.

Nick stand bibbernd daneben und machte saugende Geräusche mit seinen Zähnen.

»Das ist eine verdammte Festung!«, keuchte Brian.

432

»Der Sprengstoff!« Jones' Stimme ließ keinen Widerspruch zu. »Damit müsste es gehen!«

»Aber die Maschinen!« Nicks Stimme überschlug sich fast. »Der Sprengstoff reicht nicht mehr für die Maschinen, wenn wir jetzt –«

»Scheiß auf die Maschinen«, sagte Jones. »Wir müssen Christopher da rausholen! Und dann nichts wie weg hier.«

Finn war schon beim Wagen, riss die hintere Tür auf und holte die erste Kiste mit den Büchsen heraus, in die sie den selbst gemischten Sprengstoff abgefüllt hatten. Kyle sprang vom Beifahrersitz, um ihm zu helfen.

»Nehmt viel«, rief Rus. »Die Tore müssen sofort rausfliegen. Falls jemand dahinter lauert, darf er keine Chance kriegen.«

»Klar«, knurrte Finn und entrollte den ersten Zünddraht.

Jones hatte das Gefühl, dass die beiden ewig brauchten, die Büchsen zu positionieren, die Drähte anzuschließen und bis zur Zündvorrichtung auszurollen. Er sah mindestens dreimal auf die Uhr, weil es ein beruhigender Anblick war, dass sich auch der Sekundenzeiger gerade wie durch Sirup bewegte. Dann hob Brian endlich den Daumen: Die Ladungen waren scharf.

Jeremiah fuhr zu Kyle herum. »Du hältst die Stellung hier draußen. Sobald die Polizei auftaucht – und das wird in wenigen Minuten sein –, warnst du uns.« Er wollte auf dem Absatz kehrtmachen, verharrte aber in der Bewegung. »Und Kyle – noch etwas: Wenn wir nicht kommen, dann haust du ab. Versprich mir das, okay?«

Er wartete die Antwort gar nicht ab, sondern bedeutete den Männern, in Deckung zu gehen.

Dann löste Rus die Zündung aus.

Die Explosion tat einen Schlag, als sei mitten auf dem Parkplatz ein Stück von einem Jumbojet vom Himmel gefallen. Der Boden unter ihren Füßen bebte, und der Knall hallte aus allen Richtungen wider: Spätestens jetzt musste ganz Silicon Valley wach sein.

Kleine Steinchen prasselten überall ringsum herab, und eine weiße Rauchwolke hob sich. Dahinter gähnte ein großes dunkles Loch in der Außenwand. Das Rolltor war verschwunden.

Hörte man schon die ersten Polizeisirenen, oder klingelte es ihnen nur in den Ohren? Egal.

Rus schob sich, die Pistole im Anschlag, von der Seite auf die Öffnung zu, den Rücken an die Wand gepresst. Obwohl er immer noch seinen fusseligen grauen Strickpullover trug, wirkte er auf einmal überhaupt nicht mehr gemütlich.

Er spähte in die Lagerhalle, verharrte einen Herzschlag lang in geduckter Sprunghaltung, um sich dann, mit einem jähen Satz, ins Innere zu werfen und in atemberaubender Weise in die nächste Deckung zu rollen.

Einen Augenblick lang – der sich anfühlte wie eine kleine Ewigkeit – passierte nichts, starrten alle nur auf die freigesprengte Öffnung, in der Rus verschwunden war. Dann tauchte er wieder auf, struppig und staubig, und winkte ihnen zu. »Alles okay. Hier ist niemand. Kommt.«

87 | Kyle Forrester Jones, einundzwanzig Jahre alt und Student der Umweltbiologie, beobachtete mit einem unguten Gefühl, wie die anderen in der dunklen Höhlung der Lagerhalle verschwanden. Sein Vater hatte angeordnet, Zweiergruppen zu bilden. Er und Rus gingen voraus, gefolgt von Brian und George sowie Nick und Finn als Nachhut – bei dieser Aufteilung, so hatte er gemeint, sei sichergestellt, dass in jeder Gruppe »mindestens einer was vom Kämpfen versteht«, wie er sich ausgedrückt hatte.

Kyle merkte, dass er unwillkürlich die Luft angehalten hatte, und atmete tief durch.

Fuck! Alles, aber auch alles war schiefgegangen. Der verfluchte Christopher. Er hatte doch gleich geahnt, dass der Junge die Sache versauen würde.

Er holte noch einmal Luft.

Okay. Okay. Okay. Sie würden das schaffen. Mussten es einfach. Sie würden hier irgendwie wieder rauskommen – alle. Heil.

Er ging einmal um den Wagen herum, spähte in alle Richtungen. Keine Polizeisirenen zu hören, kein Blaulicht zu sehen, keine Bewegungen. Nichts rührte sich.

Was irgendwie seltsam war. Seit dem Alarm waren schon fast zehn Minuten vergangen. Behauptete zumindest seine Uhr. Die Polizei hätte längst hier sein müssen. Und was war mit den Leuten, die in der Nähe wohnten und die Explosion gehört haben mussten? Da rührte sich auch nichts.

Irgendetwas Unheimliches lag in der Luft.

Wobei . . . Das konnten auch seine Nerven sein. Die hatten

ihm schon manches Mal seltsame Streiche gespielt. In Prüfungen zum Beispiel. Das erzählte er nur niemandem.

Er zuckte zusammen wie von einem elektrischen Schlag getroffen, als plötzlich das Walkie-Talkie in seiner Hand losbrüllte. »Da lang! Wir nehmen die –«, krachte es aus dem Lautsprecher, dann war es wieder still.

Beinahe hätte er das Gerät fallen lassen. Er sah es an und begriff: Er war nicht der Einzige, der hier nervös war. Einer der anderen trug sein Walkie-Talkie ebenfalls in der Hand und hatte aus Versehen den Sprechknopf gedrückt!

Da. Schon wieder.

». . . euch das an. Das reinste Heerlager.« Das war Finns Stimme, oder? Dann war Nick derjenige mit dem nervösen Daumen. »Mindestens zwanzig Leute müssen hier auf Christopher gewartet . . .«

Kyle brauchte nur den Bruchteil einer Sekunde, um zu begreifen.

Es war also tatsächlich eine Falle gewesen, von Anfang an! Am Ende hatte Christopher mit denen unter einer Decke gesteckt!

Kyle spürte ein Kribbeln im Bauch, ein Gefühl, als begännen ein paar seiner dortigen Organe zu vibrieren.

Er zog die Fahrertür auf, schwang sich hinter das Lenkrad, um bereit zu sein. Der Motor brummte leise im Leerlauf.

». . . ja. Vorsicht. Da lang?« Wer war das? Die Stimme war nicht zu erkennen, wurde überdröhnt von raschen Schritten auf metallenen Gittern.

»Hier. Hier. Da, nimm mal . . . Abgeschlossen. Geh da drüben . . .«

Rus. Der gemütliche Rus. Heute Nacht zeigte er sich von einer Seite, die man an ihm nicht kannte. Die Seite vermutlich, von der er mal gesagt hatte, er wolle vergessen, dass er sie hatte.

». . . sind da drin. Alle, wie's aussieht.« Jones.

»Was ist das? Die Werkhalle?« Rus.

»Ja. Nick? Kannst du die Tür hier . . .?«

Und wieder Stille. Kyle hielt den Atem an. Was zur Hölle ging da drinnen vor sich?

Irgendetwas im Rückspiegel erregte seine Aufmerksamkeit. War da jemand? Er wandte den Kopf, lugte aus allen Fenstern, und das Gefühl wachsender Beklemmung wurde immer stärker.

Da war niemand. Und trotzdem, irgendetwas stimmte nicht!

Kyle öffnete die Tür, spähte hinaus. Man sah ja nicht alles aus den Fenstern eines Campingbusses, oder vielleicht spiegelten die Scheiben.

». . . ja, ihr seid gemeint!«, schrie das Walkie-Talkie los. »Hände hoch, alle!«

»Rus, sie haben Chris . . .!«

»Ihr verdammten . . .«

»George!« Dads Stimme. Er schrie. »George, nein!«

Da. Da war was! Ein Schatten im Augenwinkel, ein Zucken, ein Flackern . . . Kyle wandte hastig den Kopf, sah nichts.

Und dann sah er doch etwas.

»Oh mein Gott«, murmelte er.

Er stellte einen Fuß auf den Fahrersitz und zog sich am oberen Türholm empor, um über das Fahrzeugdach sehen zu können.

Die Stadt, das nächtliche San Francisco, ein funkelndes Geschmeide aus Hunderttausenden von Straßenlaternen, hell erleuchteten Bürogebäuden und bunt strahlender Reklame, *erlosch*. Straßenzug um Straßenzug wurde dunkel, Stadtteil um Stadtteil löste sich in Schwärze auf.

Dunkelheit raste wie eine Wand auf sie zu.

88 | Christopher sah Lichtkegel durch die Dunkelheit zucken, Taschenlampen, huschende Gestalten. Jemand tauchte keuchend neben ihm auf, löste den Lederriemen um seinen Schädel, endlich, und endlich konnte er sich fallen lassen. Er sank zusammen, und jemand fing ihn auf.

In seinem Kopf war es still. Er hob die Hand, tastete nach seiner Nase. Sein halbes Gesicht fühlte sich taub an von dem Mittel, das sie ihm in die Nasenhöhle gesprüht hatten. Er betastete seine Oberlippe, die Feuchtigkeit dort, versuchte, im unruhigen bleichen Licht der Taschenlampen zu erkennen, was das war, Blut?

Nein, es sah nicht aus wie Blut, und aus irgendeinem Grund, der ihm im Augenblick nicht einfiel, war das gut so. Sehr gut sogar.

Dann sah er den Mann auf dem Boden neben sich, im Lichtkegel einer Handlampe. Er sah das Messer, das im Handgelenk des Mannes steckte, und alles fiel ihm wieder ein.

Wie er den Injektor schon vor dem Gesicht gehabt hatte. Wie ein Schrei, laut und gellend und ohrenbetäubend – wie aus dem Nichts heraus. Und wie plötzlich, in letzter Sekunde, etwas angeflogen gekommen war, um das Gerät zur Seite zu schmettern.

Christopher kannte das Messer. Er hatte es zuletzt am Gürtel von George Angry Snake gesehen.

Er rappelte sich hoch, wusste wieder, was zu tun war, wusste wieder, dass er handeln musste, und zwar schnell.

Das Rauschen in seinen Ohren ließ nach. Er hörte jemanden nach den Ärzten rufen, ein anderer wunderte sich über die

Männer, die alle reglos auf dem Boden lagen und mit glasigem Blick ins Leere starrten.

Was gab es da nicht zu verstehen? Das Feld war erloschen, hier wie fast in ganz Kalifornien, aus dem einfachen Grund, dass der Staat ohne Strom war. Die Upgrader waren aus der Kohärenz gefallen. Ihre Chips funktionierten, klar, aber das half ihnen nichts ohne Einbindung ins Funknetz. Ohne diese Einbindung funktionierten ihre Gehirne erst einmal nicht richtig.

Christopher kam keuchend hoch, obwohl sich seine Knie anfühlten wie aus Gummi. »Langsam«, sagte derjenige, der ihn stützte. Brian. Der Typ, der fast nie etwas sagte.

»Nein«, sagte Christopher. »Nicht langsam. Schnell.«

Das verstand er wohl nicht. Egal. Christopher taumelte durch die schummrige Dunkelheit. Jeremiah! Wo war Jeremiah Jones?

Und dann stand er auf einmal vor ihm. »Wir brauchen das Medomobil«, stieß Christopher hervor und hatte das Gefühl, nur zu brabbeln mit seinem halb betäubten Gesicht.

»Sie sind schon unterwegs.« Serenitys Dad sah ihn durchdringend an. »Das war eine Falle!«

Christopher nickte. »Kann man so sagen.«

Da. Zwei Gestalten rannten durch die leere Lagerhalle. Dr. Lundkvist mit seiner Ledertasche, wie es sich gehörte. »Wo ist der Verletzte?«, wollte er wissen. Dr. Connery trug die Lampe.

»Keine Zeit!«, drängte Christopher. Er packte den Neurologen am Ärmel, zog ihn mit sich, deutete auf eine reglose Gestalt am Boden.

»Das ist mein Vater«, erklärte er. »Sie müssen ihn mitnehmen und ihm das Implantat entfernen. So schnell wie möglich!«

Die Männer sahen ihn entgeistert an.

»Das ist dein Vater?«, vergewisserte sich Jones.

»Ja«, sagte Christopher. War er so schwer zu verstehen?

Dr. Connery leuchtete Dads Gesicht ab. »Das stimmt. Jetzt erkenne ich ihn. Das ist James, kein Zweifel.«

»Okay . . .«, meinte Jeremiah Jones und sah sich um. »Und was ist mit den anderen?«

Christopher hob die Schultern. »Wir fesseln sie und lassen sie liegen.«

»Aber das sind doch alles Upgrader, oder? Was ist mit deren Implantaten? Die müsste man auch entfernen.«

»Müsste man. Wenn man es in fünf Minuten schaffen würde.«

»Was heißt das?«

Christopher holte Luft, bewegte den Unterkiefer, den er kaum spürte, die Zunge, die sich anfühlte, als sei sie geschwollen. »Das Implantat muss draußen sein oder zumindest inaktiv, sobald der Strom zurückkehrt. Das wird er in zwei, spätestens drei Stunden. Und sobald Strom da ist, baut sich das Feld wieder auf.« Er schüttelte den Kopf. »Das wird schon mit einer einzigen Operation knapp, schätze ich.«

Dr. Connery wirkte auf einmal blass, aber das konnte natürlich auch am Licht der Stablampen liegen. »Allerdings«, sagte er.

Jones nickte. »Verstehe. Sie würden sich sofort gegen uns wenden.«

»Nein, das ist nicht das Problem. Das könnten sie nicht,

wenn wir sie fesseln«, sagte Christopher. »Das Problem ist, dass sie in dem Moment zu Peilsendern werden. Die Kohärenz wüsste sofort, wo wir sind.«

Der Mann, den die Medien *den Propheten* nannten, sah Christopher mit großen Augen an. Er schien etwas sagen zu wollen, aber dann fiel ihm offenbar doch nichts ein, und er schloss den Mund wieder.

»Also«, stieß Dr. Lundkvist hervor, »ich kümmere mich jetzt um diese blutende Hand. Und ihr könnt ja seinen Vater schon mal rausbringen.«

Rus tauchte auf, hielt eine große Rolle stabiles Klebeband hoch. »Schön, oder? Lag hier herum. Damit sind die Burschen ruck, zuck verschnürt.« Der launige Tonfall verschwand. »Und dann sollten wir machen, dass wir Leine ziehen.«

89 | Der Stromausfall hatte alles lahmgelegt und offenbar auch bei der Polizei für so viel Durcheinander gesorgt, dass es überhaupt kein Problem war, die Stadt zu verlassen. Sie hielten auf einem Parkplatz außerhalb, von dem aus man ganz San Francisco überblicken konnte. Dort begannen die Ärzte mit der Operation, und die anderen warteten.

Christopher kam endlich dazu, sich bei George zu bedanken. Es kostete ihn Überwindung, und dass George ihn dabei merkwürdig ansah, machte es nicht leichter. »War knapp, hmm?«, meinte er.

»Ja«, erwiderte Christopher. »Gerade noch rechtzeitig.«

»Gut«, sagte der junge Indianer nur, und damit schien die Sache für ihn erledigt zu sein.

Sie saßen auf einer niedrigen Mauer und sahen zu, wie sich hier und da zuckende Blaulichter durch das unsichtbare dunkle Netz der Straßen bewegten. Keines davon hielt in ihre Richtung. Die Sterne spiegelten sich in der Bay.

Irgendwann tauchte die Golden Gate Bridge aus der Dunkelheit auf, und dann, nach und nach, so, als zünde eine Lampe die nächste an, das endlose Geflecht der Straßen.

Der Strom war wieder da, und mit ihm spürte Christopher das Feld zurückkehren.

Der Notstromgenerator des Medomobils brummte immer noch. Hinter den hell erleuchteten, kleinen Fenstern sah man die beiden Ärzte hantieren, ernste Augen über grünen Mundschutztüchern.

Es begann zu dämmern. Die anderen hatten sich in die Autos verzogen, versuchten, auf Sitzen zu schlafen. Selbst George hatte sich irgendwann zurückgezogen – lautlos, wie es seine Art war.

Christopher war der Einzige, der noch auf der Mauer hockte und zusah, wie Wasser, Land und Himmel unterscheidbar wurden.

Er sah auf, als jemand neben ihn trat. Jeremiah Jones, die Hände in den Jackentaschen.

»Das war von Anfang an dein Plan, nicht wahr?«, sagte Serenitys Dad. »Deinen Vater zu befreien.«

Christopher nickte matt. »Ja.«

»Deswegen dein Beharren darauf, dass wir das Medomobil mitnehmen. Du wusstest, dass wir es brauchen würden. Du wusstest, dass die Kohärenz uns eine Falle stellen würde.«

Christopher schlang die Arme um seinen Oberkörper. »Das war logisch. Die Fabrik war der einzig mögliche Angriffspunkt.«

»Aber du hast sie ausgetrickst.«

»Ja.«

Jones schwieg eine Weile, dann sagte er: »Wenn ich nicht so müde wäre, wäre ich jetzt ziemlich sauer mit dir. Es war absolut unfair, uns nicht einzuweihen.«

Christopher überlegte. »Stimmt«, sagte er nach einer Weile. »Das hätte ich vielleicht tun sollen.« Er zögerte, fühlte sich auf einmal hilflos. »Ich bin das nicht gewöhnt.«

»Was?«

»Bis jetzt habe ich immer alles alleine gemacht.«

Jones setzte sich neben ihn. »Das wäre diesmal schiefgegangen.«

»Ja.« Christopher tastete wieder nach seiner Nase. Von der Betäubung war inzwischen nichts mehr zu spüren.

Wenn George nicht rechtzeitig zur Stelle gewesen wäre, dann hätte er jetzt einen zweiten Chip gehabt.

Oder wenn George nicht getroffen hätte.

»Wie war das mit der Polizei in Tremblestoke?«, fragte Jones. »Irgendwas sagt mir, dass das auch kein Zufall war.«

Christopher schüttelte den Kopf. »Die hab ich gerufen. Vom Zimmertelefon aus. Ich hab ganz leise gesprochen und kurz und mit verstellter Stimme.«

»Und woher hast du das gewusst mit diesem . . . Wie hieß der Kerl doch gleich? Lu Harvester?«

»Darauf bin ich gestoßen, als ich über Tremblestoke recherchiert habe. In einem Zeitungsartikel stand, dass sie nach dem dort schon seit Monaten fahnden.«

Jones stieß einen Seufzer aus. »Aber warum? Wozu uns alle in Gefahr bringen?«

»Ich brauchte eine glaubwürdige Gelegenheit, jemandem sagen zu können, dass ich Angst davor hätte, hier auf meinen Vater zu treffen. Dass ich in dem Fall wehrlos sein würde. Und das musste ich über ein Telefon sagen. Es musste wie ein Versehen wirken, als rutsche es mir in der Aufregung heraus –«

»Du wolltest die Kohärenz dazu bringen, deinen Vater nach Los Angeles zu schicken?«

»Genau.«

Jones schüttelte verwundert den Kopf. »Du bist davon ausgegangen, dass sie dieses Telefonat mithören würde? *Irgendein* Telefonat, *irgendwo* auf der Welt?«

Christopher hob den Kopf. »Natürlich. Als ich noch angeschlossen war, habe ich das auch gemacht. Das ging so nebenbei wie Radiohören.« Er sah über die Stadt und die Bay, deren
Konturen allmählich aus dem Zwielicht hervortraten. »Linus
hatte diese Freundin, diese Stewardess, als er das erste Mal in
die USA kam, um sich die Internet-Schnittstelle implantieren
zu lassen. Ihr Vater arbeitet für den Geheimdienst NSA. Über
die beiden hat sich die Kohärenz später Zugang zu deren
ECHELON-System verschafft, einer riesigen Computeranlage,
die alle Telefonate auf der ganzen Welt überwacht. Das war
das erste reine Computersystem, mit dem sich die Kohärenz direkt verschaltet hat.«

»Du meine Güte«, murmelte Jones.

Christopher fröstelte. Jetzt erst fiel ihm auf, wie kalt es hier
draußen war. »Ich war mir nicht sicher, ob Dad es rechtzeitig
schaffen würde. Von London nach San Francisco, das dauert
schon eine Weile . . .«

»Und dann hast du das Stromnetz von ganz Kalifornien zusammenbrechen lassen. Einfach so«, sagte Jones. Es klang
halb missbilligend, halb bewundernd.

»Ganz so einfach war es nicht«, bekannte Christopher. »Es
musste ja nicht nur ausfallen, es musste auch lang genug so
bleiben. Ich hab den größten Teil meiner Internetrecherchen
dazu gebraucht, die nötigen Details herauszukriegen.«

Dass er an die vertraulichen Notfallpläne herangekommen
war, hatte sich natürlich als extrem nützlich erwiesen. Aber so
genau wollte das sicher niemand wissen.

Jones dachte nach. »Okay«, meinte er schließlich. »Letzten

Endes ist dein Plan geglückt. Aber der erhoffte große Schlag gegen die Kohärenz war es nicht, oder?«

»Aber ein Schlag war es«, sagte Christopher. »Ein Mitglied auf diese Weise zu verlieren, das trifft die Kohärenz ins Mark, glauben Sie mir. Die ist jetzt fuchsteufelswild.«

»Na großartig«, entgegnete Jones müde. »Aber dir ist klar, dass wir unmöglich hunderttausend solcher Aktionen durchziehen können, oder? Nur falls du in Kategorien von *Heute befreie ich meinen Vater, morgen meine Mutter und übermorgen den Rest der Welt* gedacht haben solltest.«

Christopher wusste nicht, was er darauf hätte sagen sollen. So weit in die Zukunft hatte er noch nicht geplant. Wozu auch? Wenn diese Geschichte hier nichts weiter gebracht hatte, als seinen Vater aus der Kohärenz zu reißen, wenn Dad ihnen nicht weiterhelfen konnte, mit einer Idee, mit einer Information, irgendwie ... Dann hatte es ohnehin keinen Zweck, sich Gedanken über die Zukunft zu machen. Dann war klar, wie die aussehen würde.

Dann würde die Kohärenz gewinnen. Und ob das schon nächstes Jahr sein würde oder erst in zwei Jahren, darauf kam es dann auch nicht mehr an.

Das unverkennbare Geräusch, mit dem die luftdichte Tür des Medomobils geöffnet wurde, enthob ihn der Notwendigkeit zu antworten. Sie drehten sich herum und sahen zu, wie Dr. Connery die schmale Leiter heruntergestiegen kam, noch im grünen OP-Kittel, den Mundschutz lose um den Hals hängen. Der Kittel war blutbespritzt, das sahen sie, als er näher kam.

»Geschafft«, sagte er in einem Ton, aus dem abgrundtiefe

Müdigkeit sprach. Er drückte Christopher ein paar dunkle, verschmierte Metallkrümel in die Hand. »Das sind die Überreste des Chips. Wir mussten ihn zerbrechen. Dein Dad hat es gut überstanden, soweit man das im Moment sagen kann. Er wird natürlich noch eine ganze Weile bewusstlos bleiben, und was danach sein wird . . . Tja. Das wird man abwarten müssen.«

»Wann können wir weiterfahren?«, wollte Jones wissen.

Dr. Connery machte eine fahrige Geste. »Oh. Im Prinzip jetzt gleich. Der Patient ist versorgt, sicher angeschnallt, der Kreislauf ist stabil . . . Einer von uns muss natürlich bei ihm bleiben. Es wäre gut, wenn jemand anders das Steuer übernimmt, weil wir, glaube ich, beide nicht mehr richtig fit sind.«

Christopher sah auf die drei verdrehten, irgendwie schmutzig aussehenden Krümel aus Silikon und Metall in seiner Handfläche hinab. Das also war es, was übrig blieb vom Siegel der Kohärenz. Es sah so lächerlich winzig aus. Kaum zu fassen, dass nicht mehr nötig war, um einen Menschen seiner Individualität zu berauben.

Und ihn mit unvorstellbarer Macht und Allwissenheit auszustatten.

Er schloss die Hand darum, wütend über diesen letzten Gedanken, holte aus und schleuderte die Bruchstücke des Chips so weit fort, wie er konnte.

Jeremiah Jones knurrte missbilligend. »Das war jetzt unnötig, Christopher. Eine Analyse der Überreste hätte uns wertvolle Informationen geben können.«

Christopher fasste in seine Jackentasche, holte ein Etui heraus und drückte es Jones in die Hand. »Hier«, sagte er. »Hab ich einem der Upgrader abgenommen, ehe wir gegangen sind. Das sind die Chips, die die Kohärenz für uns vorgesehen hatte. Zwanzig Stück. Das sollte erst mal genug Material für Analysen sein.«

Freunde

90 | Das neue Camp gefiel Serenity fast besser als das vorige. Sie lagerten in der flachen Biegung eines Wildwassers, das unablässig murmelte und rauschte und silbern schimmerte, und befanden sich noch tiefer im Wald als vorher.

Und zwar offenbar an einer Stelle, wo sie noch nie gewesen waren, denn Irene aus der Küche maulte unablässig, wo sie hier ihre Kräuter herkriegen sollte.

Als der Lotse gekommen war, um Melanie, Madonna und sie bei Patricia abzuholen und zum neuen Lagerplatz zu bringen, hatte Serenity ihn unterwegs gebeten, an einer Telefonzelle anzuhalten. Sie hatte ihre Mutter angerufen, hatte versucht zu erklären, ohne etwas zu verraten – was fast unmöglich war –, und dann die fällige Standpauke über sich ergehen lassen. Ihre Mutter war abwechselnd erleichtert, stinkwütend, besorgt und ungehalten geworden.

Ihre Stimmung verbesserte sich nicht, als Serenity ihr erklärte, sie werde einstweilen nicht zurückkommen.

»Du und dein Vater – ihr wisst aber noch, dass es so was wie Schule gibt? Und dass die übermorgen wieder beginnt?«

Man hätte Löcher bohren können mit dem Klang ihrer Stimme.

»Ja, ist mir klar. Trotzdem. Es geht gerade nicht. Mom, bitte glaub mir, ich muss jetzt einfach hierbleiben.«

Immerhin, ihre Mutter fragte nicht nach dem Grund und ersparte es ihr auf diese Weise, sagen zu müssen, dass sie ihr das nicht am Telefon erklären konnte.

»Also gut«, sagte sie schließlich, mit einem Klang in der Stimme, der deutlich zum Ausdruck brachte, dass sie das alles andere als gut fand. »Ich entschuldige dich in der Schule. Aber sag deinem Vater, er soll einen Weg finden, sich bei mir zu melden – und zwar so schnell wie möglich. Ewig wird das nämlich so nicht funktionieren!«

»Ich hab nichts von ewig gesagt«, erwiderte Serenity.

Doch als sie aufgelegt und die Telefonzelle verlassen hatte, war ihr auf einmal gewesen, als würde sie ihre Schule nie wiedersehen.

Dad, Christopher und die anderen kehrten erst drei Tage später aus San Francisco zurück. Sie kamen mit den zwei Autos und Brians Wohnwagen, in dem sie auch Christophers Vater transportierten, im unteren der beiden Stockbetten. Am oberen Bettrand hing der Tropf, über den man ihn ernährte. Das Medomobil hatten sie unterwegs wieder abliefern müssen.

Sie brachten Christophers Dad in ein Zelt neben das von Dr. Lundkvist. Dort lag er die ersten Tage, reglos, die meiste Zeit mit geschlossenen Augen. Wenn er sie zwischendurch kurz öffnete, gruselte einen: Er starrte einfach durch einen hindurch, schaute leblos ins Leere, und man hatte nicht das Gefühl, dass dahinter noch jemand war. Er hätte auch eine Puppe sein können.

Es sei kein Koma, erklärte Dr. Connery. Es sei etwas anderes; ein Zustand, den es noch nie zuvor gegeben habe und für den in der medizinischen Fachliteratur folglich noch kein Begriff existiere.

Und ja, es sei durchaus denkbar, dass sie James Kidd zwar aus der Kohärenz befreit hätten, dass er aber nie wieder zu sich kommen würde.

Christopher wich seinem Vater nicht von der Seite. Den ganzen Tag über saß er an dessen Bett, und nachts schlief er auf einer Luftmatratze neben ihm.

Serenity brachte ihm ab und zu etwas zu essen, obwohl Christopher die Sachen kaum anrührte. Sie versuchte auch, mit ihm zu reden, aber er antwortete bestenfalls einsilbig, wenn überhaupt. Meistens nickte er nur oder schüttelte kurz den Kopf oder machte nur »Mmh«, und da blieb es ihr dann selber überlassen zu entscheiden, was er damit meinen mochte.

Die Stimmung im Camp wurde zunehmend gedrückter. Die Nachricht, dass man der Kohärenz in San Francisco tatsächlich eine Niederlage hatte zufügen können, hatte zunächst wilden Triumph ausgelöst, doch nun machte sich Frustration breit.

War alles umsonst gewesen? Okay, sie hatten die Kohärenz nicht so entscheidend geschlagen, wie sie gehofft hatten – aber sollte ihnen nicht einmal dieser kleine Sieg vergönnt sein, einen einzigen Menschen aus ihren Klauen befreit zu haben?

Es war schrecklich, Christopher dasitzen zu sehen, reglos wie eine Statue, bleich im Gesicht. Serenity kam es so vor, als würde er seinem Vater mit jeder Stunde, die verstrich, ähnlicher. Als stünde er selber dicht davor, ins Koma zu fallen.

»Wir wissen nichts darüber, wie sich Gehirne verändern, wenn sie lange im Verbund der Kohärenz funktionieren«, erklärte Dr. Connery, als sie beim Mittagessen zusammensaßen. »Das ist für die Neurologie völliges Neuland. Im besten Fall braucht James einfach nur Zeit. Vielleicht müssen sich seine Neuronen nur wieder rekonfigurieren, und wenn das abgeschlossen ist, wacht er plötzlich auf und ist wieder ganz der Alte. So weit hergeholt das im Augenblick klingen mag, grundsätzlich möglich ist es – das menschliche Gehirn ist ein unglaublich anpassungsfähiges Gebilde.«

»Und wenn nicht?«, fragte Dad. »Wenn das schon der beste Fall ist – was ist dann der schlechteste?«

Serenity entging nicht, wie Dr. Connerys Augen in diesem Moment flackerten; vielleicht dachte er gerade an seine Schwester. »Es kann genauso gut sein, dass seine Eigenständigkeit – alles, was ihn als Person ausgemacht hat – durch die lange Zugehörigkeit zur Kohärenz einfach erloschen ist. Sozusagen überschrieben, so, wie man eine Festplatte mit neuen Daten überschreibt. Da bleibt von den alten Daten auch nichts mehr übrig.«

Ein langer Moment des Schweigens. Jeder stocherte in seinem Teller. So richtig Appetit hatte niemand.

»Es könnte sogar sein«, meinte Doktor Lundkvist düster, »dass am Ende nur eine Möglichkeit bleibt, Christophers Vater zu retten. Nämlich die, ihn der Kohärenz zurückzugeben.«

91 | Am nächsten Morgen, Serenity war gerade mit dem Frühstückstablett bei Christopher und seinem Vater im Zelt, kam Neal Lundkvist hereingestapft und verkündete: »So, ihr Hübschen, Zeit, dass ihr ein bisschen an die frische Luft geht. Ich muss den Patienten untersuchen, da kann ich euch nicht brauchen.«

»Aber ich –«, begann Christopher.

»Auch du, junger Mann«, unterbrach der Arzt ihn und stellte seine lederne Tasche gebieterisch auf dem Bett ab. »*Ganz besonders* du.« Er nickte Serenity zu. »Du begleitest ihn am besten und passt auf, dass er nicht in den Fluss fällt!«

Christopher rührte sich erst nicht. Schließlich zog Serenity ihn am Ärmel. Er blickte sie verwundert an, dann schien er endlich zu begreifen. Langsam, wie ein Schlafwandler, stand er auf, verließ das Zelt. Serenity schnappte sich das Frühstück und folgte ihm.

Christopher wollte nicht zu den anderen, also suchten sie einen ruhigen Platz am Fluss und einen Stein, auf dem man ein Tablett abstellen konnte, ohne den Tee zu verschütten.

Lag es an der frischen Luft oder daran, dass Christopher hier seinen bewusstlosen Vater nicht vor Augen hatte? Auf jeden Fall langte er endlich kräftig zu, zum ersten Mal seit Tagen.

Nach dem zweiten Brot sagte er: »Ich weiß, was die Ärzte denken. Sie denken, dass die Kohärenz nichts von meinem Vater übrig gelassen hat.«

Serenity schluckte unbehaglich. »Es sieht schon so aus, das musst du zugeben.«

Christopher warf ihr einen kurzen, prüfenden Blick zu, nahm dann einen großen Schluck Tee und versank ins Grübeln.

»Oder?«, fragte Serenity nach einer Weile.

Hätte sie das nicht sagen sollen? Sie überlegte, kam aber zu dem Schluss, dass es sein Problem war, falls er die Wahrheit nicht vertragen konnte. Und für sie *sah* es nun mal so aus.

Und außerdem war sie, verdammt noch mal, enttäuscht. Enttäuscht darüber, mit welcher Selbstverständlichkeit er alles hinnahm, was sie für ihn tat, ohne ihr mehr Aufmerksamkeit zu widmen als . . . als irgendeinem Möbelstück!

Ach, zum Teufel mit ihm. Er würde sich nie ändern.

Christopher legte die Hände um den Becher, als müsse er sie daran wärmen, und sah sie an. Sah sie an, hielt ihren Blick fest, forschend, nachdenklich . . .

Verletzlich.

Eine Weile saßen sie so, schweigend, doch trotz all dem Schweigen, das zwischen ihnen schon geherrscht hatte, war dies etwas Neues. Auf geheimnisvolle Weise war es ein magischer Moment. Als seien auf einmal alle Menschen von der Welt verschwunden und nur sie beide übrig geblieben.

»Als sie mir damals den Chip verpasst haben«, begann Christopher schließlich leise, »gab es einen Vorfall, von dem ich bisher niemandem erzählt habe. Keine große Sache, wenn man darüber spricht, aber für mich . . . für mich war es trotzdem eine große Sache. Und deswegen habe ich es für mich behalten. Weil ich Angst hatte, dass sich, wenn ich drüber rede, herausstellen könnte, dass es gar nichts zu bedeuten hatte.«

Serenity betrachtete ihn schweigend. Sie wusste nicht, wo-

455

rauf er hinauswollte, aber sie spürte, dass sie ihn nicht unterbrechen durfte.

»Wenn man einen Chip implantiert«, fuhr er fort, »dann setzt man ihn erst im letzten Moment in den Injektor ein. Und zwar, weil er von einer bioaktiven Substanz umhüllt ist – eine Art dünner Glibber –, die dafür sorgt, dass sich nach dem Einsetzen so schnell wie möglich Verbindungen zwischen den Interface-Anschlüssen und den Nervenbahnen bilden. Diese Substanz darf nicht austrocknen, sonst funktioniert sie nicht mehr.«

»Verstehe«, sagte Serenity, obwohl sie eigentlich nichts verstand. Aber das kam vielleicht noch.

»Bei mir war es mein Dad, der den Chip in den Injektor eingesetzt hat. Eine Frau hat mir die lokale Betäubung verpasst, ein Mann, der vor seinem Upgrade Hals-Nasen-Ohren-Arzt war, hat den Injektor geführt, aber mein Dad hatte den Job, den Chip rauszuholen und einzusetzen.« Christophers Stimme war tonlos geworden. Sein Blick wanderte davon, über das schäumende Wasser des Flusses hinweg, in den Wald auf der anderen Seite, in die Vergangenheit. »Ich sehe das noch vor mir, als wäre es gestern passiert. Wie seine Finger nach dem Chip in der Mitte greifen, nach dem, der in der Halterung hängt. Wie er plötzlich anhält. Wie seine Fingerspitzen zittern, als müsste er sich unglaublich anstrengen . . . und wie seine Hand dann zur Seite zuckt und einen anderen Chip herausholt. Einen, der halb versteckt an der Seite gelegen hat. Einen Chip mit einer Markierung.«

Serenity atmete überrascht ein. »Eine Markierung?«

»Ein winziger goldfarbener Kratzer. Als hätte sich jemand

mit einem spitzen Gegenstand daran zu schaffen gemacht.«
Christopher sah sie eindringlich an. »Mein Chip ist bekanntlich
defekt – und ich glaube, dass das kein Zufall ist.«

»Du denkst, dass dein Vater . . .?«

Er nickte. »Und direkt vor meinen Augen, verstehst du? Er
hat das Etui so gehalten, dass ich genau sehen konnte, was
passiert, obwohl mein Kopf schon in der Halterung festge-
klemmt war. Und ich sage mir seitdem, dass er das getan hat,
um mir ein Zeichen zu geben. Um mir zu zeigen, dass er noch
nicht ganz in der Kohärenz aufgegangen ist, dass noch ein
bisschen von ihm selber da ist . . .«

Serenity schwindelte, als sie begriff. »Deswegen glaubst du,
dass dein Vater wieder zu sich kommen wird!«

Er nickte müde und wirkte dabei so zerbrechlich, dass sie
insgeheim darum betete, er möge recht behalten.

»Ich glaube es auch«, erklärte sie, und es war nur zur Hälfte
um seinetwillen. Sie seufzte. »Ich wüsste bloß gern, wie es
dann weitergehen soll.«

»Das ist die große Frage, ja«, gab Christopher zu. Er sah hinüber zu den Zelten und Wohnwagen, die zwischen den Bäumen kaum auszumachen waren. »Ich schätze, das hängt von
deinem Vater und den anderen ab.«

»Sie sind enttäuscht, dass ihr nicht mehr erreicht habt.«

Christopher gab ein leises Geräusch von sich, als habe er
Schmerzen. »Was habt ihr erwartet? Dass wir die Kohärenz mit
einem einzigen Schlag ausschalten? Wie in einem Hollywoodfilm, wo nach spätestens zweieinhalb Stunden der Gegner be-
siegt und alles wieder gut ist?« Er schüttelte entschieden den

Kopf, und in diesem Moment, in dem seltsamen Licht, das durch die Wipfel flirrte und im Fluss reflektiert wurde, sah er aus wie ein Unheilsbote. »Nein. Wenn wir weiter gegen die Kohärenz kämpfen, wird das ein *Krieg*. Ein Krieg, in dem wir ganz schlechte Karten haben.«

Serenity schauderte. Es war kühl hier, so dicht am schäumenden Wasser.

»Immerhin habt ihr die erste Runde gewonnen«, erinnerte sie ihn. »Trotz allem.«

»Weil wir sie überrascht haben. Nur deshalb. Aber das klappt nicht noch einmal. Die Kohärenz ist jetzt gewarnt.« Er seufzte, nahm das Messer vom Tablett und betrachtete es, als könne er die Zukunft daraus lesen. »Und die Kohärenz verzeiht nicht. Niemals. Was wahrscheinlich heißt, dass wir gar nicht zu entscheiden haben, ob der Kampf weitergeht. Die Kohärenz wird uns auf jeden Fall verfolgen, mit aller Macht.« Er sah sie an. »Die Überraschung war unsere wichtigste Waffe. Jetzt ist sie stumpf. Und es hat gerade erst begonnen.«

Er ließ das Messer, das auch stumpf und nur zum Streichen von Butter und Marmelade geeignet war, klirrend zurück aufs Tablett fallen.

Seltsam, sollte Serenity später an diesem Tag denken, dass gerade in dem Moment, in dem sie von Überraschung sprachen, eine geschah.

Eigentlich konnte das nur ein gutes Omen sein, oder?

Auf das Klirren hin tauchte nämlich George aus dem Gebüsch auf, blickte Christopher an und sagte, wortkarg wie immer: »Dein Vater ist aufgewacht. Er will dich sehen.«

92 | Christopher sprang auf. Also doch! Er warf Serenity einen bangen Blick zu, dann rannte er los, zum Camp zurück. Er stürmte quer durch den Wald, achtete nicht auf Zweige, die ihm ins Gesicht peitschten, übersprang all die Wurzeln, Steine und abgerissenen Äste, die ihn zu Fall bringen wollten.

Als er vor dem Zelt anlangte, kam Dr. Lundkvist gerade heraus. »Ah, gut dass du kommst«, sagte er und fasste ihn am Arm. »Versuch, ihn so lange wie möglich wach zu halten. Je länger er bei uns bleibt, desto besser.«

Christopher nickte. »Er bleibt bei uns.« Irgendwie war er sich da ganz sicher.

»Hoffen wir es. Bob ist bei ihm drin; ich komme auch gleich wieder.« Er eilte davon.

Christopher blieb einen Moment stehen, holte Luft. Sein Herz hämmerte wie wild, und etwas, von dem er nicht hätte sagen können, was es war, ließ ihn zögern.

Hinter ihm keuchte Serenity heran, hatte kleine Zweige in den wilden Locken. »Was ist?«, stieß sie hervor. »Warum gehst du nicht rein?«

Er zuckte nur mit den Achseln, dann schlug er die Zeltplane beiseite.

Dad war wach. Lag da, Dr. Connery neben sich, und sah ihn an.

Christopher trat an sein Bett. »Na?«, fragte er. »Wieder allein im Kopf?«

Dad verzog die Lippen zu einer Art Lächeln. »Fühlt sich seltsam an.«

»Aber gut?«

»Aber gut.«

Jemand stellte ihm einen Stuhl hin. Christopher setzte sich. »Wie geht's dir?«

»Na ja. Ging schon besser.«

»Ich hab mir Sorgen gemacht. Du hast hier ganz schön lange einfach nur herumgelegen.«

Dad nickte schwach. »Ich musste mich erst . . . hmm. Erst wieder zusammensetzen.«

»Kannst du dich erinnern, was passiert ist?«

»Viel zu gut«, sagte Dad. Es klang nicht, als seien es erfreuliche Erinnerungen. Dann lächelte er. »Das mit dem Stromausfall war ja wieder so eine Idee, auf die nur du kommen konntest!«

Christopher musste lachen, fühlte sich, als sei ihm ein Fels von der Brust genommen.

Dad wurde wieder ernst. »Aber wie soll es weitergehen?«

»Na, wie schon?« Christopher versuchte, so unbeschwert wie möglich zu klingen. »Dich haben wir schon mal befreit. Als Nächstes befreien wir Mom und danach den Rest der Welt. Ist doch logisch, oder?«

Dad musterte ihn mit langsamen Blicken. »Das wird . . . nicht ganz so einfach. Fürchte ich.«

Christopher nahm seine Hand und drückte sie, ganz fest. Er wusste nicht, wieso, und eigentlich gab es auch gar keinen vernünftigen Grund dafür, aber zum ersten Mal, seit alles angefangen hatte, vielleicht sogar zum ersten Mal überhaupt in seinem Leben verspürte er so etwas wie Hoffnung. Und das fühlte sich so gut an, dass er entschlossen war, dieses Gefühl nicht wieder zu verlieren.

»Wir werden es schaffen, Dad«, erklärte er. »Ich weiß noch nicht, wie, aber irgendwie werden wir es schaffen.«

Er sah hoch zu Serenity, die auf der anderen Seite des Bettes stand, sah sie seinen Blick erwidern, und auf einmal wusste er, womit diese Zuversicht zu tun hatte.

Er drückte die Hand seines Vaters noch fester.

»Wir haben jetzt Freunde, weißt du?«

– ENDE DES 1. TEILS –

Andreas Eschbach

Hide*Out

Hunderttausende Menschen, die im Gleichtakt denken, handeln, fühlen: Das ist die Kohärenz, die größte Bedrohung der Menschheit. Lediglich der 17-jährige Christopher, einst der berühmteste Hacker der Welt, wagt es, den Kampf mit dieser Macht aufzunehmen. Doch dann stellt Christopher zu seinem Entsetzen fest, dass er es mit einem ganz besonderen Gegner zu tun hat – einem Feind in seinem eigenen Kopf...

Time*Out

Christopher und Serenity sind im Hide Out zum Nichtstun verdammt. Während die Kohärenz ihre Fäden immer dichter spinnt, verlieren sie jeden Mut. Als dann auch noch mit viel Werbeaufwand der Lifehook eingeführt wird – mit dem die Menschen fast ohne Aufwand gedanklich kommunizieren können – ahnt Christopher, dass die Kohärenz zum alles entscheidenden Schlag ausgeholt hat. Doch dann hat er eine Idee, wo die Schwachstelle des globalen Netzwerkes liegen könnte. Gemeinsam mit Serenity macht er sich auf, um das Unmögliche zu wagen.

456 Seiten • Gebunden
ISBN 978-3-401-06587-8
www.arena-verlag.de

528 Seiten • Gebunden
ISBN 978-3-401-06630-1
www.eschbach-lesen.de

Andreas Eschbach

Die seltene Gabe

Lampen zerspringen, Züge bleiben liegen, Dinge schweben durch den Raum ... und daneben steht ein Junge, dessen starrer Blick diese unheimlichen Vorgänge lenkt. Armand ist ein Telekinet. Einer der besten. Doch diese seltene Gabe hat ihre Schattenseiten. Das Militär will, dass er seine parapsychologischen Kräfte als Killer einsetzt. Armand bleibt nur die Flucht – die ihn zu Marie und in ein neues Leben führt ...

320 Seiten • Klappenbroschur
ISBN 978-3-401-50353-0
www.arena-verlag.de

Perfect Copy
Die zweite Schöpfung

Ein kubanischer Wissenschaftler hat zugegeben, vor 16 Jahren zusammen mit einem deutschen Mediziner einen Menschen geklont zu haben. Nun sucht alle Welt nach dem Klon. Und der Vater des 16jährigen Wolfgang kannte den Kubaner. Als eine große Boulevardzeitung mit Wolfgangs Foto und der Schlagzeile »Ist er der deutsche Klon?« auf der Titelseite erscheint, bricht die Hölle los ...

248 Seiten • Kartoniert
ISBN 978-3-401-50316-5
www.eschbach-lesen.de

Krystyna Kuhn
Das Tal – Season 1

Das Spiel

Eine hippe Einweihungsparty im Bootshaus: So feiern die Freshmen ihre Ankunft im Grace College. Doch schnell merken Julia und ihre Freunde, dass in dem abgelegenen Tal etwas nicht stimmt. Wozu die vielen Verbotsschilder? Und warum ist der Ort nicht auf Google Earth zu finden?

Die Katastrophe

Unheimliche Mythen ranken sich um den Ghost, den legendären Dreitausender, der das Tal überragt. Doch kaum sind Katie, Julia und David dorthin unterwegs, geraten die Dinge aus dem Ruder. Was hat der verstörende Fund auf der Berghütte zu bedeuten? Als dann auch noch das Wetter verrückt spielt, gerät die Gruppe in Lebensgefahr.

Band 1:
304 Seiten • Kartoniert
ISBN 978-3-401-50530-5
www.arena-verlag.de

Band 2:
304 Seiten • Kartoniert
ISBN 978-3-401-50531-2
www.das-tal-lesen.de